Schwarmdumm

Gunter Dueck war zunächst Mathematikprofessor und bis August 2011 Cheftechnologe bei IBM, genannt wurde er »Wild Duck«, Querdenker. Seitdem hat es ihn wegen Erreichens der 60-Jahre-Marke in den Unruhestand gezogen. Er ist derzeit freischaffend als Autor, Netzaktivist, Business Angel und Speaker tätig und widmet sich weiterhin unverdrossen der Weltverbesserung. Mehr auf seiner Homepage **omnisophie.com**

Gunter Dueck

schwarm dumm

So blöd sind wir nur gemeinsam

Campus Verlag
Frankfurt / New York

ISBN 978-3-593-50217-5

Umschlaggestaltung: Network, München
Umschlagmotiv: plainpicture, Hamburg
Innengestaltung, Illustrationen und Satz: Oliver Schmitt
Gesetzt aus: Univers und Yoga Pro
Druck und Bindung: Beltz Bad Langensalza
Printed in Germany

Dieses Buch ist auch als E-Book erschienen.
www.campus.de

Inhalt

1

Das Wesen der Schwarmdummheit

Als Team spinnen wir!

Sie wissen es ja selbst: Wir leiden unter zunehmender Komplexität unserer Arbeit. Man hat uns angewöhnt, dieses bestimmte Wort dafür zu verwenden: die »Komplexität«. Aber wir stöhnen eigentlich unter einer selbst verursachten Kompliziertheit. Wir ächzen unter höherer Arbeitsdichte und dem Dauerbefehl von oben, ständig den Gewinn zu steigern. Wir agieren immer kurzfristiger, fühlen uns vom Tagesgeschäft aufgefressen und haben weder Zeit noch die innere Kraft, nachhaltig eine gute Zukunft in die Wege zu leiten. Zwischendurch kommt es von außen oder anderen Unternehmensbereichen viel zu oft zu abrupten Veränderungen, an die wir uns defätistisch und gezwungen loyal mehr schlecht als recht anpassen. Die Arbeit macht immer weniger Freude, sie ist fremdbestimmter denn je.

Moment - stimmt es denn wirklich, dass die Arbeit keine Freude mehr macht? Hmmh. Sie macht keine Freude? - Doch! Sie macht noch Freude. Ja, sie macht Spaß. Aber das ärgerliche Drumherum wird immer schlimmer. Wir dürfen jedes Jahr weniger selbst entscheiden, müssen in Meetings unsere Arbeitsleistungen rechtfertigen, fast wie vor einem Gericht, und auch zwischendurch immer wieder auf drängende Fragen der Art »Wie weit sind Sie?« oder »Wo stehen wir?« antworten. Jeder Arbeitsschritt soll dokumentiert werden, offenbar, damit man uns später noch juristisch belangen kann, wenn sich ein Fehler herausstellt. Alles wird notiert und abgezeichnet, was oft länger als die eigentliche Arbeit dauert. Wird uns damit nicht latent kriminelle Energie unterstellt? In den vielen Meetings, die ständig an Zahl und Dauer zunehmen, reden wir kaum mehr über unsere Arbeit selbst, wir koordinieren nur noch genervt, wer bis wann was zu erledigen hat. Das ist so zeitintensiv, dass wir vor lauter Meetings kaum noch zur Arbeit selbst kommen, die wir folglich nur noch unter Zwang zu den vorher bestimmten Deadlines abliefern. Das viele Drumherum um unsere Arbeit erzeugt Stress, und bald müssen wir auch unsere geliebte Arbeit unter Stress ausführen, weil wir in Zeitnot kommen.

Es fühlt sich so unsinnig an, in langatmigen Meetings herumzusitzen, wenn gleichzeitig unsere eigentliche Arbeit schon in Verzug geraten ist. Warum beredet der Manager seit einer Viertelstunde etwas mit meinem Kollegen, was mich selbst nicht betrifft? Könnte ich da nicht an meinen konkreten Aufgaben weiterarbeiten? Ich sitze wie auf glühenden Kohlen und fühle, dass mir wertvolle Lebenszeit gestohlen wird - ja genau, wertlos vertan. Jetzt verlangt der Chef noch höhere Leistungen. Wir sollen die Taktfrequenz steigern, sagt er - und bezieht sich dabei auf die Metapher des Ruderns. Wir sollen schneller rudern, er ist unser Metronom, der kleine Steuermann, der nicht selbst rudert. Keine Zeit mehr. Unsere Zusammenarbeit ist in der letzten Zeit schlechter geworden, weil jetzt mehr und mehr Leute zu ihren Deadlines nicht mit ihren Teilaufgaben fertig werden. Dadurch verzögern sich die Arbeiten der Tüchtigen ebenfalls und wir müssen ständig die Gesamtpläne revidieren. »Alles ist voneinander abhängig geworden«, sagt der Chef und tut so, als sei das »gottgegeben immer so«, wo doch offensichtlich nur Zeitspielräume fehlen, in denen man Fehler berichtigen oder Rückstände aufholen kann.

Es nervt so sehr. Wir haben keine Zeit mehr, nicht geschaffte Arbeit nachzuholen, weil wir ohnehin zu viel arbeiten. Wir können solchen Kollegen, die im Strudel versinken, nicht helfen, weil wir selbst ständig unter Wasser sind. Fehler, die ja immer einmal vorkommen, können nicht mehr stillschweigend in Ordnung gebracht werden - keine Zeit! Wegen jeder kleinen Panne gerät das Ganze in Unordnung. Wir haben begonnen, im Chaos zu leben.

Wir wollen das nicht. Wir wollen wieder friedlich unsere Arbeit erledigen und zufrieden zu unserer Familie zurückkehren. Es ist aber nicht mehr friedlich. Wenn Kollegen ihre Arbeit nicht schaffen und damit die der anderen gefährden, nehmen wir das zunehmend übel. Nicht den Kollegen - na ja, eigentlich doch. Unsere aufgestaute Aggression muss ja irgendwo hin. Seit einigen Jahren werden in den Meetings ständig mehr Schulddiskussionen geführt. Das verschwendet noch mehr Zeit und vergiftet die Stimmung für die Zusammenarbeit. Wenn wir dann nämlich nach dem Streit zusammenarbeiten, ist uns im Herzen gar nicht mehr so danach.

Unsere Teamarbeit klappt nicht, sagt der Chef. Wir sollen ein zusammengeschweißtes Team bilden, fordert er. Aber wir lösen im Team doch nur die Probleme, die durch Pannen und Verzögerungen entstehen, die wir in der Eile nicht einfach so beseitigen konnten. Das hat nichts mit wirklicher Zusammenarbeit zu tun! Das Ganze ist zu kompliziert geworden. Das ist es. Wir kommen uns manchmal schon dumm vor.

Früher war das Arbeiten einfacher. Meistens klappte alles. Heute gibt es oft Gezanke, die Nerven liegen blank. Wir wollen nicht für die Fehler anderer beschuldigt werden. Jeder Fehler, der uns zugerechnet wird, beeinflusst unser Gehalt, unseren Bonus und die nächste Beförderung. Alles hängt auf unselige Weise mit allem anderen zusammen. Unsere Koordination ist unnatürlich geworden.

Lange schon hat uns das Management beschwichtigen wollen, dass nun mal die Komplexität der Arbeitswelt zunähme - es entstünden ja überall neue globale Beziehungen und Wechselwirkungen, die es früher nicht gab. In der letzten Zeit ist aber unsere immer lauter werdende Verzweiflung in der Hierarchie nach oben gestiegen. Unsere Chefs sind ebenfalls mutloser geworden. Da jedoch Chefs nicht mutlos sein dürfen, müssen sie ständig behaupten, gut aufgestellt zu sein und ihre Ziele locker schaffen zu können. Sie haben weltweit einheitlich vereinbart, auftauchende Probleme einfach zu verleugnen, indem sie von Herausforderungen sprechen. Wir dachten schon früher manchmal, unsere Chefs spinnen, wenn sie ihren seltsam unpassenden Optimismus versprühten. Aber sie müssen das tun! Sie können nicht einfach wie wir am Kaffeeautomaten meckern. Sie dürfen es nicht herauslassen. Unsere Chefs sind intelligente Menschen, aber auch sie versinken jetzt im Chaos. Und da sie das leugnen müssen, wirken sie, als würden sie spinnen.

Jeder Einzelne von uns ist für die konkrete eigene Arbeit intelligent genug. Aber die Arbeit der Einzelnen passt nicht mehr zusammen. Wir Kollegen passen nicht mehr zusammen. Ich versuche es mal so auf den Punkt zu bringen: Als Einzelne sind wir klug und stark, aber als Team spinnen wir. Wir agieren als Unternehmen, als Team, als Gremium oder als Partei gemeinschaftlich so, wie wir es einzeln als Mensch ohne Fesseln und Zwänge nie täten. Wir sind aktiver Teil eines Ganzen, das gegen all das handelt, was unsere persönliche Intelligenz und unser eigenes Herz uns raten. Die Summe aller unserer Fähigkeiten ist größer als das, was wir zusammen leisten. Unsere Bosse klagen gebetsmühlenartig immer wieder: »Ach, wenn wir es *einmal* schaffen würden, unsere volle Energie auf die Straße zu bringen, dann wären wir unbesiegbar.« Damit ist gesagt und festgestellt, dass wir in Unternehmen und Institutionen weit unter unseren gefühlten Möglichkeiten bleiben und darüber bei klarer Sicht (beim Bier am Abend) fast ins Verzweifeln kommen. Die Kompliziertheit stranguliert uns. Das Ganze ist dümmer als die Summe der Intelligenz der Einzelnen.

Es soll einfach sein – aber genial einfach, nicht dumm einfach!

Das alles muss doch einfacher gehen! Wieso können wir Marsfähren bauen, aber nicht smart zusammenarbeiten? Warum bezeichnen die da oben neuerdings sogar die von ihnen selbst gesteckten Ziele als Herausforderungen? Warum sagen sie, die Teamarbeit stelle uns vor Herausforderungen? Sehen sie schon voraus, dass wir uns zanken? Sind die Probleme schon vor aller Arbeit an den Zielen mutwillig eingebaut? Ist bald alles eine einzige Herausforderung?

Dieses Buch behandelt die selbst verschuldete Kompliziertheit unseres Lebens. Es deckt die Ursachen auf, warum es so weit gekommen ist. Es endet mit einem Appell, auf die einfache Seite zu wechseln. Nicht auf die »simple« Seite, sondern auf die »smarte«. Das sagt Ihnen Ihr Chef sicherlich auch: »Work smarter, not harder«, aber das können Sie nur für sich selbst bei Ihrer ureigenen Arbeit tun. Damit Teams smarter agieren, muss sich viel ändern. Sehr viel. Einfach deshalb, weil wir schon lange in eine falsche Richtung gegangen sind und schon vieles unsinnig geregelt haben. Ich will Ihnen das Spiegelbild Ihres überkomplizierten Arbeitslebens vorhalten und zeigen, dass es auf unklugen bis hin zu glatt falschen und sogar kreuzdummen Grundlagen errichtet ist.

Bei den Vorarbeiten für dieses Buch habe ich natürlich zur Inspiration viele Stunden gegoogelt. Dabei habe ich auf der Webseite von Olivia Mitchell eine Grafik gefunden, bei deren Betrachtung ich so etwas wie einen spontanen Lichtblitz hatte, sofort alle Arbeit ruhen ließ und lange nachdachte (wärmstens empfohlen: http://www.speakingaboutpresenting.com/content/presentation-simplicity). Danach habe ich dieses Buch neu organisiert, indem ich diesem Anschauungsbild von Mitchell gefolgt bin. Meine Abwandlung sehen Sie in der »Einfachheitskurve Nr. 1«.

Olivia Mitchell erläutert dazu auf ihrer Seite die große Kunst, gute Präsentationen zu halten. Alles Wissen, das ein Fachmann hat, ergibt zusammen ein hochkomplexes Geflecht von Wissen und Wechselwirkungen, das man dem Zuhörer lieber nicht zumuten sollte. Es gibt zwei Möglichkeiten der Abhilfe: Zunächst kann man das Komplexe brutal simplifizieren (auf Englisch *dumb down,* wie »trivialisieren« oder »im Niveau herunterschrauben« beziehungsweise »verdummen«). Auf der anderen Seite kann man versuchen, das Komplexe durch paradigmatische Beispiele und Vorstellungsbilder so »genial einfach« darzustellen, dass es für jedermann unmittelbar eingängig ist. In beiden Fällen ist das Komplexe für den Zuhörer vereinfacht worden. Der Redner hat die Wahl: Entweder er vereinfacht alles bis zur Niveaulosigkeit - das geht relativ leicht. Kritische schwierige Argumente werden durch Floskeln ersetzt. Zum Beispiel »Wir sind damit jetzt gut aufgestellt« für Manager oder »Wir werden stets nachhaltig agieren« für Politiker. Damit ist eine Pflichtübung einigermaßen überstanden. Oder aber der Redner denkt sehr, sehr lange über Metaphern, Bilder, Vorstellungen, Visionen und sprechende Beispiele aus dem Erfahrungshorizont der Zuhörer nach, die das Wesentliche der komplexen Zusammenhänge auf den Punkt bringen und den Zuhörer inspirieren und engagieren.

Wenn Sie eine Einzelperson sind, können Sie sich entscheiden - so oder so. Sie können versuchen, ohne viel Mühe heil aus der »Herausforderung« herauszukommen oder echte Wirksamkeit zu erzielen. Im letzteren Fall müssen Sie aber wirklich Hand anlegen. Denn Klarheit verlangt allerhärteste Arbeit - so sagen es uns alle großen Denker.

Wenn Sie aber als Team oder neudeutsch »Schwarm« die Aufgabe haben, in einer Stunde gemeinsam eine Präsentation für den Chef zusammenzubasteln? (Ich habe Erfahrung mit dem Management vieler Unternehmen - und ich kann Ihnen versichern: Manager sagen wirklich »basteln«!) Sie wissen sogleich, worauf es hinausläuft, wenn man »basteln« sagt. Die Manager hetzen im Tagesgeschäft hin und her, keiner will sich da wertvolle Zeit freischaufeln, um sich in

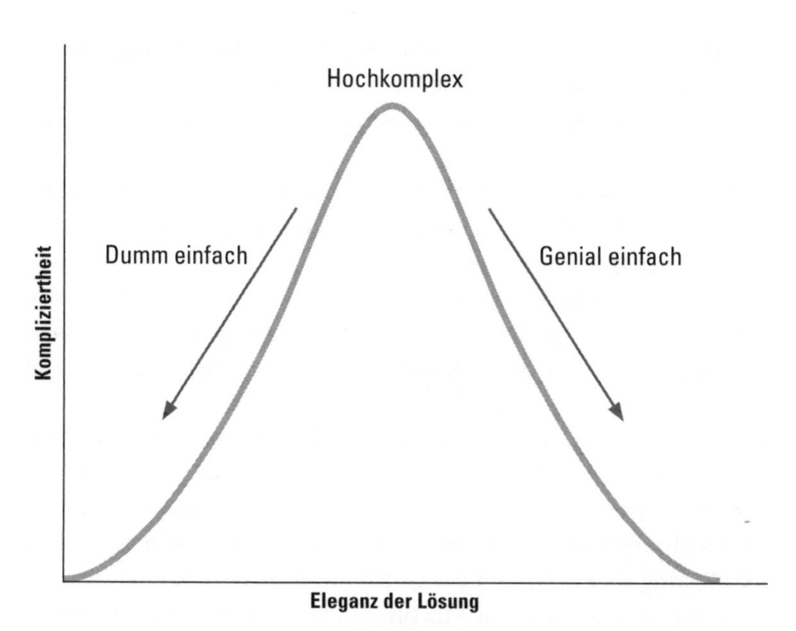

Die Einfachheitskurve, Version 1

aller Ruhe hinzusetzen und die Präsentation alleine fertigzustellen. Aber getan werden muss es. Die Runde schaut sich an. Wer soll jetzt arbeiten? Da fällt der Zaubersatz: »Wir sollten das in einem Meeting machen.« Sie atmen auf. Keiner muss allein arbeiten, sie basteln gemeinsam. Es wird also eine Stunde Meeting anberaumt, da wird es geschehen! Als das Meeting beginnt, erscheint nur etwas mehr als die Hälfte der Manager. Die anderen haben leider ein »wichtiges Verkaufsgespräch« oder einen »entscheidenden Kundenbesuch«, weshalb sie kritikbefreit fehlen dürfen. Die tatsächlich im Meeting Anwesenden aber sind wegen des Stresses allesamt unvorbereitet gekommen (sie kommen immer unvorbereitet in die Meetings) und stellen nun per Copy and Paste etwas aus älteren Präsentationen zusammen.

Was kommt heraus? Zusammenbasteln erbringt mehr oder weniger Stückwerk. Das Ergebnis wirkt nicht wie aus einem Guss, weil alle noch ihre eigene Meinung einbauen wollen. »Jeder gibt seine 2 Cent«, sagt man in den USA. Es ist ein solides Stück von Patchwork, wie es der Chef als Grundlage nehmen kann. Er kann ja noch einen Grafiker über die Folien jagen, dann hebt das edle Design den dürftigen Inhalt auf akzeptables Niveau. Der Assistent vom Chef soll auch noch einmal kurz drüberschauen! Puh - geschafft! Schnell zum nächsten Meeting!

Es war keine Zeit, eine wirklich durchdachte »smarte« Präsentation zu erstellen. Man ist in der Grafik nach links in Richtung Dumm einfach gegangen und hat das Hochkomplexe normal vergröbert dargestellt. Für eine Präsentation ist es jetzt okay, so sagen sich alle zum Ende des Meetings, oder in anderen Formulierungen: »Das muss es jetzt tun. Good enough. Das muss so gehen. Es geht gerade nicht besser. Das muss reichen. Wir schauen einmal, ob der Chef zufrieden ist. Er kann dann ja sagen, ob wir noch ein Meeting brauchen.«

Ein Meeting ist etwas anderes als eine Arbeit einer einzigen Person. Als Einzelner können Sie autonom zwischen der Dumm-einfach-Richtung oder dem Versuch zum genial Einfachen entscheiden. Im Meeting aber bekommt das genial Einfache fast nie eine Chance.

Diesen Effekt, dass im Meeting unter Arbeitsdruck das Simple gegen das Exzellente gewinnt, möchte ich in diesem Buch unter dem Begriff der Schwarmdummheit thematisieren. Ich möchte den Ursachen auf den Grund gehen, warum man zwar rasend schnell und überstundenlang arbeitet, aber dann doch nur an Symptomen kuriert, wirkliche Lösungen verschleppt und verschiebt und im Endergebnis »energieineffizient arbeitet«. Warum arbeitet man nicht einfach nur normal gut? Warum wird alles oft so kompliziert, wo man doch so wenig Zeit hat? Warum so lange und unergiebige Meetings? Warum basteln viele hoch bezahlte Manager eine geschlagene Stunde an etwas Durchschnittlichem herum? Warum wirkt das Stückwerk so lieblos hingehauen?

Für eine wirklich befriedigende Antwort auf solche Fragen will ich dazu das Vorstellungsbild von dumm einfach versus genial einfach noch etwas verfeinern. Schauen Sie sich die Einfachheitskurve Nr. 2 an, In der Praxis ist die Gegenüberstellung vom Simplen zum Genialen nicht gar so polar - obwohl die Metapher der ersten Grafik als Vorstellungsbild schon sehr mächtig ist.

Diese zweite Darstellung kennt Zwischentöne. Denken Sie an ein neues Produkt, das nicht leicht herzustellen ist. Stellen Sie sich fünf Stufen der Entwicklung des Produktes vor:

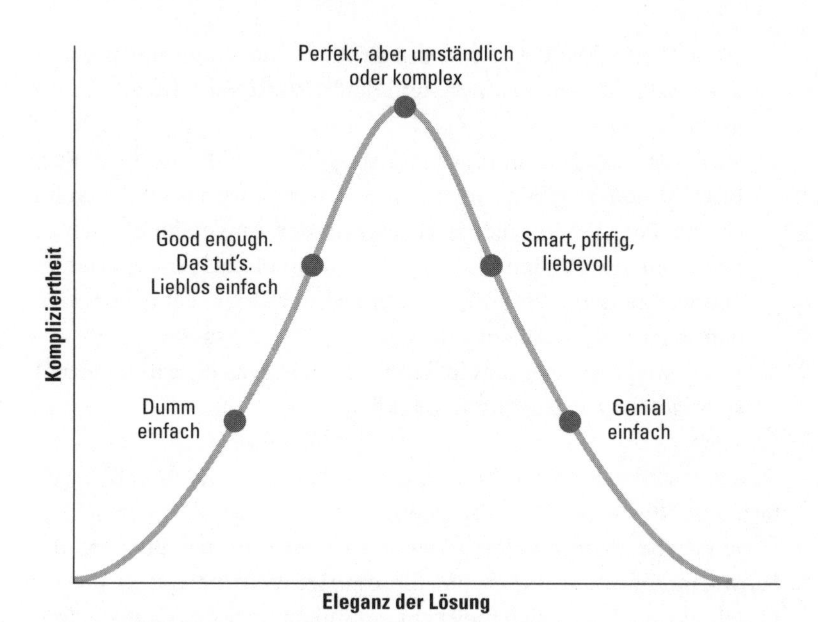

Die Einfachheitskurve, Version 2

1. Die erste Version des Produktes ist noch primitiv und kann nur für wenige Zwecke verwendet werden. Das Produkt hat noch viele Kinderkrankheiten. Zusammengebastelt.
2. Die zweite Version des Produktes ist schon ganz gut, sie ist für vieles brauchbar, ist aber nun kompliziert zu bedienen (wie etwa die ersten Videorekorder) oder zu verstehen. Sie hat noch Fehler, zum Teil ärgerliche (denken Sie an die ersten PCs, wo wir »Beta-Tester« waren). Wegen der Kompliziertheit verzweifeln wir öfter, wenn etwas nicht geht. Dieses Produkt nervt oft. Man hat beim Design nicht an uns Anwender gedacht. Wir fühlen uns nicht liebevoll behandelt.
3. In einer dritten Stufe ist das Produkt nun hochkomplex ausgereift. Es kann alles, was denkbar ist, aber dazu muss man jetzt leider ein Experte sein. Die Masse der möglichen Anwender kommt damit nicht klar oder benutzt nur die Grundfunktionen. (Zum Beispiel kann man mit Adobe Photoshop überhaupt alles, aber viele schauen sich damit eben nur Bilder an. Microsoft Word kann auch alles, aber fast alle tippen nur blanken Text mit

einer Überschrift.) Oft soll das Produkt nur einen bestimmten begrenzten Zweck erfüllen, und dafür ist die Einlernzeit absurd hoch.

4. Nach der höchstkomplexen Lösung, dem »All-in-one-all-Features-Monster« gibt es noch eine »smarte« Lösung. Sie hat einen Großteil der Funktionalität, ist aber für den Anwender einfach zu bedienen und für den Wartungsfachmann einfach zu reparieren. Diese Lösung hat Pfiff und ist sehr gescheit. Viele Leute kommen damit gut und vor allem sofort klar.
5. Das genial Einfache tut einfach genau das, was es soll. Es macht so ungefähr alle irgendwie glücklich.

Diese verschiedenen Attribute sind in einer dritten, nochmals erweiterten Grafik (Version 3) aufgezählt.

Ich habe schon gesagt: Das Kernthema dieses Buches, die Schwarmdummheit, kreist um die traurige Wahrheit, dass unsere Meetings und Teams sich meist auf der linken Seite der Grafik gefangen sehen. Mitarbeiter und Manager predigen natürlich, dass sie eine smarte Lösung oder gar eine geniale anstreben. Aber wenn sich der Schwarm zusammensetzt und etwas zusammenbastelt, dann kommt etwas zwischen lieblos einfach (funktioniert nicht gut) und komplex-umständlich (funktioniert, verlangt aber zu viel Bedienaufwand) heraus.

Unser Alltag ist voll von Interessenkonflikten, Richtungskämpfen, Regelungswut, Berichtspflichten, Dokumentationspflichten, Qualitätskontrollen und Statusmeetings. Hat da jemand noch Zeit, Muße und Liebe zum Kunden, etwas Smartes zu entwerfen? Wenn es so jemanden gäbe, würde der nicht im Meeting von den anderen niedergemäht, die jetzt sofort eine kurz-knackige Lösung haben wollen? »Kurz und knackig!«, das ist eine Lieblingswendung der Manager und Presseleute.

So, jetzt habe ich dieses Buch mit einem betrüblichen Grundton begonnen. Das muss sein. Neulich hat mir ein Zuhörer bei einer Rede einen Vorwurf gemacht und mich dabei indirekt doch etwas gelobt: Ich würde »surgical« reden, also »chirurgisch«, sagte er fröstelnd. Ich denke, er meinte damit, dass ich Probleme erschreckend nüchtern ansehe und dann unnachsichtig löse. Ja, so möchte ich das.

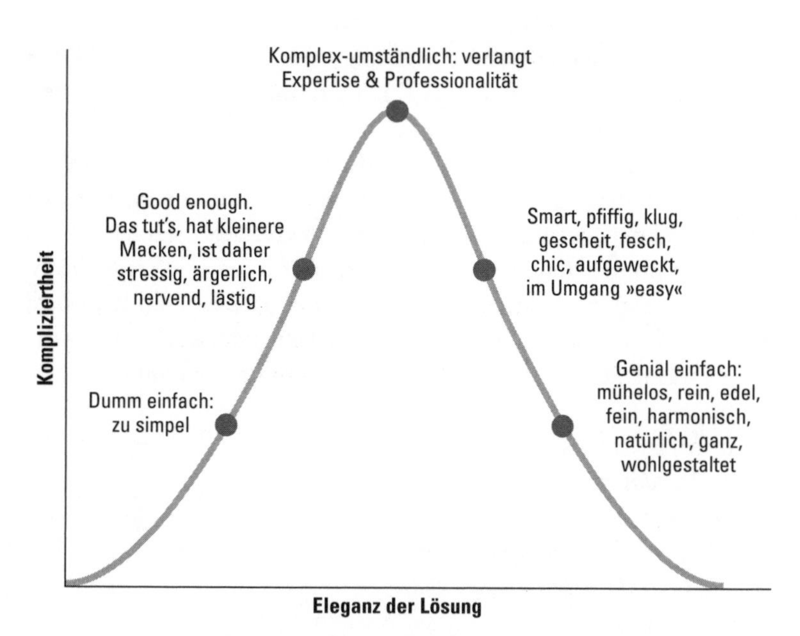

Die Einfachheitskurve, Version 3

Ich schimpfe nicht, ich empöre mich nicht. Ich schaue alles ohne Emotion an und zeige es Ihnen. Obwohl - manchmal habe ich doch Emotionen - wenn es so ganz und gar verzweifelt endet.

Jede Abteilung denkt anders – kein Teilblinder versteht das Gute

Was ist ein Elefant? Das Problem des Teilblinden in der Dichtung

Warum hören die Unternehmen nicht auf ihre Kunden, warum verstehen die Manager die Mitarbeiter nicht und umgekehrt? Warum hört keiner den anderen an? Sie alle verharren in Teilsichten auf das Ganze, sie können im Grunde nicht zusammenarbeiten, weil sie alle etwas anderes sehen. Wenn sie alle das große Ganze sehen könnten - dann wäre ein gemeinsames Vorgehen möglich, dann könnten sie gemeinsam das Smarte oder gar Geniale erschaffen. Dann wäre - so sagt man heute - eine Chance für Schwarmintelligenz gegeben.

So aber - ohne den Blick für das Ganze - streiten sie sich und bilden Schwarmdummheit aus. Das will ich jetzt an Metaphern und Beispielen erklären.

Ich beginne mit einem alten Gedicht des amerikanischen Poeten John Godfrey Saxe (1816-1887), der die alte indische Sage »Sechs Blinde und der Elefant« in sehr bekannte Verse gegossen hat.

Sechs Blinde stehen rund um einen Elefanten und fragen sich, worum es sich handelt. Sie sehen ja nichts. Der eine findet, es sei eine Wand, ein anderer meint, es sei eine Schlange, wieder ein anderer, es sei ein Speer ... Das Gedicht beginnt mit diesen Versen:

It was six men of Indostan
To learning much inclined,
Who went to see the Elephant
(Though all of them were blind),
That each by observation
Might satisfy his mind.

Es endet mit einer Moralstrophe:

So oft in theologic wars,
The disputants, I ween,
Rail on in utter ignorance
Of what each other mean,
And prate about an Elephant
Not one of them has seen!

In der Moralstrophe geht es dem Dichter um die Religionen. Die Theologen verschiedener Religionen sind wie Blinde, sagt er: Sie wissen jeder in seiner verschiedenen Sichtweise angeblich genau, wer Gott ist, aber keiner von ihnen hat ihn je gesehen. Sie spekulieren also alle in verschiedener Weise über ein Ganzes, das keiner von ihnen kennt.

Ich habe das Bild und das Gedicht oft in mahnenden Präsentationen bei IBM speziell und überall anderswo in großen Unternehmen verwendet. Ich habe dazu jeweils die Texte im Bild auf die Situation angepasst. Die Frage lautete (statt Elefant) zum Beispiel: »Was

Die blinden Elefantenkenner

ist IBM?« und die verschiedenen Teilsichtigen antworten: »IBM ist Computerhersteller!« - »IBM ist Chipproduzent!« - »IBM ist Software-Entwickler!« - »IBM ist Servicegeber!« - »IBM ist Beratungshaus!« - »IBM ist Innovation und Forschung!« Und ich erklärte, dass sie allesamt eher nicht wüssten, was IBM als Ganzes sei und dass daraus das sogenannte Bereichsdenken entstehen würde. Einen vergleichbaren Sachstand habe ich in überhaupt allen Großunternehmen und sogar in kleineren in immer der gleichen Weise wiedergefunden. Die Manager und Mitarbeiter eines Teilbereichs kümmern sich nicht angemessen um die anderen Bereiche, die ihnen folglich fremd sind. Und im Endergebnis kennen sie das Ganze nicht. Appelle des obersten Managements, dass doch bitte alle Mitarbeiter für das Ganze wirken sollen, prallen ab. Es bleibt, wie es ist: Sie alle kennen das Ganze nicht gut genug. Sie sehen nur die Teile, und natürlich vor allem den eigenen Bereich. In jedem Unternehmen gibt es Bereiche wie die Personalabteilung, die Rechtsabteilung, die Einkaufsabteilung, die Produktion, die Entwicklung, den Verkauf und so weiter. Sie alle stehen wie Blinde um die ganze Firma herum und wissen nur, wie diese sich von ihrem eigenen Büro aus anfühlt. Können Sie fühlen, wie Leute zusammenarbeiten, die alles total verschieden verstehen und auffassen?

Natürlich gibt es in einem Unternehmen und in allen Bereichen immer *vereinzelt* Leute, die das Ganze übersehen und verstehen. Leider aber, das zeige ich hier im Buch, bekommen diese wenigen keine Mehrheit in den Meetings - denn dort herrscht eine antipathische Abteilungsdenke, die den idealen Nährboden für Schwarmdummheit bildet.

Teilblinde verstehen das Gute oder Exzellente nicht

Ich habe mit meinen Kindern öfter diskutiert, dass es viel weniger Arbeit macht, wenn man in der Schule einfach ganz gut ist. Man muss nicht hervorragend sein, das könnte in viel Arbeit ausarten, aber das Gute (Note zwei plus in Deutschland) ist *aufwandsminimal.* Ja, das ist es! Mit etwas Disziplin passt man in der Schule auf und ist darauf bedacht, den Stoff im Ganzen zu *verstehen* - ich meine wirklich *verstehen,* nicht auswendig können oder behalten oder gelernt haben. Dann ist es einfach, gleich nach der Schule die Hausaufgaben zu erledigen, weil man das Prinzip des Ganzen verstanden hat. Gleich danach kann das Schulkind wieder Kind sein und spielen gehen oder auf dem Smartphone daddeln. Keiner meckert, denn das Kind ist ja gut! Die Eltern sind zufrieden, die Lehrer auch, da dürfen die Kinder am Abend länger aufbleiben oder weggehen, die Welt ist schön!

Wenn aber ein Kind gegen ein »Mangelhaft« kämpft und sich um das Ausreichendsein bemühen muss, weil es immer nur einen Teil des Ganzen kennt, ist das Leben sehr aufregend. Die Eltern schimpfen, die Lehrer auch, Zeit und psychische Energie werden dafür verbraucht. Es gibt Nachhilfestunden, die Zeit und Geld kosten - bei weiterem Misserfolg hagelt es immer größere Vorwürfe. Das Kind bekommt kein Extrageld, es darf nicht am Abend weg, das Hantieren mit dem Smartphone wird als Grund allen Übels erkannt. Man nimmt es ihm weg. Kein schönes Leben!

Warum operieren Firmen so oft im Modus »ausreichend«? Zwischen *dumb down* und *good enough*? Sie verfehlen ihre Ziele und bekommen deshalb »Nachhilfe von oben«, es hagelt Reviews und Statusprüfungen, niemand ist zufrieden. Wenn aber doch normal gutes Arbeiten viel leichter ist - warum machen es die Mitarbeiter nicht so?

Meine Erfahrung: Schlechte Schüler und mittelmäßige Mitarbeiter verstehen nicht, was richtig gute Arbeit ist. Sie lernen ganz mechanisch Englischvokabeln, anstatt sich verstehend der englischen Sprache zu nähern. Sie wenden Formeln und Rezepte an, anstatt zu verstehen. Sie behandeln Kunden, wie man sie nach Rezept behandeln soll - sie verstehen aber den Kunden nicht. Sie arbeiten immer nach Instruktion, aber nicht selbstständig. Da sie nicht verstanden haben, was gute Arbeit ist, wollen sie immer Schritt-für-Schritt-Anweisungen haben. Sie verstehen das Ganze nicht, so, wie die Blinden rund um den Elefanten nur immer den Teil erkennen, den sie gerade berühren. Sie nehmen einzelne Teile des Ganzen wahr und können sie nicht zusammenfügen. Sie können nicht nachhaltig für eine längerfristige Zukunft arbeiten, weil es nur für diese Woche konkrete Instruktionen gibt.

Das hat nichts mit Intelligenz zu tun - bitte kommen Sie mir nicht mit Ausreden dieser Art. Es ist doch so: Wenn sich Kinder egal welcher Intelligenz für irgendetwas interessieren, dann verstehen sie es ja fast mühelos! Und sie können Enormes leisten. Leider interessiert es die Lehrpläne und viele Lehrer nicht, ob der Stoff die Kinder interessiert. Deshalb sind dann Lehrpläne und Lehrer nur ausreichend. Leider interessiert es Manager nicht, ob die Arbeit die Mitarbeiter beseelt und im Flow arbeiten lässt, sie wollen nur die Zielerreichung ... In einem solchen von Desinteresse oder Missmut geprägten Klima verstehen die Mitarbeiter inhaltlich das Ganze oder das Prinzip nicht, worauf es ankommt. Sie sollen nur quantitativ ihre Zahlen machen, aber das schaffen sie nicht, weil sie nicht wissen, was gute Arbeit bedeutet. »Liebe deine Arbeit, und sie wird gut.« Wer seine Arbeit nicht liebt, erzielt eben Ergebnisse, die irgendwie durchgehen und auf jeden Fall lieblos sind - nicht smart!

(Ich habe jetzt - neudeutsch - »Lehrerbashing« oder »Managerbashing« betrieben, diese Gruppen also »gedisst«. Aber ich habe nur den *Schwarm* als Ganzen gebasht, nicht jedes Mitglied des Schwarms. Dieses Buch handelt immer vom *Schwarm*. Wenn Sie also ein guter Lehrer oder guter Manager sind, sage ich nichts gegen Sie. Ich kläre Sie nur auf, in welcher Gesellschaft Sie sich befinden, nämlich in einem zu stark beschleunigten Schwarm, der teilblind das Ganze nicht mehr sieht. Und der benimmt sich *insgesamt* so, dass man ihn bashen muss.)

Teilblinde im Meeting – am Beispiel der Weihnachtsfeierplanung

Ich versetze Sie einmal in solch ein typisches menschliches Chaos, in dem nur Einzelne wissen, was getan werden soll. Die meisten sehen ihre Abteilungsinteressen und verstehen keinesfalls, was im Ganzen herauskommen sollte. Hören Sie in ein desaströses Meeting hinein und fühlen Sie die entsetzliche Schwarmdummheit:

> »In diesem Meeting wollen wir die Weihnachtsfeiergestaltung beschließen. Die Feier soll wunderschön sein, ist ja klar. Wissen wir. Aber jetzt wollen wir einen zusätzlichen Nutzen hineinbringen, allein nur Weihnachten muss ja nicht sein: Wir wollen dieses Jahr die Weihnachtsfeier gleichzeitig dazu verwenden, die besten Mitarbeiter des Jahres einzuladen, die der Chef dabei ehrt. Wir könnten die Ehrung auch separat stattfinden lassen, aber das kostet zu viel Zeit. Außerdem müssten wir die Ehrungsfeier extra planen, dazu haben wir keine Lust und keine Zeit, wir hängen uns einfach an die Weihnachtsfeier dran. Wir machen es in einem Abwasch. Die Feier soll möglichst spät vor Weihnachten stattfinden, zu diesem Zeitpunkt sollte schon feststehen, ob unser Chef wegbefördert wird oder nicht, und er kann bei einer Beförderung wahrscheinlich noch absagen und einen Vertreter für die Ehrung schicken.«
>
> »Okay, wie gestalten wir jetzt die Weihnachtsfeier?«
>
> »Gibt es Kriterien, nach denen man die besten Mitarbeiter für eine Ehrung auswählt?«
>
> »Stopp! Stopp! Es geht zuerst um die Weihnachtsfeier. Hilfe! Erst gestalten wir die Weihnachtsfeier, bitte - und dann macht die Ehrung irgendwo dazwischen. Lenkt nicht ab!«
>
> »Wir müssen doch aber erst wissen, wie viele geehrt werden und echt auch, welche genau. Das ist viel schwieriger als so eine Mistweihnachtsfeier. Kauft einfach wieder

Glühwein und Kekse! Aber wie entscheiden wir über die Besten? Ich denke, wir können das hier selbst bestimmen. In der Regel sind diejenigen Mitarbeiter am besten, die am meisten verdienen, sonst wären ja die Gehälter ungerecht. Wir dürfen aber nicht streng nach der Gehaltshöhenreihenfolge einladen, weil die geheim ist.«

»Genau, macht bloß keinen Unsinn! Hier wird so ungerecht bezahlt wie nirgendwo. Wenigstens bei der Feier muss alles gerecht sein. Ist denn gesichert, dass mindestens so viele Frauen dabei sind, wie sie prozentual unter den Mitarbeitern vertreten sind?«

»Stimmt, es sollte auch ein Proporz über alle Firmenbereiche eingehalten werden. Das können wir jetzt nicht beschließen, weil nicht von allen Abteilungen ein Vertreter hier im Meeting anwesend ist.«

»Hallo, mal Ruhe hier. Ich habe meinen eigenen Bereichsleiter hier am Handy. Ich briefe ihn gerade, was wir hier machen. Er wundert sich sehr, dass wir eine Weihnachtsfeier ohne ihn beraten. Er ist irritiert, sagt er. Was, Chef? Aha. Er sagt, er will keinen seiner Mitarbeiter für das Meeting der Besten mit dem Chef nominieren, weil ihm diese dann bei den Projekten fehlen und er folglich seine Ziele nicht erreicht. Er will doch befördert ... Ach nein, das ist nicht sein Punkt, sagt er gerade. Es geht ihm vor allem um die Firma. Er kann aber nicht gut arbeiten, wenn er nicht über Meetings informiert ist. Er wird unsere Beschlüsse ignorieren, damit wir es lernen, ihn einzubeziehen. Hallo, Chef? Aufgelegt.«

»Hey, Leute, ich möchte auch etwas sagen. In eigener Sache. Ich bin einer der Besten, die für eine Ehrung in Frage kommen, ja, und ehrlich gesagt, ich möchte ausdrücklich nicht nominiert werden. Mir fehlen dann die Arbeitsstunden und ich fürchte, ich schaffe meine Ziele nicht.«

»Wir könnten das Meeting gleich nach dem Quartalsschluss machen, da hat jeder Zeit, das Versäumte im nächsten Quartal nachzuholen.«

»Hilfe! Hilfe! Es ist eine Weihnachtsfeier wie immer,

da kommen doch alle, und zwar ganz sicher noch in diesem Jahr!«

»Haha, habt ihr gehört? Zur Weihnachtsfeier kommen alle! Dass ich nicht lache! Leistungsträger haben absolut keine Zeit für Weihnachtsfeiern. Da kommen doch nur die Low Performer hin und essen Gratiskekse. Die Low Perfomer haben natürlich allesamt vor Weihnachten Zeit, Glühwein zu saufen, aber die Besten haben Jahresendstress, da sollte die Weihnachtsfeier im nächsten Jahr nachgeholt werden dürfen.«

»Spinnt ihr denn vollkommen? Weihnachten nachholen? Hey, es ist eine Weihnachtsfeier. Wenn euch das nicht passt, haut doch mit eurer verdammten Ehrung ab und lasst uns Low Performer allein Weihnachten feiern. Ehrt euch gefälligst sonstwann.«

»Dann müssen wir aber extra Gelder auftreiben, um Glühwein und Kekse für die Ehrung zu beantragen; wenn wir das in einem Abwasch machen, sparen wir das Geld weitgehend, weil der Betriebsrat dieses Jahr den Glühwein kaufen will.«

»Jetzt wird es aber ganz turbulent! Was ist wichtiger – die Weihnachtsfeier oder die Ehrung?«

»Natürlich die Ehrung und ich möchte das bitte zu Ende diskutieren und die Grundsatzfrage stellen: Ist es überhaupt sinnvoll, gerade die Besten zu ehren? Das gibt immer einen großen ökonomischen Schaden, wenn ausgerechnet die Besten einen Arbeitstag wegen der Ehrung verlieren.«

»Stimmt, wir könnten junge Nachwuchskräfte ehren, das ist billiger. Wir wählen das Motto: Hier ist die Zukunft. Oder wir ehren welche, die zu unserer Fernsehwerbung passen.«

»Haben wir denn Kriterien, wer jung ist und zur Werbung passt? Der Betriebsrat will immer explizite Kriterien, damit es gerecht aussieht.«

»Kommen wir eigentlich hier im Meeting weiter?«

»Bitte hetzen Sie nicht schon wieder. Sie sehen doch, es ist leider komplizierter, als wir dachten, eine Weihnachtsfeier ist nicht so easy, deshalb haben wir auch nur zwanzig

Leute zu dem heutigen Meeting hier eingeladen. Ich fürchte, wir müssen uns im größeren Kreis treffen und Unterkommissionen für gerechte Kriterien bilden und die Kosten für verschiedene Ehrungsmöglichkeiten abschätzen. Das Ziel muss es sein, eine ganz einfache Lösung zu finden. Okay? Wir stimmen kurz über diesen einfachen Plan ab. Wer ist für Vertagung und ein neues Treffen in großem Kreis? Hand hoch! Aha, einstimmig. Noch Fragen? Sie da? Bitte schnell und kurz!«

»Hält uns ein großes Meeting denn nicht auch kostenträchtig von der Arbeit ab? Meeten denn hier nicht bald mehr Leute, als dann Weihnachten feiern?«

»Hören Sie mal, das hier IST unsere Arbeit! Es ist Mitarbeiterführung. Deshalb verdienen wir doch auch mehr.«

Solche Meetings sind nicht genial einfach, nicht einmal lieblos einfach, sondern dumm kompliziert. Sie verheddern sich in Regeln und Formen, ein wunderschönes Ergebnis steht gar nicht im Vordergrund. Kaum einer im Meeting setzt sich für das Ganze ein, kaum einer weiß eigentlich, was man will. Die Organisation der Feier wird mit allen möglichen Sonderwünschen verschiedener Abteilungen überfrachtet; Einzelfragen (»Wer muss was bis wann tun? Wer bezahlt? Wem nutzt es?«) sind viel wichtiger als das Ergebnis. Ist es denn so schwierig, eine Weihnachtsfeier zu organisieren? Das ginge genial einfach, wenn man sich einfach auf die Freude darauf konzentrieren würde. Doch allein das geht in unserem Beispiel schon nicht, weil das Betriebsklima so schlecht ist, dass sich die Mitarbeiter gar nicht gerne gemeinsam treffen. Am Ende wird der Streit beziehungsweise das Theater immer schlimmer, Weihnachten rückt näher und unter Zeitnot wird beschlossen, die Weihnachtsfeier ausfallen zu lassen und den besten Mitarbeitern jeweils eine Glückwunschkarte zu schicken. Das ist am Ende dumm einfach oder entsetzlich simpel.

Wir werden noch sehen, dass vieles Dumme schon vorprogrammiert ist, weil das Unternehmen in einer bestimmten Weise tickt oder an die Lösung von Problemen immer in derselben ätzenden Weise herangeht.

Über Ameisen, Beschleunigungs- und andere Skalierungs-Katastrophen

In schwarmdummen Teilen der Betriebswirtschaftslehre wird oft von Skalierung geschwärmt. Man stellt sich dabei den Übergang zur Massenfertigung vor. Wenn man statt einhundert Stück eine Million Exemplare desselben Produkts herstellt, lassen sich die Arbeitskräfte besser auslasten. Das spart Geld. Sonnenklar. Also stellen die Manager auf Massenfertigung um. Leider ändert sich einiges unter der Oberfläche der wissenschaftlichen Logik. Die Arbeiter kennen sich fortan nicht mehr persönlich, jeder Zank und jedes Problem muss offiziell verarbeitet werden. Eine Panne oder ein nicht angekündigter Toilettengang am Band kann leicht zum Gesamtstillstand führen, man muss deshalb unendlich viel genauer arbeiten und so weiter. Es ist nicht falsch, dass Massenfertigung viel Geld einspart, aber sie ist nicht so simpel, wie manche Manager denken. Die Erkenntnis, dass sich bei einer Vergrößerung viele Zahlenverhältnisse verzerren, ist nicht sehr verbreitet. Die meisten Menschen stellen sich das Ganze dann eben zehnmal größer vor.

Kennen Sie die Filme *Tarantula* und *King Kong*? Da kommen eine Spinne und ein Affe vor, vielfach größer als im normalen Leben! Sie sehen diese Tiere im Film um ein Mehrfaches größer, und Sie können sich zehnmal größere Affen total gut vorstellen.

Dabei kann es die gar nicht geben, weil eine Größenverzehnfachung stets eine Volumenvertausendfachung bedeutet! Das Volumen eines Körpers wird in »hoch 3« gemessen. Beispiel: Ein Würfel mit der Seitenlänge 1 hat ein Volumen von 1 mal 1 mal 1, ist gleich 1. Ein Würfel mit Seitenlänge 10 hat demnach ein Volumen von 10 mal 10 mal 10, also 1000. Wenn wir also den Affen King Kong zehnmal größer machen, ist sein Gewicht grob 1000-mal größer. Blieben die Proportionen gleich, würde er natürlich zusammenbrechen. Große Körper brauchen nämlich viel stärkere Beine als kleine, das sehen Sie an den Elefanten und am Tyrannosaurus Rex.

Aber im wirklichen Unternehmensleben? Da verdoppeln und vervierfachen die Manager locker den Umsatz, aber sie merken nicht, dass die »Beine« das nicht aushalten. Genauso wenig verstehen Unternehmen die Veränderungen durch Beschleunigung.

Ein Beispiel: Viele Manager - besonders diejenigen, die ganz brave, emsige und willige Mitarbeiter schätzen - bewundern die Ameisen. In ihren flammenden Motivationsreden vergleichen sie einen wie geölt laufenden Betrieb mit einem Ameisenstaat, der ja so erstaunlich perfekt organisiert ist. Jede Ameise weiß bekanntlich zu jeder Zeit, was sie zu tun hat. Ameisen arbeiten als Team zusammen. Sie sind ganz offensichtlich fleißig und betriebsam (im Englischen sagt man »industrious«(!)). Haben Sie je eine »chillende Ameise« gesehen, die mal ein paar Minuten in der Sonne rumhing? Na eben. Ameisen arbeiten anscheinend unaufhörlich. Sie haben ein ganz kleines Gehirn, das eigentlich nur ein winziges und nicht sehr komplexes Arbeitsprogramm enthalten kann. Sie scheinen wie einfache Roboter programmiert zu sein. Diese Programme sind trotzdem so raffiniert, dass die Ameisen als Team Phänomenales leisten. Sie führen uns vor, was wir erst seit kurzer Zeit ganz modisch Schwarmintelligenz nennen. Was fasziniert uns eigentlich an den Ameisen? Warum erschauern wir andächtig beim interessierten Anschauen der Betriebsamkeit in der Nähe von Ameisenhaufen? Ich versuche eine Antwort: *Das bestechend und genial Einfache des Insektenstaates wirkt auf uns erhaben.* Wir stehen vor Gottes Schöpfung und preisen die Natur in ihrer Vollendung.

Szenenwechsel. Eine neu ernannte Beschleunigungs- und Effizienzameise betritt die Bühne. Sie will den Ameisenstaat auf Effektivität und Effizienz trimmen und letztlich dahin bringen, viel mehr Beute heimzutragen als bislang. Wie kann man die Ameisen mit ihren simplen und dabei sehr leistungsfähigen Gehirnprogrammen zu einem High-Performance-Team erziehen?

»Ameisen, ihr müsst jetzt jedes Jahr 10 Prozent mehr Nahrung anschaffen.«

»Aber, wir holen doch alles, was es gibt, mehr ist nicht da.«

»Wir werden in einem weiteren Umkreis als bisher sammeln.«

»Da kostet das Heranbringen prozentual viel mehr.«

»Ihr müsst die Extrameile gehen.«

»Wir schaffen es nicht, alles aus weiter Entfernung bis zum Bau zu bringen.«

»Wir organisieren Schichtdienste und Bereichszuständigkeiten, Futterübergabepunkte und Kontrollen. Es gibt einen räumlich definierten Futterinnenring und einen Außenring.«

»Haben die Ameisen weiter draußen dann nicht viel mehr Arbeit mit der Beute als die, die näher zum Bau schaffen?«

»Wir werden die Futterstrecken messen und Vergleiche anstellen. Wir werden jede Ameise bewerten und Ranglisten aufstellen. Wir werden Ameisen belohnen, die noch viel mehr Extrameilen gehen als die normalen Ameisen.«

»Dann gibt es Streit, es könnte sein, dass sich die Ameisen erbeutetes Futter gegenseitig streitig machen.«

»Das verbieten wir.«

»Wie?«

»Wir setzen Kontrolleure im Außenring ein.«

Und so weiter. Unter den Ameisen bricht jetzt der helle Wahnsinn aus. Sie müssen ab sofort viel schlauer und wachsamer arbeiten, längere Wege gehen und die wegfallende Arbeitskraft der Kontrollameisen durch weitere Extrameilen kompensieren ...

Was passiert hier? Durch die Beschleunigung verändert sich die Arbeit dramatisch. Wer unter Beschleunigung arbeitet, muss sehr viel präziser arbeiten, weil Fehler unter Stress öfter vorkommen und sich schrecklicher auswirken (es ist keine Zeit, sie zu berichtigen). Wenn ein ganzes Team einfach nur schneller arbeiten soll, verändert sich das Wesen normal guter Arbeit im System. Wenn vorher eine Ameise die Arbeitsnote »gut plus« hatte, so kommt sie jetzt bei den höheren Stressanforderungen schnell in die Gegend »ausreichend minus«.

Manager glauben, alle sollten sich einfach mehr anstrengen, etwas schneller arbeiten oder die berühmte Extrameile gehen. Aber unter Beschleunigung steigen die Anforderungen. Sind die Ameisen oder Mitarbeiter diesen neuen Anforderungen gewachsen? Ich habe noch nie gehört, dass diese Frage gestellt wurde. Man probiert es einfach mit dem Beschleunigen und hofft, dass »es sich einrenkt«. Doch das tut es nicht. Dann kommen Controller und Reviewer und Strafaktionen. Chaos entsteht.

Wie endet das? Wir bewundern an diesem beschleunigten Ameisenstaat nichts mehr, er ertrinkt in Komplexität. Das genial Einfache wird durch Effizienzmanagement verkompliziert. In der Grafik angeschaut fällt der genial einfache Ameisenstaat in den Zustand der unausgereift komplizierten Prozesskettenproblematik zurück, wenn nicht noch weiter. Wie sagt die Weisheit? »Never change a winning team.« In der IT, speziell in größeren Computerlandschaften, heißt es: »Never change a running system.« Es ist so furchtbar schwer, etwas genial Einfaches oder ein großes stabil laufendes Computersystem zu erbauen, dass man es besser nicht ohne Not verändern sollte. Wenn nun zum Beispiel in einem wundervollen Ameisenstaat einfach so ein Effizienzmanagement eingezogen wird, zerstört es das Einfache oder Smarte unter Umständen vollkommen. Man kann nicht einfach so alles verdoppeln oder schneller machen. Wenn man ein Ganzes vergrößert oder verkleinert, wenn man es beschleunigt oder verlangsamt, muss man daran denken, dass es unter Umständen ein (ganz) anderes Ganzes werden muss. Eine gute Vorstellung von einem neuen Ganzen ist selten - der Schwarm oder die Masse haben sie fast nie. Das wirklich gute Unternehmen diskutiert immer wieder: »Was ist ein Elefant? Was ist ein größerer, was ist ein schnellerer Elefant? Wie sehen seine neuen Proportionen aus?«

Zur Abgrenzung von Schwarmintelligenz und Schwarmdummheit

Jetzt habe ich schon mehrmals das Wort *Schwarmdummheit* verwendet, den Begriff der *Schwarmintelligenz* kennen Sie sicher ohnehin schon. Ich habe Beispiele gebracht, bei denen Teams verrücktspielen. Aber können Teams denn nicht auch klüger sein als die Einzelnen?

Derzeit kursieren Hymnen über die neue *Schwarmintelligenz*. Um sie herum haben sich etliche neue schillernde Heilslehren gebildet. Man bejubelt die Höchstleistungen von Internet-Communitys und die Fruchtbarkeit des Team-Design-Thinking-Ansatzes. Viele träumen von Open Innovation et cetera.

Loblieder auf die Schwarmintelligenz klingen so: »Teams können Dinge erreichen, die einem Einzelnen für immer verwehrt sind! Ein Team verfügt mit den Mitgliedern über verschiedenste Talente, die kein Einzelner allein vorweisen kann. Teams können über sich hinauswachsen, das Team ist mehr wert als die Summe der Einzelpersonen. Ein Team bildet *Schwarmintelligenz* aus!«

Von diesem Modebegriff der *Schwarmintelligenz* leitet sich der Titel dieses Buches ab. Der Begriff der Schwarmintelligenz stammt aus dem Umfeld des Internets. Dort ist es unter weltweiter Vernetzung von untereinander ganz unbekannten Personen zu erstaunlichen Problemlösungen gekommen. Im Internet trafen sich Menschen und arbeiteten an Erfindungen, schufen gemeinsam OpenSource-Software oder stürzten Diktatoren. Was immer das Problem ist - im Internet weiß bestimmt jemand Rat. Auf der anderen Seite kann sich jeder von uns irgendwo einklinken und mitmachen. Irgendwo kann jeder von uns beitragen. Die Welt weiß insgesamt, was lokal oder am eigenen Arbeitsplatz unbekannt ist.

Viele Pioniere der Zukunft schwärmen heute von *kollektiver Intelligenz*, wie man die Schwarmintelligenz auch nennt. Diese Intelligenz kann natürlich über das Medium des Internets viel einfacher aktiviert werden. In der Wikipedia heißt es dazu: »Das Internet vereinfacht wie nie zuvor, dezentral verstreutes Wissen der Menschen zu koordinieren und deren kollektive Intelligenz auszunutzen.« Aus den Einzelintelligenzen erwächst, so kann man erwarten, die »Weisheit der Masse«.

An diesen Ideen ist aber ein großer Haken dran! Den sollten Sie nach meinen einleitenden Beispielen und Überlegungen sofort sehen. Wenn ich ein Problem mit Schwarmintelligenz lösen möchte, suche ich mir in Foren des Internets, in meinen Google+-Kreisen oder unter Followern bei Twitter oder Facebook Leute zusammen, die begeistert zur Lösung meines Problems beitragen wollen. Wir bilden ein Team aus lauter Leuten, die wirklich Lust dazu und Freude an der Zusammenarbeit haben. Wem es nicht gefällt, der bleibt weg. Wer zusätzlich mitmachen will, kommt dazu. So sind die Gesetze des Internets. Ein wechselnder (!) Schwarm von Begeisterten geht zur Sache. Dabei entsteht aber niemals - in Worten: *niemals* - die Weisheit einer großen Masse, sondern die Weisheit *dieses einen speziellen Teams, das sich genau für diesen einen bestimmten Zweck zusammengefunden hat*. Niemand hat hier Nebeninteressen, niemand will sich als Person hervortun - es geht ausschließlich darum, gemeinsam das Problem mit großer Freude dabei zu knacken. Und als Nebenprodukt fällt für jeden ab, weltweit verstreute Experten und Freunde zu finden, viel Neues gelernt zu haben und wohlig die eigene Wirksamkeit empfunden zu haben. Das bekommt wirklich jeder im Team mit, sonst - so sind die Gesetze im Netz - ist er schon lange nicht mehr dabei. Und wenn das Problem gelöst ist - das ist ein wichtiger Punkt -, gehen alle wieder ihrer Wege. *Neues Problem - neuer Schwarm*. Dann hat jeweils dieser Schwarm oder dieses spezielle Team Schwarmintelligenz. Solch ein Ad-hoc-Team kann gemeinsam aufbrechen, etwas Smartes oder genial Einfaches zu kreieren und zu gestalten. Das gelingt oder kann gelingen, weil in einem solchen Team alle Mitglieder diesen Sinn für das Ganze, Klare und Vollendete mitbringen, weil sie alle den gleichen Traum träumen. Sie sind in aller Regel schon Experten und wollen es jetzt bringen und am besten gleich weltweite Bewunderung erregen (die man mit unausgereift Kompliziertem und Hochkomplexem nicht bekommt). So entstehen im Internet und im Silicon Valley die großen neuen Ideen der nächsten Zeit, die unser Leben derzeit so stark verändern. Schwarmintelligenz ist gut möglich, wenn alle »den Elefanten sehen können«.

Im realen Leben aber funktioniert das nicht. Denn in der Unternehmenswirklichkeit treffen nicht für jedes spezielle Problem die jeweils besten Experten in immer neuen Teams zusammen, sondern wir haben sehr gemischte Abteilungsmeetings mit immer denselben Zusammensetzungen und eher Kreisklasse- als Weltklasseexperten. Im Internet schwärmen vielleicht die intelligenten Weltmeister, aber auf dem Flur stoppeln wir uns wieder einmal eine mittelmäßige und nicht ganz ausgereifte Lösung zusammen. Wir bleiben brav innerhalb unseres Tellerrandes oder Gebäudeteils, wir zanken uns untereinander, wir reden nicht einmal mit einer anderen Abteilung in dritten Stock.

Ich will sagen: Im wirklichen Leben löst man die verschiedensten Probleme in immer gleicher Umgebung, nämlich im Unternehmen, in der Familie, in der Partei, beim eigenen Kundenstamm oder in Abteilungsmeetings. Neues Problem - alte Abteilung. Da erlebt man nicht so oft die Weisheit der Masse, wenn überhaupt je! Gemeinschaften und Teams sehen sich unter vielen verschiedenen Interessenlagen gelähmt und änderungsunwillig. Meetings oder Streitigkeiten, die um die immer gleichen Streitpunkte kreisen, lassen uns verzweifeln. Keine Spur von Schwarmintelligenz - hier herrscht die Schwarmdummheit!

Ich habe in Meetings so manches Mal in tiefem Frust an das Theaterstück *Geschlossene Gesellschaft* von Jean-Paul Sartre denken müssen: »Die Hölle, das sind die anderen.« Worum geht es im Stück? Drei Menschen sind nach ihrem Tod - wie sie im Verlauf des Stücks merken - in der Hölle gelandet und finden bald heraus, dass sie nun (als ultimative Folter) auf ewig zusammengesperrt sind, sich auf alle Zeit in einem Meeting befinden und einander auf die Nerven gehen müssen. Am Schluss, nach vielen Verzweiflungsausbrüchen und der Erkenntnis der wahren Lage, spricht die männliche Hauptfigur die schrecklichen resignierten Worte: »Also - machen wir weiter ...« So schlimm ist es oft im Leben: Wieder das alte Problem - alte Abteilung.

Da kam mir der Gedanke, dass es in vieler Hinsicht auch *Schwarmdummheit* in Gemeinschaften gibt, die sich ja oft mit Entscheidungsfindungen schwertun oder gar quälen. Zwistigkeiten sind dort eher die Regel. Gemeinschaften und Teams sehen sich meistens durch viele verschiedene Interessenlagen gelähmt und änderungsunwillig. Meetings oder Ehestreitigkeiten, die um immer dieselben Streitpunkte kreisen, lassen uns ganz verzweifeln. Mich selbst jedenfalls. Ich habe die Mehrzahl der Meetings wie gestohlene Lebenszeit empfunden. Denn im Meeting treffen sich eben nicht nur Leute, die voller Freude ein Problem lösen *wollen* und sich extra deshalb zusammengefunden haben. Nein, es kommen fast niemals *sieben Samurai* zusammen. Nein, es treffen sich immer dieselben Streithähne, die ein (meist durch eigene Schuld) entstandenes Problem lösen *müssen* - und dafür sind sie nicht die Experten, sonst wäre das Problem nicht da.

Einzeln sind wir intelligent – aber nicht im Schwarm!

Jeder Einzelne sagt heute, dass Innovation für die Zukunft wichtig sei und dass unser Land in Bildung investieren sollte - ja, jeder Einzelne sollte sich auf der Stelle weiterbilden und für die Zukunft vorbereiten. Aber tun wir als Team, Gruppe oder Gesellschaft, was wir einzeln wissen? Wenn ich frage: »Was können wir in unserer Gesellschaft verbessern?«, dann kommen mit traumwandlerischer

Sicherheit aus fast allen Unternehmen und Organisationen die folgenden Antworten (und ich wette, auch von Ihnen):

- Wir sollten aktiver sein, nicht immer nur auf Fehler, Marktverschiebungen und Wettbewerber reagieren.
- Work smarter, not harder!
- Wir müssen nachhaltig arbeiten, nicht quartalsergebnisgetrieben.
- Unser Team muss zum echten menschlichen Team werden, wir müssen über reine Arbeitsverteilung hinauskommen.
- Wir dürfen uns nicht in Abteilungen verzetteln, jeder muss auch seinen Teil zum Ganzen beitragen.
- Wir sollten mörderischen Stress vermeiden, weil sonst zu viele Fehler entstehen und wir psychisch krank zu werden drohen.
- Wir müssen viel mehr Zeit für Innovation und Neuerfindung aufwenden. Kreativität wird immer wichtiger.
- Wir sollten uns sehr viel Zeit zur Weiterbildung nehmen und uns dabei in der ganzen Welt umschauen und lernen.
- Wir sollten die Prozesse im Unternehmen einfach gestalten.
- Wir sollten ein klares gemeinsames Ziel haben, eine konkrete Vision, die etwas Konkretes beschreibt - nicht ein abstraktes »schneller wachsen als der Markt«.

Können Sie unterschreiben, oder? Aus diesem gemeinsamen Stöhnen quer durch alle Organisationen wird deutlich, dass die jetzige Situation als bedrückend-stressend, kompliziert und lähmend empfunden wird. Vermisst werden Proaktivität, Nachhaltigkeit, freudige Zusammenarbeit, Weiterbildung, Erneuerung und Innovation! Es geht immer um Smartness, die fehlt. Jeder Einzelne von uns will Smartness, träumt von Einfachheit, betrieblichem Frieden, Balance aller Kräfte und Zukunftszuversicht. Aber die internen Kämpfe, der Stress und die Kompliziertheit der Organisation zehren unnötig, also sinnlos an unseren Kräften.

Fragen Sie sich: Was gehört zu »smart«? Sie werden sagen: Visionen, Missionen, freundliches Betriebsklima, Führungskultur, ethische Leitlinien, Vertrauen, Offenheit, Teamgeist, Kollegialität, gute Kommunikation, Begeisterung, Identifikation, Geborgenheit, Sicherheit des Arbeitsplatzes, Selbstwirksamkeitsgefühl bei der

Arbeit, Kooperation, Entwicklungsmöglichkeiten, Coaching, Mentoring, Karriereoptionen, Nachhaltigkeit, Diversity, faire Vergütungen und Arbeitszeiten, gute Beziehungen zu Kunden, Tatendrang, Innovation, Stolz auf die Arbeitsergebnisse und Arbeitsfreude bei deren Erbringung, diesen Zweck fördernde und effektive Strukturen und Abläufe.

Fragen Sie sich: Was gehört zu »dumm einfach bis hin zu unausgereift kompliziert«? Sie werden sagen: Arbeitsdruck, Eile, Hektik, Kurzfristigkeit, Aktionismus, unbezahlte Überstunden, Wettbewerb untereinander, Silodenken und Abteilungsrivalitäten, fehlende Zeit zum Lernen, keine Zeit für strategische Überlegungen, für Erneuerung, Kundenkommunikation und Innovation; Arbeitsplatzverlustangst, Unsicherheit über die Zukunft, Geiz bei Vergütungsfragen, zögerliche Beförderungen, ständiges unruhiges Getriebensein, alles geschieht auf den letzten Drücker - und dann nur so gut es eben geht; auch deshalb ständige Kontrollen, Meetings, Reviews, Statusmeetings, Leistungsmessungen und bedrückend persönliche Vergleiche mit anderen, immer negativerer Stress.

Als Einzelne wissen wir ganz genau, was sein sollte. Aber wir arbeiten so im Schwarm zusammen (in Teams, Abteilungen, Institutionen, Organisationen, Unternehmen, Parteien), dass wir oft der Verzweiflung nahe sind. Wir fühlen, dass wir als Einzelne gut und intelligent arbeiten: »Das Beste an der Firma ist meine Arbeit.« Aber die Zusammenarbeit im Schwarm klappt nicht: »Das Fürchterlichste sind die Abläufe, Prozesse und endlos unfruchtbaren Meetings.« Und wir stöhnen: »Ach, wie schön wäre es, wenn wir unsere Energien in die gleiche Richtung lenken, wenn wir einem gemeinsamen Ziel froh entgegenarbeiten würden, wenn wir unsere Kräfte bündeln könnten, wenn wir ein Ganzes wären - ein einiger Schwarm.«

Gute oder schlechte Gestalt macht den Unterschied

Schwarmdummheit entsteht, wenn das Ganze nicht klar verstanden ist und kein Ganzes das Team einigt. Sie entsteht auch, wenn ein Ganzes angestrebt wird, das gar nicht erreicht werden kann, oder wenn für den Weg zum Ganzen die Mittel und Fähigkeiten fehlen.

Vieles scheitert schon daran, dass es keine gute Vorstellung vom Ganzen gibt, dann kann es ja auch nicht verstanden werden. Stellen Sie sich vor, dass Bill Gates als Microsoft-Chef etwa 1990 gesagt hätte: »Wir bauen ein Computer-Betriebssystem für alle Menschen, sodass sie ihre Rechner absolut multimedial benutzen können, und wir versorgen alle Menschen mit einen Super-super-Office-System, das alle Wünsche rund um Texte und Präsentationen erfüllt.« In diesem Fall ist absolut jedem Mitarbeiter und Kunden klar, was jetzt in den nächsten 15 Jahren getan werden soll. Das Ganze ist noch fern, aber jeder sieht es schon mehr oder weniger klar vor sich.

Viele Top-Manager aber beschreiben das, was sie als Ganzes werden wollen, so: »Der einzige Zweck unseres Unternehmen und unserer Arbeit ist es, den Gewinn Jahr für Jahr zu steigern. Dieses Jahr haben wir uns 12 Prozent vorgenommen. Das ist unser Ziel und unsere Vision.« Das Wort »Vision« kommt von »Sehen«, aber bei »12 Prozent« sieht man nichts - wir fühlen allerdings schon die Mühsal und das wöchentliche Drängen auf das Gehen der Extrameile et cetera.

Wenn man die Schwarmdummheit eindämmen oder verhindern will, dann ist »eine gute angestrebte Gestalt« unerlässlich, die jeder sehen und verstehen kann und die sich auch jeder wünscht, weil er sie sinnvoll findet. Im Amerikanischen gibt es schon lange die Gestaltpsychologie oder den *gestaltism*. Gestaltpsychologen erforschen Phänomene des ganzheitlich gesehenen Gehirns, das beim Blick auf etwas Unbekanntes sofort Strukturen und Ordnungen erkennt und insbesondere die »Gestalt« oder die »Idee des Ganzen«. Wenn man dem Gehirn einzelne Glühbirnen zeigt, die wie ein Stern angeordnet sind, so erkennt es auf der Stelle »Stern«, aber niemals »47 Glühbirnen«.

Gestaltpsychologen machen sich in diesem Sinne Gedanken, welche Idee oder Gestalt sich vom Gehirn am besten erfassen lässt. Das hier wichtige sogenannte *Gesetz der Prägnanz* besagt (Wikipedia): »Es werden bevorzugt Gestalten wahrgenommen, die sich von anderen durch ein bestimmtes Merkmal abheben (Prägnanztendenz). Jede Figur wird so wahrgenommen, dass sie in einer möglichst einfachen Struktur resultiert (= ›Gute Gestalt‹).«

Was wird denn für gewöhnlich als »prägnante Gestalt« wahrgenommen? Apple, Google, Audi, FC Bayern, Real Madrid, Amazon ... immer dieselben Unternehmen! Und was, bitte, ist an einer »Vision« prägnant und sinnlich positiv wahrnehmbar, die die Form eines Wunsches hat? »Wir wollen stärker wachsen als der Markt. Wir müssen härter denn je kämpfen und natürlich noch mehr einsparen.« Hinter dieser Aussage steckt keine Vorstellung von einer Gestalt der Zukunft, sondern eine wahrscheinlich an allen Ecken und Enden erzwungene Geldeinsparung, dazu kommen Entlassungen, höhere Ziele und »Brandreden«. Man weiß schon, dass »stärker wachsen ohne Vision« einen furchtbaren Flickenteppich von Maßnahmen erzeugen wird. Stückwerk eben.

Kompliziertes Stückwerk hat keine gute Gestalt. Das sehen wir auf den ersten Blick. Komplexe Strukturen haben oft keine auf den ersten Blick erkennbare Struktur, sie sind unklar und unübersichtlich - ein Moloch, ein Dschungel von Zuständigkeiten oder ein Unternehmenskrake. Unter »Prägnanz« finden wir im *Duden* die Synonyme: Klarheit, Treffsicherheit, Genauigkeit, Deutlichkeit, Bündigkeit und Griffigkeit. Das ist schon ganz nahe bei genial einfach, oder? Ich würde noch hinzufügen: wohlgestaltet, wohlproportioniert, harmonisch, edel, grundanständig, qualitätsvoll, stilvoll, redlich, hochwertig und fein. Das alles gehört auch zu »genial einfach«. Oder lassen Sie mich noch aus Wikiquote im Internet zitieren: »Simplicity is the property, condition, or quality of being simple or un-combined. It often denotes beauty, purity, or clarity. Simple things are usually easier to explain and understand than complicated ones. It is also a term used to denote candor, guilelessness, innocence, straightforwardness, and freedom from duplicity.« Gekürzt auf Deutsch: Das Einfache ist unkombiniert, schön, rein und klar. Es lässt sich meist einfacher erklären und verstehen. Das Einfache steht oft auch für Aufrichtigkeit, Offenherzigkeit, Arglosigkeit, Unschuld, Geradlinigkeit und das Fehlen unnötiger Redundanz.

Schwarmintelligenz macht aus »47 Mitarbeitern« ein Bauwerk, eine Software, eine Glaubensgemeinschaft, eine neue Forschungsrichtung, einen Hollywood-Blockbuster, eine Weihnachtsfeier, einen Ameisenhaufen oder allgemein ein angestrebtes Ganzes mit einer guten Gestalt. Jeder Einzelne im Schwarm *will* Teil des Schwarms sein und sich für den gemeinsamen Zweck einsetzen, und zwar *richtig gerne*. Es gibt eine starke Wechselwirkung zwischen der Gestalt des Ganzen und ihrem Zweck einerseits und den einzelnen Menschen andererseits, die dieses Ganze erbauen und pflegen. Die Menschen identifizieren sich mit dem Ganzen, und das Ganze, wenn es gut ist, gibt ihnen Stolz zurück. Die Menschen geben dem Ganzen all ihre Kraft, aber das Ganze gibt ihnen große Energie zurück, weil es sie mit Genugtuung erfüllt. Es macht Freude, für ein Stolz verleihendes Ganzes zu arbeiten, ein Teil davon zu sein, teilzuhaben und die Arbeit daran als wortwörtlicher *Amateur* (»Liebender«) zu leisten.

Wenn Menschen es lieben, Teil eines Ganzen, Teil einer guten Struktur zu sein, die von anderen Menschen als gute Struktur prägnant wahrgenommen wird, dann erhebt die gute Gestalt sie über sich als Mensch hinaus. Der Gartenbaumeister, der bei Bayern München den heiligen Rasen mäht, ist sicher nicht einfach Mäher. Er ist Teil des Sieges. Mein Schwiegervater war stolzer Bundesbahner, er sah sich als Teil absoluter Zuverlässigkeit und vorbildlicher Pünktlichkeit. Das sprichwörtliche »pünktlich wie die Bundesbahn« erhöhte ihn als Person, er nahm seine Pflichten entsprechend ernst - zwischen ihm und den Werten der Bahn gab es starke Wechselwirkungen. Er dreht sich heute ganz sicher im Grabe, wenn verärgerte Bahnreisende bei einer »Störung im Betriebsablauf« das Wort »Gurkentruppe« in den Mund nehmen.

Diese positiven Wechselwirkungen stellen sich natürlich nur ein, wenn es sich um eine wirklich gute Gestalt handelt, deren Teil man sein *darf*. Können Sie nicht förmlich den Stolz eines Zugchefs von früher mitfühlen? Und dazu den Zugchef von heute, der sich so oft entschuldigen muss und überall nervöse Anfragen von anschlussgefährdeten Reisenden im Nacken spürt?

Viele Unternehmen sind heute keine gute Gestalt mehr, sie sind ein sehr komplexes und kompliziertes Stückwerk geworden, in dem jeder seinen Arbeitsplatz hat. Jeder hat seine Arbeit zu tun, immer schneller und konzentrierter, aber man empfängt kaum noch Energie aus der guten Gestalt des Ganzen. Der Stolz von einst erhebt uns kaum noch. Diese Energie, die fehlt uns.

Schwarmdummheit bestellt zum Mähen des heiligen Rasens wechselnde Billigarbeiter, sie stellt sich den Weihnachtsfeiernden vor als »Etat für zwei Glühwein, zehn Kekse«. Sie ehrt nur noch formal und erfüllt nicht mehr die Seele. Sie achtet nicht mehr auf die Wechselwirkung zwischen dem Ganzen und dem Einzelnen im Schwarm. Sie verliert oder vernichtet damit eine große Menge von Energie aus dieser Wechselwirkung. Ja, und dann stöhnt die Schwarmdummheit, dass leider alles unkoordiniert durcheinanderwirbelt, dass nichts ohne Störung und Egoismus funktioniert und die Energie sich partout nicht »ohne Tritt ins Hinterteil« entfalten kann.

Ein gute Gestalt, ein Ganzes, das Smarte, das genial Einfache erfüllen den Schöpfer mehr, als sie an Energie kosten. Schwarmdummheit aber vernichtet Energie. Es hört sich an wie: »Wir laufen im Kreis.« - »Wir kämpfen gegeneinander statt miteinander.« - »Wir wirbeln im Unternehmen wie bei einer Pirouette. Hohe Drehzahl, aber wir bewegen uns nicht von der Stelle.« - »Rein in die Kartoffeln, raus aus den Kartoffeln.« - »Viel Lärm um nichts.« - »Wir kommen nicht voran, obwohl wir rennen wie verrückt.« - »Wir laufen im Hamsterrad.« Dieses sinnlose Abstrampeln im Hamsterrad ist heute ein absolut gängiges Bild der Energievergeudung. Es bezeichnet den Vorgang der Verschwendung. Das Ergebnis ist - nichts. Als Mathematiker stelle ich mir die Kräfte, die in einem Schwarm wirken, wie Kräftevektoren vor, die in sehr verschiedene Richtungen ziehen und damit wenig bewirken.

Am leichtesten lässt sich Energie verschwenden, wenn man wie Sisyphos vergeblich etwas versucht, was man nicht schaffen kann, oder wenn man im Hamsterrad immer schneller strampelt, ohne jemals anzukommen. Dummheit ist - das sagt man sich so oft -, immer dasselbe zu tun und ein anderes Ergebnis zu erwarten. Mit diesem Mechanismus möchte ich die Erforschung der Schwarmdummheit mit Ihnen beginnen.

2

Es ist unmöglich, aber wir strengen uns maximal an

Unter zu hohen Zielen arbeiten wir sofort zu viel, anstatt uns bessere Strategien auszudenken oder auch festzustellen, dass wir es gar nicht schaffen können. Das führt zur Überlastung aller Personen und Funktionen, diese wiederum erzeugt Fehler, Terminverschiebungen und Ärger. Dadurch wächst die Arbeitsmenge enorm an, ohne dass mehr geschafft würde.

Kurzinhalt: In diesem Kapitel geht es um die Vergeudung unserer Kräfte. Statt sich ein realistisches Ziel (A) zu setzen, gibt ein Unternehmen das vermeintlich »mutige«, utopische Wunschziel (B) vor. Dies ist nicht zur zum Scheitern verurteilt, weil es unmöglich sind, es schadet auch noch dem Unternehmen, da es Stress, Druck, Konflikte, Fehler, Chaos erzeugt – und am Ende ist nicht einmal (A) erreicht, was ursprünglich als realistisches Ziel möglich gewesen wäre. Diese ganze Problematik wird anhand einer mathematischen Formel für Warteschlangenlängen erläutert. Wir sehen, dass zu hohe Auslastung zu einem Stau der Arbeitsvorgänge führt. Wenn wir also die Arbeit extrem eilig machen, wirkt es wie viele eilige Autos auf der Autobahn: stockender Verkehr die ganze Zeit.

Inkompetenz, Selbstüberschätzung und Utopiesyndrome

Viele Manager wollen ihre Abteilung oder ihr Unternehmen »weltführend« wissen. Sie sehen sich schon hoffnungsvoll als Global Player und dann als Global Leader. »Wir sind ein international führendes Technologieunternehmen auf dem Gebiet der personalisierten Farbstecknadelköpfe.« Und dann eröffnen sie überall Auslandsfilialen, haben leider keine Ahnung von nationalen Kulturen, telefonieren rund um die Uhr rund um den Globus, um ihre neuen Auslandsgründungen zu motivieren, und frustrieren irgendwann. Hinter diesen Sisyphus-Versuchen steckt ein Muster, das ich im Laufe dieses Buches entwickeln möchte:

1. Jemand will »Weltmeister« werden, ohne die Tragweite dieser zunächst naiven Idee genau zu verstehen.
2. Für den Weltmeister fehlt oft das Talent - wenn dieses Problem nicht verstanden oder gar geleugnet wird, ist der Grundstein für größere Katastrophen gelegt.
3. Wenn Menschen ohne Talent und ohne Einsicht in ihre Talentlosigkeit etwas Großes erreichen wollen, versuchen sie es fast immer mit dem immer energischeren und aufwändigeren Anwenden bewährter Methoden (»mehr vom Gleichen«).
4. Sie betäuben sich mit Überstunden, Mehraufwand und Aktionismus.
5. Die entstehende Frustration macht verrückt oder neurotisch, sie verleitet zur Flucht in Schuldzuweisungen, Ausreden und schließlich opportunistischem Verhalten. Darauf wird schließlich ein Großteil der Anstrengungen verwandt. Jeder versucht seine Haut zu retten und schadet dadurch dem Ganzen, das nun ineffektiv wird.
6. Mahnungen von außen zu einem grundlegenden Wandel halten sie für Anfeindung, ebenso Zweifel an ihrem Talent.
7. Sie suchen nun nach schnellen Rettungen, nach einem Patentrezept, einer neuen Diät oder nach einem tollen Trick.
8. Unter Überlast und Überanstrengung verlieren sie immer mehr den klaren Blick auf das Ganze und arbeiten nur noch für Deadlines.

Stellen Sie sich vor, Ihr Kind sagt zu Ihnen: »Mama, Papa, ich will ein Fußballstar werden.« Sie werden zuerst lächeln, weil dieser Wunsch doch arg utopisch ist. Dann schießen Ihnen Gedanken durch den Kopf: Hat Ihr Kind Talent? Ist ein guter Fußball-Club in der Nähe? Wird Ihr Kind eisern trainieren - über viele Jahre hinweg? Werden Sie ihr Kind unterstützen wollen und können? Wird die Familie Entbehrungen auf sich nehmen? Gibt es Anzeichen, dass Ihr Kind die physischen Voraussetzungen für eine Profisportlerkarriere erfüllen kann? Hat es eine robuste Psyche, kann es ohne Frust Niederlagen wegstecken? Mit anderen Worten: Sie bemühen sich um einen realistischen Blick auf die Angelegenheit. Wie stehen die Chancen? Sind die Voraussetzungen gut? Dann sagen Sie Ihrem Kind möglichst schonend durch die Blume: »Du spinnst ein bisschen, nicht wahr?«

Im Fernsehen laufen derzeit viele Casting-Shows. Wir als Zuschauer weiden uns an diesem eigentlich schon unwürdigen Spektakel, bei dem meist atemberaubend untalentierte Leute sehr viel Zeit und Energie darauf verwenden, ein Star zu werden. Wenn sie dann irgendwann aus der Show herausfliegen, geben sie trotzig dem schlechten Tag oder der ungerechten Jury oder dem schwierigen Song die Schuld. Die Frage, ob der Kandidat überhaupt ein Talent zum Star hat, wird von ihm selbst nie gestellt. Sie steht unter Tabu. »An meinen kommenden Ruhm muss ich doch glauben, sonst hat es keinen Zweck, hier zu sein.« In dieser Weise bringt eine unsinnige Utopie einen uneinsichtigen Talentlosen in eine schwierige Lage. Warum studieren sie die Meister des Faches nicht? Wieso hören sie den ganzen Tag Radio und können nicht verstehen, dass einfaches Nachsingen nicht zum Ruhm führen kann? Warum hören sie nicht auf, berühmt werden zu wollen?

Unter dem Stichwort »Dummheit« findet sich in der Wikipedia: »Im Unterschied zu anderen Bezeichnungen, die auf Mangel an Intelligenz hinweisen, bezeichnet Dummheit (alltagssprachlich) aber auch die Einstellung, nicht nur etwas nicht wahrnehmen zu können, sondern es auch nicht zu wollen: Etwas nicht sehen zu wollen, was offensichtlich ist, kann auch auf einer emotionalen Einstellung gründen.«

Zu meinem Casting-Show-Beispiel von Untalentierten, die ihren Misserfolg nicht verstehen (können), gibt es einen berühmten

Artikel von Justin Kruger und David Dunning aus dem Jahre 1999: *Unskilled and unaware of it. How difficulties in recognizing one's own incompetence lead to inflated self-assessments.* Aufgrund dieser Publikation spricht man heute vom Dunning-Kruger-Effekt. Zu diesem Effekt gibt es einen sehr instruktiven Wikipedia-Eintrag, den ich hier zitieren möchte (Sie finden dort auch einen Link zu dem Volltext des Artikels):

»Als Dunning-Kruger-Effekt bezeichnet man eine Spielart der kognitiven Verzerrung, nämlich die Tendenz inkompetenter Menschen, das eigene Können zu überschätzen und die Leistungen kompetenterer Personen zu unterschätzen. Der populärwissenschaftliche Begriff geht auf eine Publikation von David Dunning und Justin Kruger aus dem Jahr 1999 zurück. In der psychologischen Fachliteratur selbst spielt er bislang kaum eine Rolle, wohl aber in akademischen Publikationen außerhalb der Psychologie sowie in Blogs und Diskussionsforen des Internets. ›Wenn jemand inkompetent ist, dann kann er nicht wissen, dass er inkompetent ist. [...] Die Fähigkeiten, die man braucht, um eine richtige Lösung zu finden, [sind] genau jene Fähigkeiten, um zu entscheiden, wann eine Lösung richtig ist.‹ (David Dunning)

Dunning und Kruger hatten in vorausgegangenen Studien bemerkt, dass etwa beim Erfassen von Texten, beim Schachspielen oder Autofahren Unwissenheit oft zu mehr Selbstvertrauen führt als Wissen. An der Cornell University erforschten die beiden Wissenschaftler diesen Effekt in weiteren Experimenten und kamen 1999 zu dem Resultat, dass weniger kompetente Personen dazu neigen,

- ihre eigenen Fähigkeiten zu überschätzen,
- überlegene Fähigkeiten bei anderen nicht zu erkennen,
- das Ausmaß ihrer Inkompetenz nicht zu erkennen vermögen,
- durch Bildung oder Übung nicht nur ihre Kompetenz steigern, sondern auch lernen können, sich und andere besser einzuschätzen.

Dunning und Kruger zeigten, dass schwache Leistungen mit größerer Selbstüberschätzung einhergehen als stärkere Leistungen. Die Korrelation zwischen Selbsteinschätzung und tatsächlicher Leistung ist jedoch nicht negativ, höhere Selbsteinschätzung geht also tendenziell nicht mit schwächeren Leistungen einher.

Im Jahr 2000 erhielten Dunning und Kruger für ihre Studie den satirischen Ig-Nobelpreis im Bereich Psychologie.«

Wenn im Dschungelcamp C-Promis um die Aufmerksamkeit in der Öffentlichkeit kämpfen oder bei Casting-Shows Unfähige durch Selbstsicherheit auffallen, dann hat das noch einen guten Unterhaltungswert - wenn man so etwas mag und nicht zum Fremdschämen neigt. Der auf Veranstaltungen als Berufsermutiger auftretende urkomische Johannes Warth kann in diesem Zusammenhang umwerfend komisch das Wort SABTA erklären. Es ist eine Abkürzung für »Sicheres Auftreten Bei Totaler Ahnungslosigkeit«. Kennen Sie Manager, die SABTA beherrschen? Wir alle kennen sie! Es sind solche, die einfach so fordern, dass wir die von ihm geleitete Firma zum Weltmarktführer machen sollen. Viel ist dafür nicht nötig, nur noch unsere bis zur Selbstaufgabe lodernde Leidenschaft für Leistung. Das Talent haben wir allein schon dann, wenn wir uns nur richtig reinhängen und für unsere Aufgabe brennen. Solche Manager haben wahrscheinlich schon als Kind gesagt, sie würden einmal ein Star. Das scheint zumindest im Management selbsterfüllende Wirkungen zu zeigen. Man fordert einfach von anderen etwas Unmögliches und schaut, wie weit die Mitarbeiter kommen.

Der »Mut«, das Unmögliche überhaupt zu wagen, verklärt den Unfähigen. Natürlich wird er keinen Erfolg haben, aber das tut seinem Ruhm keinen Abbruch, er versuchte sich ja an der größtmöglichen Aufgabe. Es ist keine Schande, am Unmöglichen zu verbrennen.

Paul Watzlawick, John H. Weakland und Richard Fisch sprechen im Buch *Lösungen* (Verlag Hans Huber, Bern. Im Original heißt das Buch *Change*!) von einem »Utopiesyndrom«. Darin geht es um Fälle, in denen der Utopist unbeirrt einem Ideal folgt, ohne zu merken, wahrhaben zu wollen oder wahrnehmen zu können, dass kein Erfolg im erhofften Sinne möglich ist. In vielen Fällen ist das Nachdenken oder die Diskussion darüber unter Tabu gestellt, ob die Utopie erreichbar ist. Noch schlimmer: Die Utopie wird nicht verstanden. Dann leidet der Utopist unter seinem Utopiesyndrom. Der Utopist versucht traurig oder böse, sich den hartnäckigen Misserfolg zu erklären. Die bevorzugten Reaktionen auf das Scheitern sind:

- »Ich habe Fehler gemacht - es tut mir leid und ich versuche es weiter.«
- »Es ist schwieriger, als ich dachte, ich brauche länger und muss mich mehr anstrengen.«
- »Andere blockieren meinen Erfolg oder helfen mir nicht. Ich zerbreche wegen der anderen.«

Vom Utopiesyndrom Befallene werden sich und anderen gegenüber feindlich, sie schimpfen immer stärker über die Umstände, die bösen anderen und auf sich selbst. Im Grunde haben sie aber kein Verständnis für das konkrete Endergebnis. Sie sind daher nicht in der Lage, die Strategie lernend zu verändern oder die Utopie ganz aufzugeben. Sie sind beratungsresistent, wie man sagt. Unbeirrt wollen sie »Weltmeister« werden, ohne je zu fragen, ob sie vielleicht talentfrei sind.

Wenn wir solchen vom Utopiesyndrom Durchdrungenen im Fernsehen zuschauen, mag es noch Unterhaltung sein. Was aber, wenn Ihr Chef einer unbegründeten Utopie folgt und Sie ihm bei der Verwirklichung helfen sollen? Dann müssen Sie schwer unter einer Fremdutopie ächzen.

Das Leiden des Untertans unter unrealistischen Fremdutopien

Wir haben uns eben schon über diese so oft geäußerte kindliche Utopie amüsiert: »Mama, ich will ein Fußballstar werden.« Ein Kind wünscht sich ganz naiv etwas, dessen Problematik es gar nicht verstehen kann. Es ist eben in noch ganz natürlicher Weise inkompetent und überschätzt sich gnadenlos. Wir lächeln und freuen uns, dass das Kind sich selbst so sehr vertraut.

Betrachten wir einen anderen Fall. Die Mutter, der Vater oder beide wollen gerne, dass aus ihrem Kind etwas Großes wird. Sie finden, es könnte ein Fußballstar aus ihm werden. Einfach so! Es ist eine Idee, mehr nicht! Eine wunderschöne Idee! Sie haben keine Vorstellungen, wie das genau gehen sollte. Soll sich das Kind zunächst einmal im örtlichen Verein in großartiger Weise bewähren. »Wenn das geschafft ist, sehen wir weiter.«

Sie fragen aber nicht, ob das Kind genug Talent hat; ob ein großer Verein in der Nähe ist, der es in seine Jugendauswahl nehmen würde, ob sie das Kind dann wohl dreimal die Woche zum Training bringen könnten und ob das Kind in der Lage wäre, alles mit der Schule zu vereinbaren. Sie könnten zum nächsten Bundesligaverein fahren und das Kind vorstellen. Sie könnten sich nach den Bedingungen erkundigen, wie gut ein Kind spielen muss, damit es für einen großen Verein in Betracht käme. Mit einem Wort: Die Eltern könnten sich die Mühe machen, das Ganze als Projekt zu erkunden und gut zu verstehen. Sie könnten dann entscheiden, ob es eine Aussicht auf Erfolg gibt. Das aber tun sie fast nie. Sie kümmern sich fast immer nur um den nächsten Schritt - nicht um das Ganze.

Sie sind also als sich selbst überschätzende Inkompetente bei jedem Training und jedem Spiel ihres Kindes beim Dorfverein dabei. Sie protestieren, wenn der Trainer ihr Kind einmal nicht aufstellt, weil ja fairerweise alle Kinder einmal spielen sollen. Sie belehren den Trainer, mehr auf Leistung zu trimmen, und beschweren sich bei der Vereinsleitung, dass bloß Spaßfußball betrieben würde, wo es doch um entscheidende Talentförderung ginge. Sie brüllen während der Spiele auf ihr Kind ein und trainieren es von der Seitenlinie aus mit, sie schimpfen mit ihm, wenn es nicht trifft. Es kommt zum Streit mit den Trainern, die sich nicht reinreden lassen wollen. Die anderen Kinder protestieren gegen die ätzenden Eltern dieses einen Möchtegern-Meister-Kindes und entwickeln eine Antipathie gegen den Streber. Es kommt zu Unruhen. Einige Eltern und auch deren Kinder empfinden die Atmosphäre im Spiel als gestört. Manche haben keine Lust mehr und hören mit dem Fußball auf. Die Mannschaft wird schlechter, der zukünftige Star ebenfalls. Das Kind spürt, dass es wohl nicht Weltmeister werden wird. Die Fremdutopie der Eltern lastet immer schwerer auf ihm. Das Kind fühlt sich als Opfer. Was kann es nur tun? Soll es aufgeben? Irgendwie weitermachen? Bewusst schlecht spielen, damit die Eltern aufgeben?

- Es kann den Eltern den Traum auszureden versuchen, was natürlich zu großen Konflikten führen wird, die es wahrscheinlich nicht gut übersteht (»Das sagst du jetzt nach einigen Jahren der Anstrengung, wo wir alles für dich opferten und all unsere Freizeit am Spielfeldrand verbrachten - undankbar, faul, gewissenlos! Solch ein Kind haben wir uns nicht gewünscht!«).
- Es kann dem Ziel ohne Hoffnung weiter folgen und dabei jeden kleinen Erfolg triumphal hochjubeln, um die Wunschvorstellung der Eltern nach wie vor zu befriedigen. Dabei gibt es im Grunde gute Teile des eigenen Selbst auf und wird »Darsteller« (»Mama, ich bin derbe gefoult worden, es gab dafür den Elfmeter zu unserem 1:0. Wenn mich der gegnerische Innenverteidiger nicht über den Haufen gerannt hätte, weil ich zufällig da rumstand, hätten wir nie und nimmer gewonnen!«).
- Es kann frustriert und gehorsam sein Pensum erledigen, wie die Eltern es wollen. Es hofft, dass die Eltern recht bald einsehen, dass nichts aus ihm wird - es hofft sogar heimlich auf Misserfolge, damit endlich alles aufhören kann. Es ist den Eltern insgeheim böse und leistet passiven Widerstand, so gut es geht.

In diesem Sinne kommt es oft vor, dass Menschen Opfer einer Utopie anderer werden, und zwar von anderen, die in selbstüberschätzender Inkompetenz die Utopie für greifbare Realität halten. Viele Kinder leiden darunter, dass sie die Mathe-Olympiade gewinnen, Pianist oder Burgschauspieler werden sollen, sie sind ausersehen, das zu schaffen, was die Eltern »wegen zu schlechter Bedingungen« selbst nicht fertigbrachten.

Wir schauen uns diesen Sachverhalt einmal in einem Unternehmen an. Da kommt ein Chef und fordert stramm und naiv von seiner Abteilung - so wie einst das kleine Kind, das Baggerführer oder Polizeipräsident werden wollte -, dass sie ein zweistelliges Wachstum hinlegen soll. Er glänzt mit SABTA. Die Mitarbeiter fragen sich: Wie kommt er bloß so unverfroren darauf, dass die Abteilung eine so große Leistungssteigerung erreichen könnte? Der Vorgesetzte ist ehrlich: »Mein Chef hat das von mir gefordert, ich musste es ihm versprechen, damit ich meinen Bonus bekomme. Nun gebe ich Ihnen diese Information weiter. Wir müssen es irgendwie schaffen.

Wie genau das gehen soll, weiß ich nicht, aber das ist ja Ihre Aufgabe, Sie sind die Experten, nicht ich. Ich sorge nur dafür, dass es geschieht.«

Als er das sagt, spürt er schon die Ablehnung in den Augen der Adressaten. Die Augen seiner Mitarbeiter sagen: »Das geht nicht.« Und als ihr Chef entgegnet er darauf wie gewohnt: »Geht nicht - das gibt's bei mir nicht. Es ist kein frommer Wunsch, dass wir zusammen das schaffen - ich meine, äh, dass ihr Mitarbeiter das schafft. Es ist kein Wunsch, sondern eine Anordnung.«

Da fragen die Mitarbeiter wieder und wieder: »Und wie soll das gehen?« Und der Chef antwortet jedes Mal: »Lassen Sie sich etwas einfallen. Dazu sind Sie da. Dafür werden Sie bis jetzt noch so hoch bezahlt. Sie bekommen Ihr Gehalt für den Willen, es zu schaffen. Und wo ein Wille ist, ist ein Weg.«

Damit zwingt der Chef die Abteilung oder das Unternehmen in eine dumm einfache Fremdutopie hinein, nämlich die, zweistellig mehr zu leisten als bisher. Die Fremdutopie kommt von ganz oben - was kann man da noch tun? Und die da ganz oben stöhnen unter der Dauerforderung der Aktionäre und Investoren, immer mehr zu leisten. Einfach so - ohne eine konkrete Vision für das Ganze oder eine klare, von allen mitgetragene Linie.

Die reine menschliche Vernunft würde sagen: Ein Unternehmen hat eine konkrete Vision, welche Produkte es welchen Kunden verkaufen möchte beziehungsweise welche Services es wem anbieten will. Damit erfreut es die Kunden und blüht. Erst in zweiter Linie sieht es nun zu, dass es damit möglichst reichlich Geld verdient. Das Management vieler Firmen greift zu einer anderen Logik: Es überlegt zuerst, wie viel Gewinnsteigerung man dem Unternehmen maximal zutrauen kann. Dann legt es noch »einen tüchtigen Schnaps drauf« und verspricht den Investoren die entsprechende Jahresgewinnsteigerung. Anschließend verkündet das Management diese geplante Steigerung als »Ziel« und nennt die »Herausforderung«, es zu erreichen, eine »Strategie«. Das Management stellt damit meist ein utopisches Ziel auf, ohne zu fragen, ob es verwirklicht werden kann. So gut wie jedes Unternehmen, das ich kenne, nimmt sich vor, »doppelt so schnell zu wachsen wie der Markt« oder mindestens »schneller zu wachsen als die Wettbewerber«. Jeder erklärt sich für den Besten, ohne auf seine Möglichkeiten zu schauen. Wenn dann dieses Statement »Wir sind die Besten« in der Presse erscheint, wird das Unternehmen von diesem Versprechen früher oder später eingeholt und erdrückt. Es ist nun gezwungen, die eigenen zu hoch gesteckten Erwartungen auch real zu erfüllen.

Dabei gibt es meist keine konkrete Idee, warum und wie das kaum Mögliche zu schaffen wäre - das »Problem« wird wie der Schwarze Peter an die Mitarbeiter weitergegeben und heißt dann eben »Herausforderung«. Die Mitarbeiter sind empört, aber das hilft nicht, weil die Utopie schon in der Presse versprochen wurde. Das Management hält Phrasen bereit: »Wir wissen, dass ihr jedes Mal kneifen wollt, aber wir lassen nicht locker. Es ist an euch, es zu schaffen. Ihr müsst doch euren Arbeitsplatz sichern.«

Da fühlen sich die Mitarbeiter wie Kinder, deren Eltern fordern: »Aus dir soll ein ganz Großer werden. All unsere Hoffnungen ruhen auf dir. Wir versprechen uns viel von dir. Wir haben schon eine Menge in dich investiert.« Da reagieren die Mitarbeiter unter dem rohen Druck und unter den utopischen Anforderungen wie das Kind unter dem Utopiesyndrom der Eltern:

- Einige Mitarbeiter protestieren gegen die zu hohen Vorgaben und argumentieren sachlich bis wütend gegen den nächsthöheren Chef. Das erzeugt große Konflikte, die so oder so keinen Sinn haben, weil der Chef ja vom nächsthöheren Chef selbst auch zu hohe Ziele bekommen hat und in derselben misslichen Lage gefangen ist. Der Chef ist aber Führungskraft und kann nicht gut nach oben protestieren. Es würde wie Kneifen wirken. Er versucht also, die Mitarbeiter zu beschwichtigen - und zu disziplinieren, wenn es nicht anders geht. Die Folge: Im Mitarbeiterteam schwelt der Groll über die Fremdutopie, Tag für Tag, Monat für Monat, Jahr für Jahr.
- Einige Mitarbeiter - sehr oft sehr ehrgeizige Leistungsträger - rufen zu proaktivem Handeln auf. Sie jubeln dem Management wie Claqueure zu und versichern, dass sie es nun beherzt anpacken werden. Sie spielen eine nicht ganz authentische Rolle. Sie wissen insgeheim, dass die Ziele insgesamt wohl nicht erreicht werden können, aber sie hoffen, dass die nicht so ehrgeizigen

Mitarbeiter die Zeche zahlen müssen. In großer Not behandelt der Chef nämlich die Leistungswilligen besser, weil er stark von ihnen abhängig ist.
- Viele Mitarbeiter tun weiterhin verbissen, was sie immer getan haben: Sie arbeiten, so gut sie können. »Mehr geht ja nicht. Mehr kann man nicht verlangen.« Wenn am Ende das Ziel der Abteilung nicht erreicht wird, so, denken sie (ach, wie töricht!), wird ihr Chef wohl bestraft und dann vorsichtiger mit seinen künftigen Zielen sein. Natürlich wird er bestraft, aber es wird ein neuer Chef mit noch höheren Zielen geschickt werden.

Viele im Team identifizieren sich nicht mit den Zielen. Die da oben fordern ja Unmögliches ohne jede sachliche Legitimation: »Du wirst ein Star.« Einfach so. Es gibt aber auch andere Teammitglieder, die Karriere machen wollen und die ihre persönliche Zielerreichung mit ihrer Karriere verbinden. Sie legen sich engagiert ins Zeug, um es doch noch trotz alledem zu schaffen. Sie nehmen das utopische Ziel für sich selbst an. »Mama, Papa, Chef, ich werde ein Star.« Das Team teilt sich nun in einige, die die Utopie als solche nicht anerkennen und für schädlich halten - der Untergang wird kommen, sagen sie. Eine zweite Gruppe nimmt die Utopie als persönliche Herausforderung an, eine dritte ächzt unter ihr wie unter einer fremden Fron.

Auch diejenigen, die die Herausforderung für sich annehmen, sind immer wieder in Gefahr, ihre Ziele trotz aller Anstrengungen nicht zu erreichen, weil ja die Ziele von vornherein zu hoch angesetzt wurden. Sie leiden:

- »Ich habe leider die Latte gerissen - es tut mir leid und ich versuche es weiter.«
- »Es dauert länger als gedacht, ich mache Überstunden.«
- »Andere blockieren meinen Erfolg oder ziehen nicht mit.«

So denkt und fühlt insbesondere der Abteilungsleiter des Teams. Er fordert Begeisterung von allen und notfalls Überstunden. »Jeder muss die Extrameile gehen, sonst packen wir es nicht.« Es geht um das Überleben der Abteilung, sagt der Vorgesetzte des Abteilungsleiters. Die ehrgeizigen Leistungsträger ärgern sich, dass sie sich allein so sehr einsetzen, und beginnen, die weniger Leistungsbereiten, die Defätisten und Managementzyniker innerlich abzulehnen. Die Führungskräfte sehen sich mit schlechten Mitarbeitern wie vom Schicksal geschlagen. Dass die Abteilung jedes Jahr mehr leisten muss, wird frustriert hingenommen wie eine Naturgewalt. Widerstand war bis jetzt zwecklos. »Die wollen es so.«

Schwarmintelligenz kann entstehen, wenn sich ein Team zu gemeinsamen Zielen oder unter dem Banner einer eigenen selbst gewählten »Utopie« zusammenfindet und sich ergänzend gegenseitig befruchtet. Unter fremden, nicht persönlich geteilten oder mitbestimmten utopischen Zielen wandelt sich das »gerne zusammen arbeiten wollen« in »sinnlos zusammenarbeiten müssen«. Das Team teilt sich fast unweigerlich in Oppositionelle, Aufrührer, passiv-aggressiv Angepasste, karrierebewusst Begeisterte und, ja - die gibt es auch -, normale gut gelaunte Mitarbeiter auf. Manche bleiben auch unter Stress ganz normal. Aber in der Regel erzeugen die zu hohen Ziele neurotische Gruppenbildungen und teamzersetzende Verhaltensweisen.

Da, wo ein intelligenter Schwarm voller Freude zusammensitzen und Aufgaben übernehmen könnte, sitzt nun ein überfordertes Team mühsam diszipliniert zusammen und kann kaum einige Minuten ohne Sarkasmen und Stöhnen miteinander reden. Kann solch ein Team etwas Smartes oder gar genial Einfaches hervorbringen? Nein, es wird in der Kurve irgendwo bei »unausgereift kompliziert« landen. Dies will ich jetzt näher begründen.

Wenn Menschen überfordert sind, versuchen sie es zunächst mit Überstunden. Genau das führt geradewegs in die Hölle. Verstehen Sie mich richtig: Wenn es einmal überraschend viel Arbeit oder ein Problem gibt, dann sind auch für mich Überstunden Pflicht und ganz normal. Wenn man aber ein unerreichbares Ziel dadurch doch noch zu erreichen versucht, dass man Überstunden macht, dann wird das eigentliche Problem ja nicht gelöst - man wird dessen Opfer. Denken Sie daran: Wenn jemand kein Talent zum Fußball hat - hilft dann längeres Training?

Wahnhafte Auslastungsmaximierung

Ohne Überforderung passiert nichts

Ein überfordertes Team sitzt im Meeting.

»Wir sollen 10 Prozent mehr verkaufen, aber die neuen Produkte kommen etwas später auf den Markt und die Testkunden sind nicht ganz zufrieden. Da können wir uns unser Ziel schon einmal abschminken.«

»Es hilft doch nicht, hier Trübsal zu blasen, wir sollten die Aufgabe innerlich akzeptieren und uns dieser Herausforderung stellen. Bitte seid doch nicht so destruktiv.«

»Die Kunden sind doch seit einiger Zeit immer schwieriger geworden! Du kannst heute nicht mehr naiv behaupten, dass unsere Produkte die einzigen und besten sind, wie das unser Chef dauernd herumtrötet. Die Kunden surfen jetzt alle im Internet und wissen oft besser Bescheid als wir selbst. Wir bekommen immer nur die Prospekte unserer eigenen Produkte zur Information. Die Konkurrenzprodukte kennen wir kaum, aber unsere Kunden surfen und wissen beunruhigend viel.«

»Dann surf du doch auch!«

»Bitte, was soll ich sonst noch alles tun? Denkst du, ich arbeite nicht genug?«

»Hört mal, ich habe gesurft, am Wochenende. Ich finde manche Produkte von der Konkurrenz ganz gut, eigentlich sogar besser.«

»Darf ich das einmal zusammenfassen: Die Kunden sind schwieriger, die Konkurrenz setzt uns zu. Wir müssen uns folglich eine neue Arbeitsweise oder Strategie überlegen. Wir arbeiten uns deshalb am besten als Team in die Konkurrenzprodukte ein, jeder von uns in ein paar, die er im Team vorträgt. Wir überlegen, ob wir den Kunden Gesamtlösungen vorschlagen können …«

»Stopp-stopp-stopp-stopp! Das schaffen wir doch gar nicht, so überlastet, wie wir sind. Wir sind uns nicht einmal sicher, ob wir immer mehr leisten können! Wir brauchen auf jeden Fall Unterstützung von oben, Entlastung bei Mistarbeit wie Verträgeschreiben und so. Wir können doch nicht zaubern. Darf ich den heute anwesenden Herrn Abteilungsleiter fragen, wie er sich das alles hier denkt? Wieso können wir einfach so 10 Prozent mehr schaffen als im letzten Jahr?«

Dem Abteilungsleiter entgleitet die Wahrheit: »Wir haben jetzt schon mehrere Jahre hintereinander 10 Prozent mehr geschafft. Warum nicht noch einmal?« Das hätte er nicht sagen sollen, er beißt sich gleich nach seiner Äußerung auf die Lippen. Zu spät, jetzt bricht die Hölle los. »Weil wir jedes Jahr mehr Überstunden machen! Weil wir unser Privatleben aufgeben! Weil wir am Wochenende Mails beantworten! Weil wir immer noch irre arbeiten, obwohl uns die Boni gekürzt wurden! Weil wir schon lange gestresst und krank sind!« Einer will dem Abteilungsleiter an den Kragen, aber ein Älterer hält ihn ab, schaut ihm ernst in die Augen und sagt ruhig: »Es sind doch nicht seine Ziele. Er weiß doch auch nicht, wie er es mit uns schaffen soll. Verstehe ihn doch.«

»Aber wo sollen wir protestieren? Hey, wo? Wo?«

Sie erkennen, dass sie in einem Boot sitzen. Keine Hilfe in Sicht. Geschlossene Gesellschaft mit dem ewig gleichen Problem. Der Abteilungsleiter seufzt. »Also - machen wir weiter.«

Lassen Sie mich das Ganze weniger literarisch ausdrücken. Ich war neulich als Redner bei einer Verabschiedung eines Vorstandes anwesend. Er sah gestresst aus, war gesundheitlich angeschlagen und freute sich jetzt auf ein neues Leben. Er dankte für das Lob, das man ihm in seinen Ruhestand mitgab. Dann schaute er nachdenklich aus. »Wissen Sie, wir haben nun schon zehn Jahre lang immer 10 Prozent mehr gefordert - ganz unnachsichtig. Immer haben sie 10 Prozent mehr geliefert. Ich hätte mir das nie so vorgestellt. Ich habe immer gedacht, das geht nicht gut. Aber die Mitarbeiter haben es zu meiner Überraschung immer wieder herausgerissen. Inzwischen sind wir aber alle sehr müde geworden und voller Stress. Und wir vom Management fordern immer noch 10 Prozent mehr. Das kann doch nicht gut gehen? Irgendwann muss doch Schluss sein? Dass wir einfach nur fordern? Meine Zeit ist ja jetzt um ...« Tiefes Schweigen. Schließlich sagte der neue Chef: »Aach, nun lassen Sie uns das alles nicht so grau sehen. Schauen wir es positiv an: wir haben unsere Leistung Jahr für Jahr gesteigert und als Management-Team von den Aktienoptionen ordentlich mitprofitiert. Wir haben spitzenmäßig gemanagt, wozu Sie - «, er hob das Glas, »maßgeblich beigetragen haben ...«

Denken Sie einmal zurück? In den Neunzigerjahren hatten wir eine 35-Stunden-Woche, wir gingen wirklich ziemlich pünktlich um 17 Uhr heim. Wir hatten keine E-Mail und bekamen deshalb auch keine Mails am Sonntag, ein nach Dienstschluss eingeschaltetes Handy gab es auch nicht. Die Arbeit war gemütlich und nie und nimmer so stressig wie jetzt. Schleichend haben wir immer mehr gearbeitet. Überstunden wurden nicht mehr gezählt, auch meine Reisezeiten zählten bald nicht mehr zur Arbeitszeit - die Kunden wollten diese nicht mehr bezahlen. Die Belastung stieg, die Arbeit verdichtete sich, die Betriebsweihnachtsfeiern fielen ganz aus ... Meine Frau erhielt jüngst am Rosenmontag eine Mail von der Max-Planck-Gesellschaft, dass jeder Mitarbeiter am morgigen Tag den Fastnachtsumzug in Heidelberg verfolgen dürfe - es werde aber gebeten, die ausgefallene Arbeit nachzuholen. Früher war am Faschingsdienstag frei! So geht das nun schon seit ungefähr (gefühlt) 1995. Es gibt zuerst keine goldene Uhr mehr zum dreißigjährigen Firmenjubiläum, dann auch keinen Sonderurlaub, dann keine Sonderzahlung mehr, zum Schluss fällt auch die Feier weg. Die Arbeit ist geblieben, sie wird immer hektischer, die Mittagspausen werden kürzer oder werden mit Brötchen in der Hand vor dem Bildschirm als reine Nahrungsaufnahme erledigt.

Nun sparen und beschleunigen wir ganz schleichend schon um die 20 Jahre. Erst in den letzten Jahren kommt Kritik auf. Ich habe gegen diese Tendenz schon seit 2002 (unter anderem in meinem Buch *Supramanie. Vom Pflichtmenschen zum Score-Man,* Springer Berlin) gewettert und war damit ganz allein ...

Wenn man die Arbeitslast immer weiter steigert, sind bald alle Ressourcen voll ausgelastet. Es gibt aber wissenschaftlich fundierte Argumente, eine vollständige Auslastung nicht zuzulassen oder auch nicht zu versuchen. Warum, das erkläre ich Ihnen im nächsten

Abschnitt anhand der Warteschlangenformel. Sie stellt den mathematischen Zusammenhang zwischen der Arbeitsdichte und dem Stau her, der durch zu hohe Arbeitsdichte im Durchschnitt entsteht. Diese Formel wird in Mathematik-Vorlesungen der Wahrscheinlichkeitstheorie und Statistik hergeleitet und bewiesen. Die Formel stellt den Grundzusammenhang in der sogenannten *Warteschlangentheorie* her (englisch *Queuing Theory*).

Liebe Leser - diese Formel ist Mathematik. Hart und unnachsichtig Mathematik, Sie können sich auf den Kopf stellen - die Formel gilt. Ich kann nichts dafür. Sie formuliert Logik und ist wie ein Naturgesetz. Sie sagt, dass zu hohe Überlastung ein Wartechaos unerledigter Vorgänge erzeugt. Das ist auch ohne Formel klar. Aber wenn Sie es mit Formel ansehen müssen, dann ist Ihnen damit bewiesen, dass Sie absolut dumm handeln, wenn Sie sich überlasten (lassen).

> Wenn Sie im überlasteten Chaos arbeiten, sind Sie selbst dumm oder Teil einer größeren Schwarmdummheit.

Die Warteschlangenformel

Versetzen Sie sich in einen Laden mit einer einzigen Kasse. Alle paar Minuten kommen und gehen Kunden (die mathematische Theorie nimmt an, dass die Kunden in einem stochastischen Poisson-Prozess ankommen - das stimmt in der Praxis in etwa). Alle müssen an der Kasse vorbei. Vor der Kasse bildet sich manchmal eine lange Schlange und zu anderen Zeiten wird man gleich bedient. Eher seltener sitzt jemand an der Kasse untätig und wartet auf Kunden. Die durchschnittliche Länge der Warteschlange hängt mit der Auslastung der Kassenperson über die Warteschlangenformel zusammen:

Erwartete Anzahl der Kunden an der Kasse
= Auslastung / (1 – Auslastung)

Diese Formel möchte ich jetzt an einem Beispiel klarer machen. Einen Kurzbeweis finden Sie in einer Kolumne von mir (*Schlangenbeschwörer,* in meinem Buch *Dueck's Panopticon,* ursprünglich im *Informatik-Spektrum,* Band 27, 2004) oder eben in Mathematikbüchern. Gleich hinein ins lebende Beispiel:

Mal kommen wenige Kunden, weil zum Beispiel Mittagspause ist, dann kommen wieder viele auf einmal. Die Kassenkraft hat manchmal nichts zu tun, manchmal aber ist es hart - dann stehen da viele Kunden mit vollen Einkaufskörben und schimpfen mit ihr, weil es nicht vorangeht. Neulich hat sie bei großem Andrang einen ihr bekannten Kunden gefragt, wie denn seine goldene Hochzeit gewesen sei. Da brach ein wartender Kunde in Flüche aus. »Hier ist keine Zeit, Ihr ganzes Privatleben auszupacken!«, brüllte er. »Weiter! Wir haben unsere Zeit nicht gestohlen!«

In diesem Sinne ist Arbeit an der Kasse sehr schwankend. Der Chef ist trotzdem unzufrieden. Er hat stichprobenartig mit der Stoppuhr gemessen, wie lange die Kassenkraft wirklich gearbeitet hat und wie lange sie untätig wartete. Er kommt auf 85 Prozent Arbeitszeit beziehungsweise auf »15 Prozent Herumsitzen und Warten«. Das hält er der Kassenkraft vor, die lauthals protestiert und die Arbeit schon jetzt schlauchend genug findet. Das will der Chef nicht hören. Stattdessen erweitert er sein Angebot und stellt vor dem Laden zusätzliche Auslagen auf. Damit verdient er nicht viel, aber die Personalkosten für die Kassenkraft hat er ja ohnehin. Tatsächlich kommen jetzt mehr Leute in den Laden. Er misst nach, zu wie viel Prozent die Kassenkraft ausgelastet ist. Aha, 90 Prozent. Das kann er noch steigern. Er stellt noch mehr Waren vor seinem Laden auf ...

Nun aber kommt eine böse Überraschung. Als er seinen Laden wieder inspiziert, ist der voll von Kunden, die auf eine Abfertigung an der Kasse warten. Der Chef zählt: 15 Kunden warten. Das geht nun gar nicht, findet der Chef. Er fährt die Kassenkraft böse an. »Können Sie vielleicht einen Gang höher schalten?« Die Kassenkraft schimpft sehr böse zurück: »Früher war alles ruhig, jetzt aber kommen so viele Kunden, dass es hier manchmal Tumulte gibt. Ich schaffe das Kassieren nicht mehr. Da werfen die Kunden oft die Ware hin und gehen wieder. Manche sagen, sie wollen bald nicht mehr kommen, wenn das so weitergeht.« Der Chef ist außer sich. Wie kann das sein, wo doch die Kasse immer noch nicht voll ausgelastet ist und derzeit nur zu 92 Prozent arbeitet? Er schimpft: »Sie stehen doch 8 Prozent der Zeit einfach so herum und haben bezahlte Pause! Wieso bekommen Sie ihre Arbeit nicht gebacken? He?«

Das ist die Lage, und nun kommt die Warteschlangenformel. Der Zeitanteil, zu dem die Kassenkraft tatsächlich arbeitet, ist in unserem Fall 0,92 (die Prozentzahl in Dezimalen). Dieser Zeitanteil heißt Auslastung, Auslastungsgrad oder im Amerikanischen »utilization« der Kassenkraft. Bei Warteschlangen sind mathematisch zwei Größen interessant, die man aus dem Auslastungsgrad berechnen kann: Die durchschnittliche *Länge der Warteschlange* und die erwartete *Anzahl der Kunden an der Kasse*. Es kann vorkommen, dass kein Kunde an der Kasse steht, dass ein Kunde bedient wird und keiner sonst wartet oder dass ein Kunde bedient wird und andere warten. Die Anzahl der Kunden an der Kasse ist dann null, eins oder eins plus Länge der Warteschlange. Die Mathematik sagt für den Fall, dass die Kunden zufällig nach dem erwähnten Poisson-Prozess hereinkommen:

Erwartete Anzahl der Kunden an der Kasse
= Auslastung / (1 – Auslastung)

Und:

Erwartete Länge der Schlange
= Auslastung mal erwartete Kunden an der Kasse

Wir setzen den Wert aus unserem Beispiel ein:

0,92 / (1 – 0,92) = 0,92 / 0,08 = 11,50

0,92 mal 11,5 = 10,58

Unter der Annahme, dass die Kunden wirklich zufällig hereinkommen, ist die Warteschlange in unserem Beispiel im Durchschnitt größer als zehn! Das bedeutet in einem kleinen Laden mit nur einer Kasse wirklich einen absoluten Tumult. Natürlich schwankt das hin und her, es kommen auch einmal weniger Kunden oder gar keine, dann hat die Kassenkraft tatsächlich nichts oder wenig zu tun. Im Ganzen geht es aber wie im Hühnerstall zu - mal sind da 20 Kunden, mal nur zwei. Es schwankt enorm.

Ich weiß jetzt nicht, wie es Ihnen mit diesem Beispiel ergeht. Die meisten Menschen und ganz sicher die meisten Manager glauben das erst nicht. Die meisten von ihnen denken, das Leben sei irgendwie gleichmäßiger. Nein, es schwankt ziemlich, und bei hoher Auslastung hat die Kassenkraft keine Zeitreserven, die Schlange abzuarbeiten, da staut sich oft etwas auf, und es gibt riesengroßen Ärger.

In unserem Beispiel war die frühere Auslastung der Kassenkraft 85 Prozent. Wir setzen ein:

$$0{,}85 / (1 - 0{,}85) = 0{,}85 / 0{,}15 = 5{,}60$$

$$0{,}85 \text{ mal } 5{,}6 = 4{,}81$$

Wir sehen: Vorher war die durchschnittliche Warteschlange etwa fünf, danach größer als zehn. Versetzen Sie sich an einen Weihnachtsmarktstand oder an eine Pommes-Bude. Einmal stehen da fünf Leute, ein andermal elf. Was fühlen Sie? Fünf ist schon ganz schön viel, aber elf? Sie gehen an einem solchen Stand vorbei. Noch ärger: Sie bummeln in einem Oberbekleidungsgeschäft oder im Media Markt, Sie haben eine Frage zu einem Produkt und müssen nun warten, dass der Verkäufer seelenruhig zehn Kunden vor Ihnen gut berät. Was tun Sie? Sie gehen ohne Kauf.

Die Kassenkraft in unserem Beispiel hatte also Recht, der Chef hat keine Ahnung. Er hat die Auslastung gemessen, nicht aber an die Schwankungen in den Kundenanforderungen gedacht. Die sind bei höherer Auslastung so stark gestiegen, dass nun praktisch alle Kunden unzufrieden sind.

Der Chef selbst versteht das Resultat nicht. Er selbst arbeitet doch 99 Prozent - praktisch ohne jede Pause! Er ist Chef! Wäre er eine Kassenkraft, so können wir berechnen:

0,99 / (1 – 0,99) = 0,99 / 0,01 = 99

0,99 mal 99 = 98,01

Wäre er Kassenkraft, so wäre er also fast voll ausgelastet und hätte immer um die hundert Kunden dastehen, die auf ihn warten. Ich habe das einmal Vorständen eines größeren Unternehmens vorgerechnet. Sie staunten. 98 wartende Kunden? Ich schilderte ihnen, wie es in ihrem Vorstandsvorzimmer zuging - dort telefonierten drei Sekretärinnen rund um die Uhr. So wie die Kunden im Laden, so kamen viele Mitarbeiter und Manager vorbei, manche höchstpersönlich, andere telefonisch oder per Mail:

»Kann ich den Chef sprechen?«

»Nein, der Chef ist in einer Besprechung.«

»Wann kann ich?«

»Lassen Sie mich in den Kalender schauen. Der Chef ist vollkommen überlastet, aber das wissen Sie ja. Hier, in drei Wochen um fünf Uhr.«

»Oh je, oh je, dann ist das Projekt schon fast versenkt. Nicht früher?«

»Nein, nicht früher.«

»Okay, ich akzeptiere den späten Termin, also in drei Wochen um 17 Uhr.«

»Nein, ich meinte fünf Uhr, nicht 17 Uhr.«

»Am Morgen?«

»Ja, natürlich! Er fliegt um sechs Uhr weg und hat kurz vorher beim Warten am Gate Zeit.«

Sie verstehen das Ganze in seiner vollen Tragweite sicher noch viel besser, wenn wir uns die ganze Problematik noch einmal in einer Notfallambulanz in einer Klinik vorstellen. Früher war kaum etwas zu tun, und der Notarzt vom Dienst konnte in der Nacht meist noch etwas schlafen. Das war dem Krankenhausmanagement zu teuer, sie legten Notambulanzen verschiedener Krankenhäuser zusammen und konnten nun als Erfolg eine bessere Auslastung des Notarztes von 85 Prozent vorweisen. Diese Zahl fanden sie immer noch nicht sehr gut, aber schon viel besser als die früheren 60 Prozent. Wir berechnen:

$$0{,}60 / (1 - 0{,}60) = 0{,}60 / 0{,}40 = 1{,}50$$

$$0{,}60 \text{ mal } 1{,}50 = 0{,}9$$

Wir sehen: Früher, bei 60 Prozent Auslastung, wartete im Schnitt nur ein weiterer Notfall, heute sind es knapp 5. Wir gehen in das Ambulanzzimmer. »Es blutet so stark!« - »Das haben wir gleich, ein paar Stiche Naht, in 10 Minuten ist es gut.« Ein Helfer kommt: »Chef, da draußen ist ein Verdacht mit Herzinfarkt.« - »Oh, halten Sie einmal die Nadel, ich unterbreche, wir müssen dann neu betäuben.« Er geht zum Herzinfarkt. Da kommt die Schwester: »Chef, eine schwere Geburt, das Fruchtwasser ist schon weg, das Baby stirbt vielleicht.« - »Okay, was soll ich zuerst machen? Was sagt meine Sekretärin?« - »Ich frage sie!« Der Mann mit der Wunde schreit. »Es tut jetzt sauweh! Ich bin Privatpatient!« - »Oh Mist, das stimmt, was machen wir jetzt mit dem Kassen-Baby?«

Es gibt Berufe, die besser eine nur geringe Auslastung haben sollten. Die Feuerwehr darf nicht einmal 60 Prozent Auslastung haben, weil ja dann im Schnitt ein brennendes Haus auf die Feuerwehr warten muss, während eines gerade gelöscht wird. Die Armee sollte lieber eine Nullauslastung haben!

Manager müssen zwar keine Menschen vor dem Verbluten oder aus brennenden Häusern retten. Dennoch ist der Vergleich des Managements mit der Feuerwehr oder einer Eingreiftruppe nicht falsch. Denn wenn es heißt: »Chef, es brennt!«, dann sollte der Chef in Bereitschaft stehen und sofort helfen. Das kann er aber nicht, wenn er seine Zeit total verplant hat, weil dann für Notfälle keine Zeit mehr ist.

Warteschlangen erzeugen Zusatzlast

Ich habe gezeigt: Wenn man bei zufälliger Kundenankunft eine Auslastung von tendenziell 90 Prozent anstrebt, warten so etwa zehn Vorgänge im Durchschnitt, mal sind es weniger, mal mehr. Sie gehen ja auch einmal selbst im Supermarkt einkaufen - wenn die Warteschlange länger als zehn wird, werden wir nervös, bei einer Bank wahrscheinlich schon sehr ungehalten. Wer ein Call-Center anruft und 10 Minuten in einer Warteschleife Musik hört, wird böse.

Es kommt zu Beschwerden. »Warum öffnen Sie keine weitere Kasse?« - »Ich habe jetzt gerade 13 Minuten Musik am Telefon gehört, ist das hier etwa normal, verdammt noch mal? Ist das normal, dass hier so viel los ist? Sind Sie absichtlich unterbesetzt, um auf meine Kosten Zeit zu sparen?« Diese Zusatzgespräche werden bei längeren Warteschlangen geführt und erzeugen noch mehr Wartezeit. Wenn also die Auslastung eines Services über 90 Prozent steigt, so kann es sein, dass das Grummeln der Kunden und das Gemaule der Art: »ich habe so lange gewartet, gut dass ich jetzt dran bin«, die Auslastung auf 95 Prozent hochfährt, weil sich nun die Abfertigungszeit verlängert. Wenn aber durch das Zusatzgemecker die Auslastung auf 95 Prozent steigt, wächst auch der Stau der Wartenden enorm an. Jetzt schimpfen alle, rufen mehrmals an. Dadurch wird immer mehr Zusatzarbeit erzeugt, die das Chaos immer schlimmer werden lässt. Ich gebe noch ein technisches Beispiel dazu: Wenn in einem Computernetzwerk die Auslastung des Netzes über 85 Prozent steigt, werden große Mails (die mit Anhängen und Bildern) einige Sekunden bis wenige Minuten verzögert geschickt, damit das Netzwerk weiter gut läuft. Oft schicken sich aber Leute, die gerade telefonieren, solche Anhänge zu. Und schicken sie gleich noch einmal, weil vermeintlich nichts angekommen ist, und noch einmal. Wenn das jetzt viele Leute im Netz tun, steigt die Auslastung des Netzes auf - sagen wir - 90 Prozent, und jetzt schicken noch mehr Leute ihre Mail doppelt und dreifach. Dann bricht das Netz zusammen. Denken Sie auch an das Telefonieren zum Jahreswechsel. »Das Netz ist überlastet. Versuchen Sie es noch einmal.« Das tun Sie dann prompt sehr oft, dadurch belasten Sie das Netz immer mehr ... Man kann deshalb in etwa so sagen: Alles über 85 Prozent Auslastung führt zu Chaos bis hin zu Katastrophen. Denn eine solch hohe Auslastung erzeugt durch Ärger und Prioritätenänderungen wegen wartender Notfälle neue Arbeit, sodass die Auslastung über 100 Prozent steigt und das System zusammenbrechen lässt.

Im Management ist die Sache noch schlimmer. Wenn Manager ihre Termine aus Überlastung nicht einhalten können und »leider Ihre Sache noch nicht entscheiden konnten und um Geduld bitten«, dann verzögern sich wegen der fehlenden Entscheidungen andere Projekte, die unter Umständen kurz oder länger stoppen müssen. Der Kunde will gerade Verträge zum Bau einer Anlage unterschreiben, da fehlt noch eine Unterschrift eines Prüfers, der zwei Tage Urlaub genommen hat. Oft verschiebt sich dann der ganze Anlagenbau nach hinten, der Kunde besteht aber auf dem vertraglich zugesicherten Auslieferungstermin. Jetzt fehlt Zeit, Hektik bricht aus. In der Not laufen die Telefone heiß. Alle koordinieren neu, ordnen Überstunden an und so weiter. Oder ein anderer Fall: Ein Kunde erteilt einen großen Service-Auftrag - er bezahlt 50 Leute für ein halbes Jahr. Toll! Nun müssen »nur noch« 50 Leute für das neue Projekt eingeteilt werden. Da aber das dumme Unternehmen die Auslastung der Service-Kräfte auf 90 Prozent und darüber hochfahren will, sind natürlich gerade keine 50 Mitarbeiter unbeschäftigt, schon gar nicht solche, wie sie der Kunde verlangt. Alle arbeiten doch! Alle haben darüber hinaus noch etliche unerledigte Arbeit, weil sie alle eine Warteschlange von noch zu erledigenden Dingen vor sich her schieben. Woher bekommt der Projektleiter jetzt 50 Leute? Er telefoniert verzweifelt und schimpft. Er muss dringend alle möglichen anderen Projektleiter anrufen, es ist ein Notfall! Er bittet die Kollegen, ihm Leute abzustellen, die aber antworten genervt, sie seien selbst überlastet. Diese Telefongespräche kosten wiederum alle angerufenen Projektleiter wieder unnötige Zeit und erhöhen überall die Auslastung weiter. Wie im Beispiel des überlasteten Netzes steigt nun die Auslastung immer weiter an, weil sich immer neue Anrufe und Neuterminierungen häufen. Alles flimmert vor Stress. Sie versinken in Überstunden und arbeiten am Wochenende ... Das Chaos nährt das Chaos.

Zwischenfazit: Wenn die Auslastung über 85 Prozent steigt, so fällt sehr viel Mehrarbeit an. Dadurch steigt die Auslastung weiter - es fällt noch mehr Mehrarbeit an und so weiter Wenn also die Auslastung über 85 Prozent steigt, springt sie sofort auf 100 Prozent. In der Praxis versuchen insbesondere Manager, mehr als 100 Prozent der normalen Arbeitszeit zu arbeiten. Sie verplanen 100 Prozent ihrer Zeit und arbeiten alles bei vielleicht 30 Prozent Mehrarbeit durch Chaosberuhigung wieder ab, dann ist ihre Auslastung wieder unter 85 Prozent. Leider kommt es noch schlimmer.

Warteschlangen erzeugen Fehler

Im Chaos steigt natürlich die Fehlerquote an. Wer weit über 100 Prozent ausgelastet ist, versucht die Arbeit dadurch einzudämmen, dass er weniger sorgfältig arbeitet. Es kommt zu Fehlern. Termine werden nicht eingehalten, an der Qualität wird geschludert, die Sicherheitsvorkehrungen werden nicht so ernst genommen, wie es sein sollte - kurz: vieles reißt jetzt ein. Vertrauen geht verloren, es gibt Missverständnisse, Beschwerdezeit vergeht, endlos viel Mehrarbeit entsteht. Wenn 20 Prozent Überstunden nicht ausreichen, auch schließlich 30 Prozent nicht mehr, dann versucht man nur noch, alle dringenden Arbeiten zu erledigen. Wenigstens die! Warteschlangen unterdrücken alle nicht dringenden Arbeiten.

In der fieberhaften Eile werden alle Arbeiten, nach denen nicht am Telefon laut geschrien wird, immer wieder nach hinten geschoben. Wo es nicht brennt, wird nichts getan. Man sagt allgemein: »Das dringliche Tagesgeschäft frisst uns auf.« Alles, was nicht dringlich ist, muss warten, und viele Angelegenheiten kommen bald ganz zum Erliegen. Der Besuch von Tagungen und Messen wird so selten, dass bald keiner mehr weiß, wie und wo man das eigentlich noch beantragt. Weg! Innovation? Wie? Wo? Keine Zeit mehr. Die Vorgesetzten, die eigentlich die Mitarbeiter coachen sollen, haben so wenig Zeit dafür, dass sie meist gar nicht mehr coachen und dann auch die Fähigkeit dazu verlieren. Junge Manager coachen ja schon von Anfang an im Hamsterrad nicht mehr, sie können es dann gar nicht, selbst wenn später einmal wie durch ein Wunder Zeit dafür sein sollte. Austausch auf den Fluren oder am Kaffeeautomaten?

Hah - wagen Sie nicht mal dran zu denken! Fragen zum Betriebsklima oder gar zur Gesundheit am Arbeitsplatz sind Luxusprobleme, um die sich längst keiner mehr schert. Im Ganzen gesehen geht es mit der Kultur des Unternehmens bergab.

Das Chaos unterdrückt erst das »Klimatische« und Nachhaltige und nicht dringend Wichtige, dann erstickt es langsam alles. Die Probleme wachsen. Das Top-Management mahnt in vielen Meetings, bitte nicht alles um Nachhaltigkeit herum zu vergessen. Diese Mahnungen kosten Zeit, helfen aber in der Regel nichts, weil alles in Eile ist. Deshalb macht das Top-Management Druck, erzeugt also zusätzlich eilige Dinge. Das geschieht wie folgt.

Das Imperium schlägt zurück – Kontrollpunkte überall

Die Top-Manager werden durch Kundenklagen immer wieder darauf gestoßen, dass etwas nicht stimmt: Die Betreuung wird liebloser, die Produkte und Services haben Qualitätsmängel. Die Investoren sind besorgt, dass im Unternehmen kaum noch Innovationen auf den Weg gebracht werden. Die Krankmeldungen steigen, Burn-out-Fälle häufen sich.

Nun werden Berater oder höhere Manager beauftragt, für Ordnung zu sorgen. Die lassen sich sofort Zahlen vorlegen. Über alles! Jetzt wird nicht nur der Quartalsgewinn überprüft, sondern auch:

- Wochenergebnisse
- Kundenkontakte
- Vertragskorrektheit
- Qualität
- Projektabnahmen
- Sicherheit
- Ausgaben bis auf Cents
- Gesundheit der Mitarbeiter
- Überstunden der Mitarbeiter
- Frauenquote
- Aktualität von Software und Rechnern
- Taxibenutzung und Reisekostenbudgets

Jetzt hagelt es Reviews, Prüfungen, »Compliance«, »Governance«, »Risikomanagement«, Berechtigungsüberprüfungen, Sparrichtlinien und vor allem das Verlangen nach Datenberichterstattung nebst Begründungen. »Warum haben Sie in Ihrer Abteilung keine Frauen?« - »Ich habe die Abteilung neu übernommen und auch keinerlei Einstellerlaubnis.« - »Bitte versetzen Sie Männer und tauschen sie gegen Frauen ein, damit auch in Ihrer Abteilung die Quote stimmt.« - »Das habe ich versucht. Die anderen Abteilungen haben auch zu wenige Frauen, sie geben keine ab.« So etwas kommt tatsächlich auf den Schreibtisch eines Managers. »Die da oben« bombardieren einfach jeden Manager mit allen Fragen. Sie schauen nicht, wie das Problem gelöst werden könnte - sie verlangen einfach, dass es gelöst ist oder wenigstens wird. Punkt. Können Sie sich in die Psyche eines Managers hineinversetzen, der irre ausgelastet ist, bei dem es überall brennt und der dann eine Mail dieser Art bekommt: »Wir haben im ganzen Unternehmen festgestellt, dass Mitarbeiter verschiedene Versionen vom Acrobat Reader installiert haben. Bitte veranlassen Sie, dass alle upgraden, aber noch nicht auf die neueste Version, das ist uns zu unsicher.« Oder: »Wie viele Mitarbeiter haben eine User-ID bei der neuen Datenbank ›Wissenswertes vom Boss‹, die alle verpflichtend benutzen sollen? Bitte teilen Sie uns mit, wie lange jeder einzelne Mitarbeiter darin liest. Sollten Ihre Mitarbeiter die Mitteilungen vom Boss zu wenig lesen, bekommen Sie als Vorgesetzter eine Abmahnung.«

Bitte - das ist jetzt etwas sarkastisch, aber ganz normaler Manageralltag. Man fühlt sich wie im Krieg im Schützengraben, die Kugeln pfeifen, und dann kommt noch zusätzlich jemand durch den Matsch gestapft mit einer Stichproben-Umfrage, ob heute Morgen alle Soldaten die Zähne geputzt haben, auch die schwer Verwundeten. Diese Fragen haben alle ihre Berechtigung - ja und nochmals ja. Aber man hat als Manager absolut keinen Nerv dafür, wenn es an allen Ecken und Enden brennt!

Wenn die Auslastung nur bei 80 bis 85 Prozent liegt (das wird von mir als Mathematiker dringend empfohlen), dann kann man in den Leerzeiten alles entspannt erledigen, auch für die richtige Frauenquote sorgen und die Sicherheitsbestimmungen einhalten. Aber im Chaos brüllt man auf vor Schmerz und Zorn, wenn mitten im Gewühl wieder so eine wichtige Aufforderung von ganz oben kommt:

»Wie viele Innovationen hatten Sie pro Quartal? Bitte füllen Sie das Template rückwirkend für die letzten fünf Jahre aus, wir brauchen die alten Angaben, um zu schauen, ob es schlechter geworden ist.«

Aufschreiantwort: »Keine Abteilung ist hier älter als fünf Jahre, es wird ja ohne Ende reorganisiert! Kein Manager ist fünf Jahre Chef derselben Abteilung! Niemand kann antworten.«

»Bitte seien Sie nicht unkooperativ, füllen Sie alles aus, so gut Sie können. Nehmen Sie Kontakt zu den Vormanagern Ihres Bereiches auf und dokumentieren Sie schriftlich, was diese geantwortet haben. Vergessen Sie nicht die genaue Angabe, wie viele Innovationen Sie in den nächsten fünf Jahren planen. Es gibt Ärger, wenn Sie weniger als zehn Innovationen melden.«

Aufschreiantwort: »Ich plane nur ein einziges Heliumfusionskraftwerk auf dem Mars, um den Planeten gemütlich warm bewohnbar zu machen. Ich habe also nur eine einzige Innovation in fünf Jahren!«

»Das geht nicht, jede Abteilung sollte zehn Innovationen vorschlagen und gründlich erarbeiten, weil wir ja die besten aus den zehn auswählen wollen, da ist es gut, wir haben viele Optionen für unseren großen neuen Ausschuss, der die Innovationen fördern soll.«

Was passiert da? Sie werden gleich gemerkt haben: Es hagelt Mehrarbeit und noch mehr Auslastung, und zwar solche der ärgerlichsten Art, denn die Kontrollen haben ja immer Vorrang, weil sie von oben kommen. Die Macht erzwingt die Erledigung auf der Stelle. Die Kunden aber, die vermeintlichen Könige, die müssen dann eben warten.

> Wenn Überlastete nur noch das Dringende tun können, arbeiten sie absolut vordringlich an den Entschuldigungen für die Folgen ihrer Überlastung – die verlangt der Chef, und alles von oben ist immer am dringendsten.

Die Macht von oben erzwingt also eine nochmals höhere Auslastung, die zu Hektik, Krisen, Fehlern und Vernachlässigung alles nicht Dringenden (also auch zu Vernachlässigung von sehr Wichtigem) führt. Das bemerkt das System und schlägt mit einer wahnwitzigen Kleinkariertheit vieler einzelner Kontrollen zurück, die alle auf der Stelle durchgeführt werden. Dadurch brennt es im Tagesgeschäft noch stärker, sodass man die Kontrollen nur noch zitternd vor Ungeduld erleidet (»Die Glühbirne vorne rechts auswechseln!«, sagt das Auto) und dann einfach weitermacht (»Zum Teufel mit der Glühbirne!«). Die Überlastung entschuldigt zum Schluss alles, sie ist ja auch allein schuld.

Die Warteschlangenzusatzarbeit eskaliert nach oben

Wenn in einem System Chaos ausbricht, streiten sich alle, wie die entstehenden Ausnahmefälle und Streitigkeiten zu lösen sind. Alle sind überlastet, Termine werden nicht eingehalten. Die Projektleiter toben und beschweren sich. Die Überlasteten sagen: »Schlag mich tot, ich schaffe es nicht.« Da wenden sich die Projektleiter wütend an die Vorgesetzten der Säumigen und Überlasteten. Die schimpfen dann mit ihrem Mitarbeiter, der aber beweisen kann, dass etwas anderes im Moment noch dringlicher ist. Jetzt kreist die Lösung der Überlastungsprobleme eine Stufe höher im Management. Niemand will die strittige Angelegenheit unten entscheiden, weil das Feindschaften erzeugt oder Schuld erntet. Meist kann sogar niemand entscheiden, weil das Chaos zu groß ist und nicht mehr lokal entwirrt werden kann. Der Chef soll ein Machtwort sprechen. Der bekommt nun immer mehr wartende Probleme ins Vorzimmer. Er wird wütend. »Muss ich in dieser verdammten Firma über jeden Furz höchstpersönlich entscheiden? Arbeitet ihr da unten überhaupt nicht mehr, wenn ich nicht jeden Handgriff selbst ganz detailliert verlange?«

Ich will sagen: Alle Zusatzarbeiten, die durch das Warteschlangenchaos entstehen, also alle Notfälle, Kundenbeschwerden (»Ich will jetzt den Chef sprechen, ich habe die Schnauze voll!«), alle Prozessausnahmen und Sonderfälle müssen *immer weiter oben* entschieden oder gelöst werden.

Im Extremfall ist die oberste Unternehmensschicht nur noch mit Eskalationen im Unternehmen und mit Deeskalationen von Kundenzornesausbrüchen außen beschäftigt. Die eigentliche Führung löst sich auf. Das lässt die Überwachungsseite des Unternehmens heißglühen: Die Controller, die Prüfer, der Chief Compliance Officer, die Security, die Social-Responsibility-Abteilung und der heute wegen aller dieser hier geschilderten Probleme neu eingeführte Chief Risk Officer kommen und fordern eine Wiederherstellung der Ordnung ... neue Zusatzarbeit ... SOS! Das nun immer stärker werdende Chaos drückt auf die Seele. Der Stress verzerrt die Gesichter.

Der Überstress macht Dr. Jekyll zu Mr. Hyde

Der Überstress lässt das Gute im Menschen zerbröseln. Die Arbeit fühlt sich wie Dauerkampf ohne sichtbaren Feind an. Man rennt wütend im Hamsterrad und sieht kein Ziel in Sicht. Wie in der Erzählung von Robert Louis Stevenson verändern die Menschen ihren Charakter, vom guten Dr. Jekyll zum bösen Mr. Hyde.

Aus gutmütigen Controllern werden fanatische Erbsenzähler, aus Kraftunternehmern zornige Rächernaturen. Forscher resignieren in autistischem Rückzug. Manager, die immerfort die Regeln und Vorschriften ignoriert sehen, reagieren mit Gewalt, Strafen und Entlassungsdrohungen. Das Klima wird rau, man schreit sich gewohnheitsmäßig an, der Respekt voreinander sinkt. Wenn man in dieser Atmosphäre noch jemanden sieht, der nicht unter Stress leidet, möchte man auf den fast einschlagen. Drückeberger! »Was, du summst bei der Arbeit entspannt ein Lied und trinkst Kaffee?« – »Ja, es geht gut voran, ich bin sehr mit mir zufrieden und gehe gleich noch ins Schwimmbad.« - »Du bist nicht überlastet?« - »Nein, ich halte mich an die Naturgesetze und plane nur 85 Prozent meiner Arbeiten fest ein.« - »Das darf man?« - »Das muss man!« - »Ich mache das nicht, ich bin nicht faul, sondern überlastet. Ohne überlastet zu sein, kannst du doch dem Chef nicht unter die Augen treten, oder?«

> Unter Überlastung wird der Schwarm neurotisch. Die Überlasteten ziehen die noch nicht Überlasteten in die Misere mit hinein. Die Dummheit weitet sich aus.

Systemic Underdelegation

Diese Ansicht, Leute außerhalb des Hamsterrades gleich für Drückeberger und Faulpelze zu halten, erzeugt wieder eine noch größere Katastrophe. Denn alle Mitarbeiter, die besonders viel auf sich halten (also eher die Leistungsträger), bemühen sich sehr, nicht als Faulenzer zu erscheinen. Sie reißen Arbeit an sich. Das aber ist grundfalsch - schwarmdumm.

Denn die Warteschlangenformel legt eines unmittelbar nahe: *Die wichtigen Menschen sollten mit geringerer Auslastung arbeiten als die weniger wichtigen oder qualifizierten.* Wenn hohe Manager nur wenige offene Vorgänge haben, muss niemand lange auf eine Entscheidung warten - alles kann fließen. Wenn die Top-Experten immer Zeit haben, kann jedes auftretende Problem schnell gelöst werden.

Schauen Sie in eine KFZ-Werkstatt. Der Meister ist überlegen darin, die Fehler am Auto zu diagnostizieren. Er entscheidet, was für den Gesellen zu tun ist. Wenn der Meister nicht da ist, stockt der Betrieb, weil alle anderen nicht so gut in der Diagnose sind.

Deshalb sollten Meister, Manager, Minister, Top-Experten und Entscheider eine geringe Auslastung haben, wogegen die Arbeiter am Fließband ruhig immer arbeiten können, weil sich dort keine Warteschlangen bilden - das ist das Wesen des Fließbandes (im Prinzip, natürlich wartet man dann doch auf einzelne Teile).

Bei IBM hatten wir das für die Top-Experten immerhin so festgelegt. Wir meinten, bei den Besten nur etwa 40 Prozent der Zeit fest einplanen zu sollen, so die Theorie ... Aber überall, in meinem Arbeitsalltag und in allen Unternehmen, die ich kennenlernte, waren alle Top-Leute ununterbrochen bei der Arbeit. Es gab Zeiten, in denen die Aufträge rar waren, etwa nach dem 11. September oder in der Finanzkrise. In solchen Zeiten sind die Mitarbeiter insgesamt nicht ausgelastet. Es gibt dann Mitarbeiter »on the bench«, solche, die »auf der Wartebank« sitzen und keine Arbeit haben, weil es gerade einen Arbeitsmangel gibt. Das ist schlecht, sie verdienen dann kein Geld für die Firma, und ihr Chef, der für Auslastung sorgen soll, wünscht sie sich am besten »weg«. Die Mitarbeiter, die keine Arbeit haben, bekommen daheim oft Angstzustände. Sie fürchten, dass sie entlassen werden. Sie könnten doch die durch den Auftragsmangel notwendige Arbeitspause daheim auf dem Balkon genießen oder das Haus renovieren. Das tun sie aber nicht - sie zittern. Die Top-Experten dagegen »rödeln« wie eh und je - oben ist keine Auslastungskrise zu sehen. Wenn Arbeit knapp ist, verteilt sie sich nämlich nach oben.

Alles das ist absolut schwarmdumm, oder? Wenn nicht genug Aufträge »für alle« vorliegen, sollten die normalen Mitarbeiter arbeiten wie sonst, und die Top-Leute sollten für neue Strategien, für Innovationen, Reformen, neue Prozesse, Wandel, Modernisierung und allgemeine Weiterbildung für sich und ihre Kollegen sorgen. Das tun sie aber nicht, sie reißen lieber alle Arbeit an sich, auch solche, die auch durch einfachere Mitarbeiter erledigt werden könnte. Sie vergessen oder vermeiden sogar, Arbeiten so weit nach unten zu delegieren, wie es nur geht.

Haben Sie schon einmal gesehen, dass ein KFZ-Meister so kreuzdumm ist? Fängt er etwa an, Sommer- und Winterreifen zu tauschen, damit er protzen kann, besser als der Auszubildende ausgelastet zu sein? In großen Unternehmen aber ist es genau so: Die Höheren und Mächtigeren nehmen den Niedrigeren die Arbeit weg, damit sie ihrem Chef gute persönliche Auslastungszahlen vorzeigen können. Sie sind dann für die schlechte Auslastung der Firma nicht verantwortlich zu machen. Sie arbeiten ja unermüdlich! Nur die da unten sitzen auf der Bank. Pfui, weg mit ihnen! Entlasst sie, diese teuren Kostenblöcke, die nur Verlust erzeugen!

Dieses Problem heißt in der amerikanischen Literatur »systemic underdelegation« (»Unterdelegierung«), es führt zu schrecklichen Zuständen. Die Leistungsträger arbeiten bis zum Burn-out und sind noch stolz darauf, die Firma zu retten - und die »Faulen« da unten werden keines Blickes gewürdigt.

> Systemic Underdelegation führt dazu, dass die Leistungsträger auch dann immer abstrus überlastet sind, wenn das Unternehmen nicht voll ausgelastet ist. Das Unternehmen funktioniert selbst dann nicht, wenn es kaum (!) Aufträge hat.

Auf einer Tagung sagte einmal ein von grässlichstem Überstress Gequälter, dem keine Einsparungen mehr einfallen wollten: »Wir könnten vielleicht noch 15 Prozent einsparen, wenn wir bei unserer Arbeit unsere Kunden weglassen. Dann ist aber das Ende der Fahnenstange erreicht.«

Denken Sie darüber nach! Die hohe Auslastung eines Unternehmens führt zu vielen Zusatzarbeiten, Verschiebungen, Fehlern, Machtkämpfen, Angstausbrüchen - zu Millionen von Telefonkonferenzen, Meetings, Nichtentscheidungen, Eskalationen und Kundenentschuldigungen. Da stöhnen alle und drücken die Lage sehr, sehr oft so aus: »Wir sind nur noch mit uns selbst beschäftigt. Für den Kunden haben wir keine Zeit mehr.«

Das ist eine starke Aussage, nicht wahr? Wenn das der Chef erfahren würde! Wenn er es erfahren würde, ließe er Berichte schreiben, wie es dazu kommen konnte. Jeder Mitarbeiter muss ab sofort genau aufschreiben und berichten, wie viele Minuten jeder für Kunden arbeitet. Das ist dann wiederum eine Zusatzarbeit. In dieser Weise versinken viele Systeme in Überlastkatastrophen. Jede Gegenaktion führt zu einer neuen Runde in einem Teufelskreis.

Ich sagte schon - nur noch das Dringende wird bei Überlast angefasst. Ich habe auch kurz erwähnt, dass ganz normal Arbeitende als Drückeberger empfunden werden. Diesen Gesichtspunkt will ich noch deutlicher darstellen. Unter Überlast werden alle Arbeiten als

»Freizeitaktivität« empfunden, die nicht dringend sind: Innovation, Weihnachtsfeiern - oder allgemein das Nachhaltige.

Alienation Syndrome – das Dringende entfremdet uns vom Nicht-Dringenden

Wie sich ein Kind dem entfernt lebenden geschiedenen Vater entfremdet

Kennen Sie das Parental Alienation Syndrome (PAS) (im Deutschen spricht man auch von EKE, Eltern-Kind-Entfremdung)? Die Eltern eines Kindes lassen sich scheiden. Das Kind lebt bei dem einen Elternteil und ist nur ab und zu an einem Wochenende mit dem anderen Elternteil zusammen. Das Kind hat beide Elternteile sehr, sehr lieb. Aber: Nach einschlägigen Statistiken haben nur noch wenige Kinder länger als ein Jahr zu dem entfernt lebenden Elternteil Kontakt.

Denn sie entfremden sich. Das geschieht so: Das Kind verbringt wundervolle Wochenenden mit dem Vater (der ist meistens der »entfernte« Partner). Es kommt zur Mutter nach Hause und schwärmt vor Glück. Das macht aber die nun alleinerziehende Mutter missmutig. Nach einigen glücklichen Vaterbesuchen denkt sie so (und später sagt sie es dem Kind): »Der Vater sieht nur die Sonnenseiten des Kindes. Dessen Schulprobleme habe nur ich am Hals. Ich kann nicht jeden Tag ein Festessen kochen. Ich kann auch nicht zulassen, dass das Kind dauernd Eis isst. Ein Eis pro Woche ist genug. Wenn es aber von meinem Ex-Mann so verwöhnt wird, kann ich das nicht auch noch tun. Bei mir gibt es gar kein Eis. Ich bin dann die Böse. Ich habe aber fast alle Arbeit mit dem Kind. Ich hasse meinen Mann immer mehr. Wenn mein Kind strahlend vom Besuch bei ihm heimkommt, möchte ich meinem Kind am liebsten eine reinhauen.«

Das merken beziehungsweise hören die Kinder. Sie beginnen, eine Doppelrolle zu spielen. Sie verheimlichen ihre Freude auf das Wochenende mit dem Vater, dann genießen sie es, aber sie vermeiden es nun, nach der Rückkehr die Mutter mit strahlenden Augen zu reizen. Sie kehren nun äußerlich gelangweilt nach Hause zurück. Die Mutter fragt verletzungsfürchtend: »Kind, war es schön?« - »Ach ja, es muss sein, er ist ja mein Vater, er zwingt mich ja, ihn zu besuchen. Es muss sein.« - »Was heißt das - ›muss sein‹?« - »Er wollte ins Kino, aber nicht in den Film, den ich eigentlich wollte.« - »Willst du denn überhaupt noch mit ihm zusammen sein?« - »Ach, lass es noch eine Zeit lang. Ab und zu ist er ja auch nett ...«

Die meisten Kinder spielen diese Doppelrolle einige Monate lang und sind dann mehr und mehr mental überfordert. Dann entfremden sie sich dem Außen und nehmen langsam Abschied. Der Kontakt zum Vater bricht allmählich ab. Wie gesagt, das geschieht im statistischen Durchschnitt nach einem Jahr.

Wenn Elternteile diese Entfremdung aktiv einleiten und betreiben, machen sie sich eines Psycho-Verbrechens schuldig. In Frankreich wird das absichtliche Entfremden wie Kindesmissbrauch bestraft. In Deutschland ist es vielleicht normal? Oder geduldet?

Die Arbeit ist eifersüchtig, dass unser Leben Zeit kostet

Das PAS kann verallgemeinert werden: Stellen Sie sich vor, dass außerhalb der normalen Umgebung da draußen etwas Wunderschönes ist, was wir lieben. Aber es steht in Konflikt zu dem, was die augenblickliche Situation dauerhaft beherrscht. Das Beherrschende beansprucht alle Aufmerksamkeit oder Liebe für sich. Es will nicht, dass man zu etwas anderem da draußen schielt. Genau so stellt sich die Situation in einem Unternehmen dar.

Wenn sich nämlich Unternehmen einer wahnhaften Auslastungsmaximierung verschrieben haben, nimmt das Unternehmen oder das betreffende überlastende System »die Rolle der Mutter beim PAS ein«. Das überlastende System beansprucht herrisch alle Aufmerksamkeit für sich. Das führt zu so etwas wie einem Life Alienation Syndrome.

Kennen Sie die kleinen, eigentlich belanglosen Sticheleien, wenn man am Freitag um 15 Uhr nachmittags oder sonst schon um 17 Uhr nachmittags den Arbeitsplatz verlässt? Einige Kollegen fragen augenzwinkernd so was wie: »Hast du einen halben Tag Urlaub?« Das ist nicht böse gemeint, könnte aber doch ein bisschen Gehässigkeit enthalten. Um das nicht heraushören zu müssen, gehen wir also heimlich über die Hintertreppe weg. Hoffentlich sieht uns niemand. Ich bin einmal in einem Meeting um 18 Uhr aufgestanden und habe das mit dem Geburtstag meines Sohnes für diesen Tag begründet (oder entschuldigt). Jemand kommentierte: »Aha, du machst jetzt Work-Life-Balance.« - Ich war irgendwie böse: »Nein, ich feiere jetzt Geburtstag.« Mehr fiel mir nicht ein, aber ich erinnere mich noch an die Situation. Ich fühlte mich damals angegriffen. Vielleicht war es ja nur so ein oberschlauer Kommentar, weil wir im Unternehmen gerade eine Work-Life-Balance-Initiative gegründet hatten. Sie zielte darauf ab, uns zu helfen, mit den ganz natürlichen Konflikten zwischen Arbeitsleben und dem Privatleben stressfrei fertigzuwerden. Sie zielte genau auf dieses Problem! Wir sollten einfach auch leben und nicht immer arbeiten!

Auf jeden Fall zeigte das Gefrotzel nach und nach Wirkung. Würden die Kollegen es kritisieren, wenn wir früher heimgingen? Würden sie auch nur einen Hauch zu bedeutungsvoll schauen oder mit schwach besonderer Betonung eine schöne Zeit wünschen - so, als wollten sie eigentlich sagen: »Lass es dir gutgehen, ich arbeite weiter«?

Man fühlt die allgemeine Eifersucht, ob sie da ist oder nicht. Sie schwebt schweigend im Raum. Vielleicht ist auch rein gar nichts los, aber irgendetwas macht uns nervös. Zum Beispiel: Ich bin daheim und rede in einer Telefonkonferenz mit Kunden und Kollegen. Wir besprechen Wichtiges. Meine Frau weiß im Moment nicht, dass ich dienstlich telefoniere und ruft von unten: »Erdbeerkuchen!« Ich zucke zusammen. »Oh!«, sagt einer im Call ... Später brüllt ein Baby in der Telefonkonferenz, jetzt bekommt jemand anders rote Ohren, dann bellt ein Hund. Es ist in der Internet-Gesellschaft gar nicht so einfach, daheim das Dienstliche vom Privaten zu trennen.

Deshalb verbergen wir das Private im dienstlichen Bereich, so gut es nur geht. So wie das PAS-Kind den Vater vor der Mutter verleugnet, beginnen wir, unsere persönliche Seite zu verstecken. So wie das Kind das Gute des Vaters herunterspielt, so reden wir nun über unser Leben: »Wir hatten ein wunderschönes Wochenende, wir sonnten uns auf der Terrasse. Dort funktioniert sogar unser Internet. Ich habe fast alle Mails über das Wochenende beantworten können, auch kurz mit dem Chef gechattet. Sehr entspannt. Manchmal schafft man auf der Terrasse richtig was weg.« - Oder: »Wieso konnten Sie das Konzept nicht fertigstellen? Ich habe es mir doch auch ins Wochenende mitgenommen ...« Es braucht nur ein paar Leute, die so reden, und schon ist das Klima vergiftet wie beim PAS. Bald traut sich niemand mehr, offen glücklich zu sein. Wir beginnen, heimlich zu leben.

Heute wird in vielen Unternehmen diskutiert, ob man am Wochenende arbeiten oder für den Chef erreichbar sein sollte. Ein bisschen Arbeit mitzunehmen ist ja nicht schlimm - und der Chef ruft bestimmt nicht so oft an. Es ist die erdrückende Erwartung, dass wir eigentlich nicht »leben« sollen, die in uns eine dauernd ungemütliche Stimmung erzeugt. Die gefühlte Eifersucht der Arbeit entfremdet uns vom Leben.

Dieses Life Alienation Syndrome ist den Arbeitgebern oder Vorgesetzten ganz recht, obwohl sie höchstpersönlich eigentlich noch stärker darunter zu leiden haben. Die Arbeit dringt nun in jeden Winkel unseres Privatlebens ein. Wir fühlen, dass unser eigentliches Leben an Boden verliert. Kürzlich argumentierte ein Artikel in der *SZ*, dass es in dieser Lage wichtig wäre, eine Arbeit zu haben, die Erfüllung bietet - dann sei die Penetration unseres Lebens mit Arbeit nicht ganz so desaströs. Wehe, man arbeitet nur, um die Rente zu erreichen!

Das Tagesgeschäft ist eifersüchtig auf das Innovative und Kreative

Es gibt aber noch andere Alienation-Syndrome, die nie offiziell gesehen werden! Es ist nicht nur die Eifersucht »Arbeit auf Leben«, die uns quält. Es geht vor allem um die Eifersucht »Tagesgeschäft auf Rest der Welt«. Die Eifersucht des auffressenden Tagesgeschäfts dehnt sich unmerklich auf alle Bereiche aus, in denen das Leben vermeintlich glücklich ist. Mitarbeiter, die unter Druck stehen, sehen voller Argwohn auf alles, was im grünen Bereich ist, also vermeintlich mühelos oder »chillig« läuft.

Stellen Sie sich einen hoch gestressten Mitarbeiter vor, der beim Essen in der Kantine diese Sätze von fremden Kollegen aus der Innovationsabteilung hört: »Für unsere neue Produktidee sollte uns das Management genug Geld geben, damit wir einmal längere Zeit in Ruhe arbeiten können und uns nicht andauernd rechtfertigen müssen. Gute Ideen brauchen lange Zeit. Wir müssen doch mit Begeisterung arbeiten können, das Ganze muss uns Spaß machen, sonst wird es nicht gut. Es kann ja auch sein, dass es überhaupt ganz und gar nicht klappt, was wir vorhaben - Innovationen können ja bekanntlich scheitern. Jeder weiß das. Wir dürfen nicht bestraft werden, wenn alles misslingt. Es geht doch darum, dass wir dem Unternehmen nachhaltig nützen, und zwar mit einer langfristigen Strategie. Es kann dann nicht sein, dass sie uns wie normale Mitarbeiter behandeln. Innovation ist eher wie Kunst.«

Absolut so reden die Innovatoren und die Entwicklungsingenieure, genau so argumentieren Technologen und Professoren in der Presse. Können die aber nachfühlen, dass ein hoch gestresster Tagesgeschäftsmitarbeiter bei solchen Äußerungen vor Zorn vollkommen durchdreht?

Er denkt sich während des Zuhörens zuerst: »Deren Probleme möchte ich haben.« Dann schon ein bisschen angekräuselt: »Denen geht es echt zu gut.« Eifersucht steigt hoch. Kurze Zeit später ist er nahe davor, vor Zorn zu platzen. »Diese Lustarbeiter halten sich für etwas Besseres! Ich muss jetzt gleich Galle spucken! Und sie sind also keine normalen Mitarbeiter! Aha! Wollen die unter Naturschutz gestellt werden? Soll ich malochen, damit die Spaß haben? Soll ich mich vom Chef täglich bedrohen lassen, dass ich kein Geld bekomme, wenn etwas schiefgeht - und dann kommen die da und wollen von vorneherein keine Verantwortung für das Gelingen ihres Projekts übernehmen? Die würde ich alle feuern. Ich beschwere mich beim Vorstand!«

Zwischen den Innovatoren, die angeblich Ruhe, Spaß und Geld brauchen, und den normalen Mitarbeitern baut sich eine große Spannung auf. Die normalen Mitarbeiter sind schon allein aus Eifersucht auf die Innovatoren nicht wirklich bereit, gute Bedingungen für Innovation gutzuheißen. Mir klingt noch heute, nach vielleicht zwanzig Jahren, ein fast von Hass erfüllter Anwurf eines hohen Managers im Ohr. Es ging um das Wissenschaftliche Zentrum der IBM in Heidelberg. Er sagte ungefähr: »Die Heidelberger sollen wie alle anderen auch schrubben, schrubben und verdammt noch mal schrubben!« Ich zuckte damals »so was von zusammen«! Ich bemühte mich seitdem, nicht mehr nur voller Freude über Fortschritte in der Wissenschaft zu reden, ich trug immer auch dick auf, mit wie viel saurer Arbeit und Ungewissheit die Forschung verbunden sei. Ich benahm mich gegen meinen Willen so wie das PAS-Kind, das den Vater liebt, sich aber nicht mehr öffentlich ohne Schaden zu ihm bekennen kann. Ich schüttelte dieses Syndrom für mich zwar bald ab, aber ich habe Jahre danach noch immer unter der Wahrnehmung gelitten, dass »der Dueck Bücher schreibt und Applaus von Kunden bekommt, er kann von Glück sagen, dass unsere Firma aus irgendwelchen geheimen Gründen meint, sich so etwas leisten zu müssen.« Ich will nicht jammern, ich war ja auch gleichzeitig der IBM die ganze zeit für den Freiraum dankbar, den ich hatte. Was ich sagen will: Es gibt ein Innovation Alienation Syndrome.

Das Tagesgeschäft ist neidisch auf Mitarbeiter mit erfüllender Arbeit

Etwas allgemeiner ausgedrückt: Es gibt wohl ein Intrinsic Motivation Alienation Syndrome. Man ist eifersüchtig auf Leute, deren Arbeit erfüllend ist und von außen anstrengungsfrei wirkt.

Diese Eifersucht der Stressgeplagten gegen alles, was nicht unter Stress steht, erzeugt eine große Menge von Schwarmdummheit. (Das wird im Rest des Buches ganz deutlich werden.) Der Schwarm unter Stress ist neidisch auf Forschung, Entwicklung, Innovation, auf Visionäre, Künstler, Top-Experten, Marketing-Leute, auf Vertriebsmitarbeiter, die mit Kunden essen oder golfen gehen, und auf Mitarbeiter mit Sondermission (zum Beispiel acht Wochen Botschafter für Afrika). In den Augen der Gestressten steht zu lesen: »Alle sollen schrubben und Dreck fressen - alle!«

Alle diejenigen Leute aber, auf die die Gestressten eifersüchtig sind, verleugnen und verbergen ihre Kunst vor den Gestressten. Sie vertreten sie nicht mehr so offensiv, wie es nötig wäre.

Was verbinden wir unbedingt mit Schwarmintelligenz? Natürlich Freude im Team und absolute intrinsische Motivation aller für das Ganze. Das Intrinsic Motivation Alienation Syndrome der gestressten Masse aber drückt diese eigentliche Begeisterung weg. Man mag nicht mehr offen etwas lieben, was die Mehrheit im Schwarm nicht mag. Besonders schlimm ist das hier von mir herausgehobene Innovation Alienation Syndrome. Innovation macht ja nicht nur eifersüchtig auf die Innovatoren, sondern sie erzeugt auch Angst in Bezug auf deren Ergebnisse. Wenn Innovationen scheitern, mag man die Innovatoren nicht, weil sie auf Kosten der anderen ihr Projekt (leichtfertig?) versenkt haben. Wenn sie aber erfolgreich sind, führt die Innovation zu Veränderungen in der Firma. Menschen unter Stress sagen fast alle: »Veränderungen bedeuten für die Masse der Mitarbeiter immer Verschlechterungen.« Und so beargwöhnen sie entsprechend die erfolgreichen Innovationen.

> Unter Stress entsteht so etwas wie Hass auf Teams mit Flow oder Schwarmintelligenz.

Gestresste hassen es, wenn sich andere »pflegen«

Es gibt auch ein Health Alienation Syndrome. Es äußert sich als Argwohn gegen Mitarbeiter, die sich bewusst ihrer Gesundheit widmen - wenn sie dafür Arbeitszeit zu opfern scheinen. »Ich komme die zwanzig Kilometer mit dem Rad zur Arbeit und dusche dort erst.« Das erzeugt in Hochgestressten zwiespältige Gefühle. Könnte der andere nicht deutlich länger arbeiten, wenn er mit dem Auto käme und nicht duschen würde? Ist er denn nach der Radfahrt wirklich arbeitsfähig oder erholt er sich in der Arbeitszeit erst einmal?

Es bilden sich Aversionen gegen Weiterbildungen. »Ich kann diesen Vorgang leider nicht bearbeiten und muss ihn an meine Kollegin geben. Ich bin eine Woche fort, ich bekomme eine Weiterbildung in einem Berghotel.« Darf man so etwas noch sagen? Oder zieht man lieber den Kopf ein - so, wie das Kind seinen Vater verleugnet? Es gibt natürlich auch ein Education & Training Alienation Syndrome.

Ich hatte alle diese Problemzonen schon einmal aufgeführt. Ich habe Ihnen begründet, warum der Auslastungswahn dazu führt, dass praktisch niemand mehr Zeit für Innovation, Weiterbildung oder gesundes Arbeiten hat. Doch es ist noch viel schlimmer: Leute, die sichtbar trotzdem dafür Zeit haben, erscheinen verdächtig, sich nicht genug bei der stressigen Arbeit einzusetzen. Wer nicht verdächtig sein will, verleugnet sich eben oder lässt los ...

Ich fasse zusammen: Der durch den Auslastungswahn erzeugte Stress führt zu einer Aversion gegen alles, was nicht gerade jetzt im Augenblick wichtig ist. Diese Aversion erzeugt einen Tunnelblick auf die aktuellen Probleme, die zu einem großen Teil aus einer Zusatzarbeit bestehen, die aus dem Stress entstanden ist. Die Warteschlange ist zu lang. Neben der eigentlichen Arbeit müssen Beschwerden und Fehler gefixt werden, es gibt Dauerärger mit anderen Kollegen und Abteilungen. Der Tunnelblick sieht nur noch vor sich her, das Ganze oder der Zweck des Ganzen gerät aus dem Blickfeld. Alle, die noch das Ganze oder das Nachhaltige im Auge haben, verheimlichen das vor den Gestressten aus Furcht vor deren Vorwürfen.

Das Client Alienation Syndrome bis zum Burn-out

Wir verlassen einmal als total gestresster Mitarbeiter unseren Arbeitsplatz. Jetzt soll Feierabend sein. Jetzt gehen wir einmal bummeln. Jetzt sind wir Kunde, völlig locker und entspannt. Wir haben jetzt massig Zeit und plaudern gerne, wir haben Sonderwünsche und lassen uns auch wegen kleiner Problemchen von Kundenberatern gerne und ausgiebig beraten.

Fühlen Sie auch, wie da Welten aufeinander prallen? Der Kunde kommt vollkommen entspannt und kauffreudig zu einem Berater, zu einem Verkäufer oder (telefonisch) zu einem Call-Center-Mitarbeiter, der streng unter der Vorgabe steht, im Durchschnitt höchstens vier Minuten pro Kunde zu brauchen und dabei pro Kunde soundso viel Umsatz zu erzielen.

Man kann den Unterschied der beiden Gemütsverfassungen fast im Gehirn-EEG feststellen. Die Entspannten kommen in Alphawellenstimmung, die Gehirne der Gestressten arbeiten im höherfrequenten Betawellenbereich. Der Kunde möchte alles heiter beschwingt haben, der Berater steht unter Strom. Auf das Hirn-EEG bezogen: Sogar im physikalischen Sinne stimmt die Wellenlänge zwischen den beiden absolut nicht überein.

In einem Kongresshauptvortrag berichtete eine sehr große Bank, warum sie ihre Beratungszeitvorgabe von vier Minuten pro Kunde geändert habe. »Die Kunden registrierten bisher unangenehm berührt die Eile des Beraters und fühlten, dass dieser unter Druck nicht wirklich bestmöglich arbeiten konnte und das auch nicht wollte. Die Luft flimmerte zwischen ihnen. Der Berater selbst hatte in seiner andauernden Eile nie das befriedigende Gefühl, den Kunden gut beraten zu haben. Er spürte, dass er möglicherweise pfuschte. Das erzeugte psychologischen Stress. Unsere Mitarbeiter schufteten bis zum Burn-out und litten fast noch mehr unter dem verärgerten Kunden. Seit wir unsere Vorgabe auf sechs Minuten erhöht haben, sind die Mitarbeiter wieder besser drauf, sie sind mit ihrer eigenen Beratung zufriedener, und auch die Kunden fühlen sich angemessen bedient. Allerdings ist nun 50 Prozent mehr Zeit für den Kunden eingeplant. Zahlt sich das aus? In Heller und Pfennig? Wir müssen weiter experimentieren und den besten Kompromiss finden.«

Der Auslastungswahn erhöht die Gefahr eines Burn-outs, eines Zustands der völligen seelischen Erschöpfung. Arbeit wie die im eben skizzierten Vier-Minuten-Korridor bietet keine befriedigende emotionale Qualität. Der Kunde dankt nicht mehr, er ist unzufrieden und äußert das auch. Er sieht auf den Berater hinab, nimmt ihn als »Drücker« oder »Unfähigen« wahr. Die Seele des Beraters erlebt die hektische Arbeit als quälende, verzweifelt endlose Zeit. Kein Flow und keine Anerkennung - das Interesse schwindet zusammen mit jeglicher Identifikation mit der Aufgabe. Der Mitarbeiter zeigt die typischen Burn-out-Symptome: Müdigkeit, Lustlosigkeit, Gereiztheit und Frustration.

Im Beispiel des Bank-Call-Centers ist nach der Einführung der Sechs-Minuten-Vorgabe ziemlich vieles wieder in Ordnung. Der Kunde ist zufrieden, der Mitarbeiter auch. Nun aber wird das Unternehmen eifersüchtig auf den zufriedenen Kunden. Jedes glückliche Lächeln des Kunden kostet Geld. Soll die Bank im Namen des Profits wieder auf fünf Minuten zurückgehen? Wenn das Unternehmen unter Auslastungswahn arbeitet, wird es den Mitarbeiter vom Kunden immer mehr oder weniger profitoptimal entfremden.

Nährböden der Schwarmdummheit

Unter utopischen Anforderungen und kleinlichem Auslastungsstreben verändern sich die Menschen. Ich gebe hier kurz eine Zusammenfassung der Veränderungen, die im System vorgehen und die ich schon tiefer besprochen habe. Im nächsten Kapitel geht es mit dem großen Thema zu weit getriebener Anreizsysteme weiter.

Nährböden für Schwarmdummheit:

Ständige Eile und Stress bei ständig wartenden Aufgaben: Tendenz, immer das gerade Dringendste zu tun - bei gleichzeitiger Angst, nichts zu tun zu haben (also nicht ausgelastet zu sein).

Ereignisgetriebenheit (»event-driven«): Wer zu viele unerledigte Aufgaben auf dem Schreibtisch liegen hat, arbeitet immer an denen, bei denen Nichterledigung zu Ärger führt - der Chef hat einen Wunsch, ein harter Termin steht an, ein Angebot muss abgegeben werden, das Quartalsergebnis steht in Gefahr oder ein Kunde beschwert sich.

Lokale Lösungen: Der Tunnelblick des Menschen in Eile richtet sich auf das Nächstliegende. Jedes Problem wird schnell lokal bearbeitet und weitergeschoben wie der Schwarze Peter. Eine Gesamtsicht aus den Augen des Unternehmens oder des Kunden wird vermieden.

Persönliche Lösungen: In Eile wird zuerst die eigene Haut gerettet. Die ausschließlich persönliche Sicht steht im Vordergrund - gegen alle Ermahnungen, im Namen des ganzen Systems zu handeln.

Abnehmende Kompetenz unter Druck: Unter Stress werden schnelle Lösungen bevorzugt, schwere Probleme werden möglichst wie heiße Kartoffeln weitergereicht. Da keine Zeit mehr ist und daher die Lust auf Weiterbildung gedämpft wird, gibt es keine Versuche, die Probleme oder Aufgaben auf einem höheren Kompetenzlevel zu lösen beziehungsweise zu erledigen. Der Schwarm wird inkompetent.

Inkompetenz agiert unter Druck quantitativ: Wenn Inkompetente aufgefordert werden, höhere Leistungen zu erbringen, verstehen sie es meist quantitativ. Sie hören aus den verbalen Peitschenhieben des Chefs heraus, dass sie schneller, fleißiger, genauer und vor allem länger (»unbezahlte Überstunden«) arbeiten sollen. Sie arbeiten eben nicht smarter!

Selbstüberschätzung hart arbeitender Inkompetenter: Inkompetente, die Überstunden ableisten, fühlen sich kritikbefreit. Wenn zum Beispiel Kunden ihre Kompetenz einfordern oder bezweifeln, kontern sie mit vollkommen selbstüberzeugtem »Mehr kann ich nicht tun, ich arbeite Tag und Nacht«. Unter Stress geht das Bewusstsein für den eigentlichen Zweck der Arbeit verloren. »Wir mussten einfach ein bisschen pfuschen und schummeln.«

Noch einmal: In diesem Buch will ich die Dummheit in Teams oder die Dummheit des ganzen Systems zum Thema machen, nicht die jedes Einzelnen. Nicht jeder Einzelne ist inkompetent! Aber die allgemeine Eile und der entstehende Stress bringen auch bald die Stars und Top-Experten in Bedrängnis. Die leiden darunter, dass eilige Dinge von anderen erst bei ernsten Drohungen (Eskalation) erledigt werden, was sie große Mengen an Energie kostet.

Das System als Ganzes versinkt unter Stress in Inkompetenz. Ich gebe Ihnen hier nur einen ersten Eindruck und gehe mehr ins Detail, wenn ich die heute üblichen Anreiz- und Bezahlungssysteme unter die Lupe genommen habe. Diese verschlimmern die Lage erheblich - zusätzlich zum Utopie- und Auslastungswahn.

Was kann man gegen diese unseligen Tendenzen tun? Ich habe über das Warteschlangenproblem schon vor Jahren geschrieben. Mich erreichte dazu ein bitterböser Leserbrief. »Herr Dueck, dozieren Sie nicht so viel über die Wolken. Sagen Sie doch endlich einmal, was man konkret tun soll. Okay, wir wissen nach Ihrer Kolumne, dass wir im Mist sitzen und dass die Auslastungsoptimierung uns in den Wahnsinn treibt. Was aber bitte, Sie Schlaumeier, soll ich als Person konkret tun, um nicht vom Tagesgeschäft aufgefressen zu werden? Können Sie das bitte einmal in die Kolumne mit aufnehmen?« - Ich antwortete: »Was Sie tun sollen, steht im Artikel. Nicht gesehen? Überlesen? Sie dürfen nur 85 Prozent Auslastung haben.« - Sofort kam zurück: »Das habe ich gelesen, klar. Aber - bitte - das traut sich doch keiner! Ich will wissen, was ich sonst tun soll!« Ich resignierte.

Das Arbeiten im Hamsterrad zielt auf schnelleres Arbeiten in immer mehr Überstunden. Wir haben gesehen, dass eine zu hohe

Auslastung zu gewaltig viel Mehrarbeit führt, weil es zu Störungen und Prozessausnahmen kommt, die immer wieder außerhalb der Reihe anfallen. Die Kunden beschweren sich, die Mitarbeiter brennen aus. Das Management will immer neue Verbesserungen, Mehrarbeit und Meetings, in denen Patentlösungen gesucht werden. Es hagelt Prüfungen.

Wie können wir das zum Besseren verändern? Das ist schon vielfach beantwortet worden. »Veränderung zum Besseren« heißt im Japanischen *Kaizen*. Schauen wir in der Wikipedia nach. Zu den Methoden rund um Kaizen gehören die drei Mu-Prinzipien: Muda, Muri, Mura. Sie bedeuten:

- Keine Verschwendung! (Muda)
- Keine Überlastung von Mitarbeitern und Maschinen! (Muri)
- Keine Unregelmäßigkeiten in den Prozessabläufen! (Mura)

In Japan wurden große Erfolge erzielt, wenn man diesen Prinzipien folgte. Im Westen hat man alle Unternehmen durchforstet, ob etwas verschwendet würde, und die Bewegung des Lean Managements kreiert. Im Grunde aber ist alles weg- bis totgespart worden und man hat die Überlastung von Menschen und Maschinen geradezu zum neuen Prinzip erhoben. Man hat sich eben nur »Muda« zu Herzen genommen, einzig nur dies und vollkommen extrem. Wenn man das tut, überlastet man überhaupt alles und erzeugt große Unregelmäßigkeiten in den Abläufen. Die deutsche Bahn verkündet denn auch täglich: »Aufgrund einer Störung im Betriebsablauf« ... ist wieder irgendetwas schiefgelaufen. Jeder Fehler geht letztlich auf die extreme Überlastung der Züge, der Strecken und der Stellwerke (Menschen und Weichen) zurück.

Was wird dagegen getan? Die Überlastung wird nicht etwa zurückgefahren, nein! Man versucht immer noch, die Fehler zu vermeiden, sich oft zu entschuldigen und die Mitarbeiter zu ermahnen. Die Mitarbeiter stecken verzweifelt Überstunden hinein, wenn das geht.

Niemand aber versucht, das Problem qualitativ im Sinne höherer Kompetenz zu lösen. Die überlasteten Unternehmen agieren wie schlechte Schüler, deren Versetzung gefährdet ist. Sie bessern herum. Sie überlegen nicht, wie sie von »ausreichend« auf »gut« kommen, obwohl das die Firmenchefs immer wieder fordern: »Wir wollen die Nummer eins sein.«

Einsparen kann jeder. Aber Muda - Muri - Mura verlangt gute Manager, die nicht selbst überlastet sein dürfen. Ist das zu viel verlangt?

Der Intelligente mitten im dummen Schwarm

Wir stellen uns jetzt einen intelligenten Menschen vor, der dieses Buch bis hierhin gelesen und das Dumme des Auslastungswahns und der irrealen Utopien erkannt hat. Na, so einen müssen Sie sich nicht vorstellen, das sind Sie ja selbst. Wir fangen einmal gemeinsam mit Verbesserungsversuchen an.

Setzen wir uns reale Ziele! Wir erklären die Sucht, die Nummer eins zu sein, für reine Rhetorik und suchen nach bodenständigen realen Zielen, deren Erreichung uns eine beständig gute Zukunft ermöglichen wird. Was sagt der Chef im Meeting dazu? »Was, Sie wollen nicht mitziehen? Wollen Sie denn so gar keinen Ehrgeiz zeigen? Sie glauben wohl nicht, was ich sage - dass wir die Nummer eins sein werden? Sie zweifeln also an mir? Ich bin wohl nicht der richtige Chef für Sie? Oder sind Sie nicht der richtige Mitarbeiter für mich?« Dabei wendet sich der Chef mit seiner Körpersprache ostentativ an alle Teilnehmer im Meeting. Diese schweigen. Das Schweigen der Lämmer. Innerlich scheinen alle Anwesenden Sie persönlich zu bitten, doch bloß keinen Streit anzufangen. Sonst wird der Chef sagen: »Diese ganze Abteilung ist furchtbar.« Utopiesyndrome leben davon, dass das Zweifeln an der Utopie unter Tabu steht. Tabu! Punkt. Sie können so intelligent sein, wie Sie wollen.

Entziehen wir uns der Eile! Wir nehmen die Warteschlangenformel einfach so, wie sie mathematisch nun einmal da ist, und lasten uns nur so weit aus, wie es logisch-rational am besten ist. In den meisten Fällen ist eine geplante Auslastung von 85 Prozent gut. Problem ist nur: »Das traut sich doch keiner!« Wenn man inmitten von Stress als Einzelner vollkommen normal glücklich arbeitet, wird man

»gedisst« (sagen meine Kinder) oder fast gemobbt. »Der setzt sich nicht ein!« Das würde Ihr Chef sagen, wenn er Sie intelligent arbeiten sähe. Und der Schwarm ist daran gewöhnt worden, alles mit den Augen des Chefs zu sehen - das hat man uns allen von Kindheit an beigebracht (»Mama wird schimpfen, wenn sie sieht, was du tust. Und Gott sieht alles, auch was ich jetzt sehe.«). Der Schwarm versinkt auf Wunsch des Chefs, der Naturgesetze ignoriert, in Stress und Adrenalinrausch. Wenn Sie da nicht mitmachen, sind Sie nicht etwa ein Fels in der Brandung, sondern ein Zeitlupenerlebnis für die anderen.

Weigern wir uns für uns selbst, alles nur ganz schnell und ganz kurz vor Deadlines zu erledigen! Lassen Sie uns ohne Stress sinnvoll nachhaltig arbeiten. Weigern Sie sich, *event-driven* zu sein! Angenommen, Sie haben zwei Wochen Zeit, ein Angebot für einen Kunden zu erarbeiten oder ein Meeting zu organisieren. Sie fangen sofort damit an. Sie brauchen dazu von Kollegen einige technische Angaben und Preise oder bei Meetings die Kalenderdaten einiger wichtiger Leute, ohne die das Meeting nicht stattfinden soll. Sie fragen nach. Am Telefon hören Sie: »Du, ich bin unter Stress, schreib eine Mail, ich antworte, sobald ich Zeit habe.« Oder Sie schreiben gleich eine Mail. Beide Male passiert nichts. Sie haken nach (das ist Zusatzarbeit, weil die anderen keine Zeit haben). Keine Antwort. Sie haken zwei Wochen lang nach. Keine Antwort, nur Ausreden und Vertröstungen. Sie haben 14 Tage Zeit, die anderen zu bedrängen, das füllt Sie echt aus. Am letzten Tag merken Sie, dass Sie immer noch nichts erreicht haben und jetzt sogar in Gefahr sind, Ihren Auftrag zu versemmeln. Jetzt schreien Sie vor Verzweiflung ins Telefon, es gellt aus Ihnen heraus, die Luft vibriert vor Aggression. Die Deadline steht Ihnen buchstäblich in den Augen. Da Ihre Kollegen *event-driven* sind, arbeiten sie nur bei ernsten Deadlines, das heißt, nun kommen endlich in großer Hast die ersten Zahlen. Ihr Chef schnaubt vor Wut, er hat Ihnen ja 14 Tage Zeit gegeben. »War das zu viel verlangt, ein Konzept in zwei Wochen?« Zwei Tage später haben Sie irgendetwas von Kollegen zusammengesammelt, mit dem Sie so einigermaßen Ihren Auftrag erledigen können. Sie schäumen. Zwischendurch rufen Kollegen an und bitten Sie selbst, etwas zu schicken. »Keine Zeit!«, brüllen Sie. Der Kunde bemängelt das Angebot, weil einige Daten und Preise fehlen. »Die reichen wir nach, das ist klar. Diese Daten wurden gerade geändert, ich hatte den Ehrgeiz, alles brandaktuell zu liefern.« Der Kunde weiß, dass Sie schludern. Sie auch. Alles geht immer so weiter.

Die wirklich großen Verbesserungen lassen sich nur im Verein mit anderen Abteilungen erzielen: Das packen Sie persönlich jetzt sehr beherzt an! Sie gehen mit Ihren Vorschlägen zum Abteilungsleiter, um Verbesserungen für alle zu erzielen. Der ist verdutzt. Es ist nicht seine Aufgabe, so etwas zu tun, und er steht total unter Stress. »Es steht nicht in meiner Macht, das durchzusetzen, weil da auch andere mitreden müssen. Dazu müssen wir uns zusammensetzen und unsere Interessen diskutieren, wer von den Verbesserungen dann genau profitiert und wer dafür arbeiten muss. Natürlich wird es so besser, wenn wir nach Ihren Vorschlägen vorgehen, aber Lasten und Nutzen müssen diskutiert werden. Den Nutzen wollen sie alle für sich, das sehe ich für mich selbst auch so. Ihr Vorschlag klingt einfach, aber wir müssen doch erst auskämpfen, wer den Nutzen bekommt. Am besten wäre es, Sie stricken den Vorschlag so um, dass wir am meisten profitieren, dann bin ich bereit, ihn durchzusetzen.« Sie antworten: »Dann läuft es aber auf einen inakzeptablen Vorschlag für andere heraus, und es wird nichts.« Der Chef nickt. »So ist es immer. Wissen Sie was? Schlagen Sie etwas vor, was uns allein Nutzen bringt und was in meiner alleinigen Entscheidungsmacht steht. Es darf aber keine Zusatzarbeit für mich bedeuten, die müssten Sie mir abzunehmen bereit sein. Ja, klar, und es soll sofort nützen, dieses Quartal noch. Es würde mir bei meiner Forderung helfen, befördert zu werden. Ich will doch weiter nach oben, das ist Ihnen ja klar, das wollen Sie doch auch, oder? Warum sonst kommen Sie plötzlich mit Verbesserungsvorschlägen? Haben Sie nicht genug zu tun? Ich will Sie nicht gerade für die Vorschläge tadeln, aber jede Minute, die Sie darüber nachdenken, schaden Sie meiner Abteilung und damit meiner Karriere.«

Wenn ein ganzes System auf Hast, Eile, Stress, planmäßige Überlastung und utopische, undiskutierbare Ziele ausgelegt ist, kann ein Einzelner sich einem solchen Geflecht nicht entziehen. Denken Sie nicht, Sie wären der einzige Intelligente im System, wenn Sie die Schwarmdummheit wahrnehmen und bekämpfen wollen. Die anderen haben diese erdrückende systematische Verflechtung, die zu Schwarmdummheit führt, bestimmt auch schon erkannt - das sieht man doch an ihren Klagen am Kaffeeautomaten. Die anderen sind vielleicht nur müde oder sie haben aufgegeben. Das muss gar nicht schlimm sein, auch wenn Sie das als beherzter Weltverbesserer so sehen müssen.

Ratgeber – meine Binsenweisheiten

Die entscheidende Frage, die sich hier durch dieses ganze Buch hindurchzieht, ist: Können wir die Schwarmdummheit als Einzelne mit einiger Aussicht auf Erfolg zu bekämpfen versuchen? Oder ist alles so sehr verflochten, dass wir scheitern müssen?

Friedrich Schiller schreibt in »Über das Erhabene«: »Wohl dem Menschen, wenn er gelernt hat, zu ertragen, was er nicht ändern kann, und preiszugeben mit Würde, was er nicht retten kann.« Was können wir ändern? Was nicht? Muss man die Schwarmdummheit ertragen? Ist Smartness des Ganzen wirklich eine valide Option für uns? Gibt es Hoffnung?

Wer etwas Unmögliches unter beliebig viel Arbeit erreichen will, schafft am Ende nicht einmal das, was ohne Stress gut möglich gewesen wäre. Alle Mehrarbeit resultiert in einem Mindererfolg. Das ist die ultimative Schwarmdummheit.

Ich kenne einen Unternehmer, der alle seine Mitarbeiter nach Dienstschluss am Freitag noch zu einem Wochenenddrink einlädt. Wer Lust hat, mag kommen, sonst eben nicht. Beim Fortgehen stehen viele noch kurz zusammen, trinken Wasser, Saft oder ein bisschen Sekt. Jeden Freitag! Und der Unternehmer schaut: »Wenn sie teilweise nicht zum Wochenendabschied kommen und lieber noch schnell etwas fertigarbeiten müssen, sind sie tendenziell überlastet. Ich zähle immer grob, wie viele kommen. Wenn es zu wenige sind, entlaste ich sie bei der Arbeit.« Es geht eben immer darum, alles Wichtige oder das Ganze in der Balance zu halten. Ist das so schwer?

Fazit

Wer sich zu viel vornimmt oder finster versucht, etwas Unmögliches zu erreichen, gerät unter Stress und fokussiert sich immer stärker auf Teilerfolge - das nächste Quartal, der nächste Meilenstein! Dadurch verliert der Gestresste das Ganze aus den Augen und beginnt, alles für den Augenblick nicht Notwendige zu vernachlässigen. Dadurch wird vor allem die Balance zwischen Heute und Morgen verloren, alles Nachhaltige wird ausgeblendet.

Wenn A ein vernünftiges, gutes erreichbares Ziel war, aber B als ein zu hohes Ziel angestrebt und verfehlt wurde, dann ist B unter so engem Fokus unter Stress wütend verfolgt worden, dass am Ende zwar dumm viel gearbeitet wurde, aber nicht einmal A erreicht wurde.

Das Ziel A war erreichbar, aber da das Anstreben von A eine Balance zwischen vielen Zielen und auch Nachhaltigkeit verlangt hätte, ist auch A unter Stress verfehlt worden.

3

Unter Druck werden wir zu einer Herde opportunistischer Street Smarts

Überlastung, Eile und Ärger bei den ständigen Arbeitsproblemen lassen uns opportunistisch werden. Wir vergessen das Ziel der eigentlichen Arbeit und konzentrieren uns auf die Rettung der eigenen Haut.

Kurzinhalt: Allgemeine Überlastung, die entsteht, wenn Chefs die Mitarbeiter zu stark fordern, hat schreckliche Folgen. Weil nun infolge dieser Überlastung viele Dinge liegen bleiben oder nur schludrig abgearbeitet werden, verstärkt sich im Management der uralte Argwohn, dass die Mitarbeiter absichtlich zu langsam arbeiten oder dass sie schludern oder gar passiven Ungehorsam leisten. Das Management beginnt zu kontrollieren und die Arbeit genauestens vorzuschreiben. Daraufhin arbeiten die Mitarbeiter nicht mehr so sehr für ihren Kunden, sondern für die Kontrollen. Die Manager selbst und die Mitarbeiter werden zu Opportunisten, die sich im Überlebenskampf der Arbeit bewähren. Würden wir dasselbe Verhalten nicht am Arbeitsplatz, sondern bei Jugendlichen in Elendsvierteln beobachten, würde man von »Street Smarts« sprechen, die »im Dschungel der Straße klarkommen müssen«.

Manche schaffen viel, schludern aber dabei – was ist dann gewonnen?

Unter Überlastung kann man versuchen, die Arbeit nicht wie sonst gut zu erledigen, sondern nur so weit, dass man damit davonkommt. In der Schule kommt man mit »ausreichend« davon, warum also gut sein? Der Unternehmer aber will natürlich gute Arbeit geleistet sehen.

Ich sehe noch heute meinen Vater als Landwirt beim Erbsenpflücken. Das ganze Feld war voller Leute aus dem Dorf, die ein ganzes Feld aberntеten. Mein Vater zahlte 1 Mark für einen Zentner gepflückte Erbsen. Wer sich Geld verdienen wollte, ging zu meinem Vater, bekam einen Sack und ging pflücken. Wenn der Sack gefüllt war, wog mein Vater die Erbsen. Es kam also auf die Menge an, die man beim Wiegen vorzeigen konnte. Da versuchten viele Leute, mit möglichst einem Handgriff viele Erbsenschoten auf einmal abzureißen, die Restpflanze warfen sie dann hin, obwohl noch einzelne Erbsen daranhingen. Mein Vater wollte aber, dass jede Pflanze restlos abgeerntet wurde, nicht nur grob. Er musste daher stets hinterher sein, dass die Leute nicht schummelten und einen Teil der Ernte einfach liegen ließen.

Schon an diesem Erntebeispiel können Sie sehen, dass der Chef auf saubere Arbeit achten muss! Im Erntebeispiel könnte der Ertrag des Feldes locker 10 oder 20 Prozent niedriger liegen, wenn der Chef nicht ganz genau hinschaut. Na, mein Vater hat nie so sehr genau hingeschaut, er lernte einfach, welchen wenigen Menschen er nicht vertrauen konnte. Es ist klar: Man muss viel arbeiten, aber gut.

Wenn aber selbst bei so übersichtlichen Arbeiten wie bei der Ernte schon ganz schön geschummelt werden kann, wie sieht es dann erst aus, wenn man Bankangestellte nach der reinen Anzahl von »Beratungen« bezahlt? »Ihre Aufgabe ist es, im Durchschnitt des Jahres 25 Kunden pro Tag zu beraten.« Das kann man leicht fordern, aber was ist eine gute Beratung? In einer Bank ohne Stress ist das jedem klar. Kunden kommen mit Fragen und gehen zufrieden mit den Antworten. Wenn aber der Chef irrsinnig hohe Ziele fordert, wird die Beratung erledigt, so schnell es eben geht. Husch,

husch. Der Kunde muss gar nicht so zufrieden sein. Man erklärt ihm nur die Hälfte, bittet ihn, nochmals zu kommen, und rechnet das als zweite Beratung beim Chef ab.

Zu hohe Ziele zwingen fast zur Trickserei - und dann steigt in den Vorgesetzten das uralte, nun voll berechtigte Misstrauen aller Chefs, dass die Mitarbeiter irgendein fieses Spiel treiben. Sie beginnen, alle Arbeit genau auf Qualität zu kontrollieren und die Arbeitsleistungen penibel zu messen.

Im vorigen Kapitel habe ich gezeigt, wie das zu hohe Auslasten zur Katastrophe führt. In diesem Kapitel schildere ich, wie das zu misstrauische Messen der Arbeitsleistung die Mitarbeiter unethisch handeln lässt - sie vergessen den eigentlichen Zweck ihrer Arbeit und sehen nur noch zu, dass ihre Leistungszahlen stimmen. Manager machen ihre Zahlen, Politkern geht es nur noch um Stimmen, Studenten nur noch um Prüfungspunkte. Die Gemeinschaft erzeugt dadurch schlechtere Produkte, wird schlechter beraten, muss sich von opportunistischen Politikern regieren lassen und wird auch rein geistig gesehen ärmer und dümmer - wer nur für die Prüfung lernt, versteht ja viel weniger.

Diese Sachverhalte sind Ihnen zumindest als allgemeine Klage von Idealisten und Warnern absolut geläufig. Hier aber möchte ich ihnen die innere Mechanik dieser Entwicklung zeigen - wie es kommt, dass wir insgesamt als Team immer schwarmdümmer werden.

Das Problem der gerechten Bezahlung für gute Arbeit

Mein Unwohlsein über Ungerechtigkeit

Wir streiten uns heute um Fragen der folgenden Art: Muss eine Arbeit so gut bezahlt werden, dass man davon leben kann? Brauchen wir deshalb Mindestlöhne? Oder regelt das alles der Markt? Der Markt ist ein Platz, auf dem der Arbeitgeber versucht, die billigsten Arbeitskräfte einzustellen, die zu einem geringen Lohn zu arbeiten bereit sind. Als ich vor vielen Jahren meine erste Berufsstelle bekam, war es üblich, dass junge Leute heirateten und zwei Kinder bekamen, die die Ehefrau als Hausfrau betreute und erzog. Die Löhne waren so hoch angesetzt, dass eine solche normale vierköpfige Familie davon leben konnte.

Diese »Hausfrau« ist schon lange nicht mehr vorgesehen. Die Frauen, so der Modellwechsel, gehen inzwischen arbeiten. Die Löhne sind auch deswegen (?!) lange nicht gestiegen, weil das Arbeitskräfteangebot ja stark anstieg. Im Ergebnis ist es heute unsicher geworden, ob ein Alleinerziehender mit einem einzigen Kind von seinem Lohn leben kann. Was früher für vier Personen (zwei Erwachsene, zwei Kinder) gut möglich war, wurde mit der Zeit für zwei Personen (ein Erwachsener, ein Kind) problematisch. Diese Tendenz hat sich verstärkt. Heute reden wir zunehmend von prekären Verhältnissen, in denen nicht einmal ein einziger Erwachsener ganz ohne Kinder von seinem Lohn leben kann, schon gar nicht von der später folgenden Minirente. Wir werden zunehmend unwillig über die hochgelobten »Kräfte des Marktes«, die angeblich alles ins Lot bringen. Schande über die erpresserischen Arbeitgeber!

Wir selbst aber kaufen Lebensmittel von Bauern, die uns prächtige Früchte und Gemüse billig liefern und selbst nicht gut davon leben können. Wir kaufen Smartphones von »Kinderhand« und Kleider aus indischen Produktionsbruchbuden. Ich habe mir gerade ein Schlachthofvideo über die vollindustrielle Tötung und Verpackung von Hühnern angeschaut. Maschinen, die aussehen wie Mähdrescher oder Heuwender, saugen die an einer Wand zusammengetriebenen lebenden Hühner im Stall auf und beginnen mit der tötenden und rupfenden Vorverarbeitung. Später wird eine riesige Halle gezeigt, in der irrsinnig viele gleichfarbig plastikvermummte Menschen mit Gesichtsmasken an Fließbändern die Hühner zerteilen, bis sie eben in Vier-Schenkel-Packungen bei Discountern für 2 Euro das Kilo zu haben sind. Das Video soll für einen Aufschrei sorgen. Die Hühner!

Die armen Hühner, ganz ohne Würde! Ich habe das Video zweimal angeschaut, erst für die Hühner und dann noch einmal für die Menschen, die da arbeiten. Schauen Sie sich solche Filme einmal in Bezug auf die Menschen an! Schauen Sie nicht auf die Hühner, sondern auf die Arbeiter. Schande über uns Preisfüchse, wir sind doch alle selbst erpresserische Arbeitgeber. Wir klagen Arbeitgeber im Allgemeinen und unseren eigenen Arbeitgeber an, uns Menschen zu schinden, aber wir selbst schinden genauso, nur schauen wir niemals in die Augen derer, die wir schinden. Da fällt mir sinngemäß aus Franz Lehárs Operette *Land des Lächelns* ein:

Immer nur Arbeit, wie's immer sich fügt,
Lächeln trotz Weh und tausend Schmerzen,
Doch wie's da drin aussieht, geht niemand' was an.

Wollen wir das so? Wir sehen einfach weg, weil es uns selbst nicht zu betreffen scheint - und wenn Sie dieses Buch lesen, sind Sie wahrscheinlich nicht in einer prekären Situation. Aber die Einschläge kommen näher, davor warne ich schon seit Jahren (es gibt schon ein ganzes Kapitel *Zeit der Raubtiere* in meinem Buch *Supramanie - Vom Pflichtmenschen zum Score-Man* von 2003). Wir sind jetzt über ein, zwei Jahrzehnte hinweg mutiert, und zwar vom Mitarbeiter, der seine Pflicht tut, zu einem *Score-Man,* der nur noch nach seinen erzielten Punkten bewertet wird, die dann nach den Regeln des betreffenden Anreizsystems in Geld umgerechnet werden. Man glaubt heute allgemein, dass wir »leistungsgerecht« bezahlt werden müssten, also ganz genau nach der erbrachten Leistung, deren Geldwert von der Arbeitskraftnachfrage im Markt abhängt. Dafür setzt man »objektive« Systeme ein (Anreizsysteme oder Incentive-Systeme, bei Top-Managern heißen sie *Compensation Schemes,* die auch Aktien, Optionen, Dienstwagen et cetera vorsehen). Diese Systeme haben folgende Funktionen:

- Jeder wird gerecht nach seiner Leistung bezahlt.
- Die Anreize motivieren zu Mehrleistung.
- Die Höchstleistenden (»Top-Performer«) werden sichtbar und machen Karriere.

Das wird Ihnen von allen da oben oft und offiziell gesagt, damit es Sie reizt, immer mehr zu leisten. In diesem Kapitel möchte ich herausarbeiten, dass »gerechte Bezahlung« ein wirklich schweres Problem darstellt. Das ist uns in der vollen Tragweite nicht bewusst, insbesondere nicht den Führungskräften, die die Formulierung der Mitarbeiterziele oft einfach unter Stress und Zeitnot aus dem Handgelenk schütteln. Ja, lesen Sie es noch einmal: Die Führungskräfte überlegen keineswegs eine Woche lang, was jeder ihrer Mitarbeiter im folgenden Jahr arbeiten soll, sie hauen es in einer Stunde zwischen zwei Meetings in eine Tabelle. Was dort amateurhaft und schludrig für die Bezahlungssysteme »amtlich« gemacht wird, wird dann unter unendlichem Aufwand das ganze Jahr nachgeprüft. Dadurch erzeugen sie unendlich viele Konflikte und auch jede Menge Minderleistungen. Hier im Buch sage ich: Die zu exzessiv messenden Systeme an sich und der absolut dilettantische Umgang der Manager damit erzeugen Schwarmdummheit.

Ich schaue nun kurz in die Historie der Bezahlung nach Leistung. Ich frage: Woher kommen diese Entlohnungssysteme, die uns heute knechten? Danach entführe ich Sie gedanklich in eine kleine Bankfiliale, in der ein Filialleiter seinen drei Kundenberatern gerechte Ziele vorgeben soll. Sie werden sehen, dass das nicht so einfach ist! Und ich zeige, dass es oft absolut nicht genial einfach, sondern dumm einfach geregelt wird.

Der Ursprung von Scientific Management und Taylorismus

Es ging historisch ja nicht um gerechte Entlohnung, sondern um das tiefe Misstrauen der Arbeitgeber, dass die Arbeiter heimlich zu viele Pausen machen oder sich verabreden, einen auf lau zu machen, sehr bedächtig zu arbeiten und dabei entsetzlich zu stöhnen, als stürben sie gleich. Man wusste damals ziemlich genau, *welche* Arbeiten die Arbeiter verrichten sollten, nicht aber, *wie viel* sie wirklich leisten könnten (Beispiel: Wie schnell kann jemand Erbsen pflücken? Ist 1 Mark Lohn dafür okay?). Arbeitgeber hatten da oft das Gefühl, mit der Peitsche drohen zu müssen. Die schon seit dem 18. Jahrhundert existierenden Gewerkschaften befanden dagegen grundsätzlich jede Arbeit als mörderisch hart und verhandelten zäh gegen eine pure Ausbeutung. Dieses tiefe Misstrauen setzte sich auch in der Politik durch, wo sich die beiden Seiten (»Konservative« und »Sozialisten«) in Form von verschiedenen Parteien misstrauen - woraus dann irgendwann »Politik entsteht«.

Und nun kam Frederick Winslow Taylor (1856-1915) mit seiner Idee des Scientific Management. Taylor begann, die Arbeit in ihren

Einzelschritten zu analysieren. Er dachte über die bestmögliche Art nach, wie jede einzelne Arbeit auszuführen sei und wie sie schnell und geschickt verrichtet werden könne. Er ließ dann Arbeiter diese nun optimierten Arbeiten ausführen, testete alles noch einmal und führte anschließend diese derart »wissenschaftlich optimierte« Arbeitsweise verpflichtend für alle Arbeiter ein. Jeder Arbeiter hatte damit ein festes Pensum von Arbeiten pro Zeiteinheit zu erledigen. Auf diese Weise wurde dem beiderseitigen Misstrauen der Manager (beziehungsweise Eigentümer) und der Arbeiter (beziehungsweise Gewerkschaften) der Hauptgrund entzogen. Es war ja nun alles bestmöglich und damit transparent und fair geregelt. Die Manager konnten sicher sein, dass eine optimale Arbeitsleistung erzielt würde - ein weiteres Überlasten, Antreiben und Schimpfen wäre nicht mehr notwendig. Das ist die eine Hauptidee des Scientific Management. Taylor fand es darüber hinaus wichtig, dass man nun die Arbeiter besser bezahlen sollte und könnte, weil sie ja nun nicht mehr amateurhaft nach Gutdünken arbeiteten, sondern auf die anerkannt bestmögliche Art. Taylor wollte damit ausdrücklich einen guten Kompromiss erzielen, sodass Manager gute Arbeit bekamen und dafür dann auch hohe Löhne zahlen konnten. Seine Gedanken zielten explizit auf Wohlstand für alle (!) ab.

Taylor trennte die Planung von der Ausführung der Arbeit. Die Planer machten sich Gedanken über die optimale Arbeitserbringung, erstellten entsprechende Konzepte und testeten ihre Pläne aus, bevor diese als Arbeitspläne verbindlich wurden. Die Arbeit selbst wurde dann von mit der Ausführung beauftragten Managern betreut und beaufsichtigt.

Taylor registrierte damals aufmerksam, dass nicht alle Arbeiter dasselbe Talent bei der Arbeit hatten und oft ungeschickt agierten. Damit alle Arbeiter ihre Tätigkeiten immer optimal erledigen konnten, sah Taylors System den von ihm sogenannten Funktionsmeister vor, der - ich zitiere die Wikipedia - »den Arbeiter in seiner jeweiligen Funktion nicht nur detailliert unterweisen und trainieren, sondern auch die jeweilige Arbeit selbst gut genug beherrschen sollte, um einem Arbeiter jederzeit etwas vorzumachen«. Taylor sah also immer ein solches notwendiges Coaching vor, denn er war ja der Ansicht, dass weder die Arbeiter selbst noch die reinen Manager die bestmögliche Art der Ausführung einer Arbeit kennen konnten. Diese beste Art sollte sorgfältig wissenschaftlich herausgefunden und dann trainiert werden. Leider ist dieser Aspekt rund um die Funktionsmeister historisch nie verwirklicht worden. »Zu teuer!«, befand man, wahrscheinlich gibt es auch zu jeder Zeit zu wenige Meister dafür, weil die ja immer ausgelastet sind (siehe das vorige Kapitel). In der Wikipedia wird sogar erwähnt, dass Taylor nicht einmal in seinen Vorzeigeprojekten echte Funktionsmeister einsetzen konnte. Zu viel Mühe! Das ist heute auch noch so: Anstatt entsprechend ausgebildet sein, beschränkt sich die Aufgabe des Chefs auf Kritik, und der Unfähige entschuldigt sich, statt sich um Ausbildung zu bemühen.

Die Not des Bankfilialleiters mit dem Anreizsystem

Versetzen wir uns in eine Bankfiliale mit drei Kundenberatern. Der neue Leiter der Filiale hat eine Vorgabe der Direktion bekommen, wie viel Gewinn er in diesem Quartal machen soll. Die Filiale läuft nicht gut, die Direktion wird ungeduldig. Er ist deshalb hierhergeschickt worden, um nach dem Rechten zu sehen. Er war vorher in der Revision der Bank tätig und soll nun, bevor er höhere Aufgaben in der Zentrale erhält, noch einmal Erfahrungen vor Ort sammeln. Er ist aufgefordert worden, den drei Kundenberatern richtig »knackige« Vorgaben aufzudrücken. Er soll die ehrgeizigen Zielvereinbarungen für die drei Mitarbeiter schriftlich niederlegen und darf dabei für etwaige Zielübererfüllungen bis zu 5 000 Euro an die Mitarbeiter an Boni verteilen. Was tun?

Die naive Vorstellung würde jedem Kundenbetreuer die gleiche Pflicht auferlegen. Das ist schlicht gedacht gerecht - so wie beim Erbsenpflücken jeder einen Hanfsack in die Hand gedrückt bekommt. Was aber, wenn ein Kundenbetreuer besonders gut ist? Dann schafft der sein Drittel ganz locker, die beiden anderen vielleicht nicht. Das hätte zur Folge, dass das Ziel der Filiale insgesamt nicht erreicht wäre und der besonders gute Berater halbtags arbeiten könnte. Der Filialleiter müsste sich große Sorgen machen.

Schauen wir uns die Mitarbeiter an:

Der alte Hase: Er arbeitet schon seit Jahrzehnten in der Filiale und kennt alle Kunden im Ort und auch allen Klatsch. Die Kunden mögen ihn nicht besonders, haben sich aber an ihn schon lange gewöhnt. Wenn sie etwas brauchen, kommen sie kurz herein und tun einfach das, was er sagt. Sie vertrauen ihm, weil sie ihn so lange kennen. Besser gesagt: sie sind mit ihm vertraut. Sie kommen nicht zu ihm, weil sie ihn für fähig halten - darüber haben bisher die wenigsten Kunden nachgedacht. Der alte Hase macht den Hauptumsatz in der Filiale, ist entsprechend selbstgefällig und lässt sich nichts mehr vom Chef sagen. Er findet es selbstverständlich, dass er die 5 000 Euro allein für sich verdient hat und dass er sie zu seinem schon altersbedingt hohen Gehalt dazubekommt. Sein Arbeitsergebnis ist absolut gesehen sehr gut, es sinkt aber seit einigen Jahren stetig ab.

Der neue Optimale: Er kam neu in die Filiale und übernahm die Kunden eines pensionierten Kundenbetreuers. Er ist gerade noch dabei, seine Kunden besser kennenzulernen. Er ist ausnehmend nett, jung, adrett und macht sich wirkliche Gedanken um eine bestmögliche Betreuung. Das kannten die Kunden in dieser Filiale bisher noch nicht in diesem erfreulichen Ausmaß. Sie sind über ihn des Lobes voll. Sie werden endlich bestens beraten, ihr Leben aus finanzieller Sicht und überhaupt zu durchdenken und bestmögliche Pläne zu erarbeiten - »nachhaltige Pläne«, so sagt man heute wohl. Da der neue Optimale seine Kunden optimal berät, versauert kein Geld auf deren Girokonten oder bei Minizinsen. Das freut die Kunden sehr - sie bekommen eine professionelle Anlage, sicher und ruhig. Erste Neukunden kommen eigens, um genau diesem Kundenberater zugeteilt zu werden. Die Bank selbst verdient leider nicht so viel Geld an seinen Dienstleistungen, weil er ja bestmöglich im Sinne des Kunden berät und nicht im Sinne der Bank. Es ist trotzdem klar, dass der neue Optimale auf lange Sicht ein richtig gutes Geschäft für die Bank erzielen wird, aber eben in diesem Quartal noch nicht. Über die 5 000 Euro macht er sich keine großen Gedanken, er vertraut dem Filialleiter, dass dieser weise entscheidet. Bekommt jeder der drei ein Drittel? Das wäre für ihn als Neuen ganz gut.

Der neue Ehrgeizige als Zeitarbeitskraft: Er will unbedingt eine Dauerstelle bei der Bank und dann eine Karriere. Er ist mit dem Filialleiter essen gegangen und hat sich genau erkundigt, was das

Problem ist - der zu magere Gewinn der Filiale. Wenn man den erhöhen will, darf man die Welt nicht vom Kunden her sehen, sondern man muss sie aus der Sicht der Bank anschauen. Aus dieser Perspektive der egoistischen Bank heraus muss er den Kunden das an Produkten (so heißen sie heute tatsächlich bezeichnenderweise!) verkaufen, was einen hohen Gewinn abwirft. Der Ehrgeizige hat seine Kollegen beobachtet. Der Alte, so sieht er sofort, hat eben viele kritiklose Kunden, die keine Ahnung haben. Der Alte selbst hat auch keine Ahnung, denn er lebt schon allein davon gut, dass man ihn lange kennt. Er hat sich nie weiterentwickeln müssen. Deshalb ist er heute, nach vielen Jahren des Stillstands, ein glatter Ausfall als Bankberater. So einen würde der Ehrgeizige gleich feuern, wenn er zu bestimmen hätte. Den Erfolg des Optimalen sieht der Ehrgeizige wohl, allerdings verkauft der Optimale sehr viel auf Kosten der Bank beziehungsweise gegen die Interessen der Bank. Er schadet damit der Bank, so sieht es der Ehrgeizige, weil er Produkte verkauft, die den Kunden nützen, aber nicht der Bank. Man sollte ihn zwingen, besser zu arbeiten beziehungsweise seine Prioritäten zu ändern. Er legt dem Filialleiter den Plan vor, ältere Kunden zu überreden, risikoreiche Zertifikate zu kaufen oder Verträge mit sofort fälligen hohen Abschlusskosten abzuschließen. Die 5 000 Euro sind ihm als Geldsumme egal, er will aber das Geld als Beweis seiner Kompetenz erringen, damit er ein gutes Argument für die Dauerstelle vorzeigen kann. Ohne eine Dauerstelle sind ihm die Kunden vollkommen schnuppe, »das ist doch klar«, für ihn selbst jedenfalls.

So sehen die Arbeitsplätze in ganz normalen Umgebungen aus. Da ist die Einteilung der Arbeit und deren Bewertung nicht so einfach wie beim Erbsenpflücken ...

Der neue Filialleiter spricht nun mit seinen Mitarbeitern. Woran ist er mit ihnen?

Er fragt den Alten, warum dessen Ertrag seit einiger Zeit langsam sinkt. Der Alte reagiert sehr böse. Er hat beobachtet, dass aus seiner Sicht der Optimale die Kunden förmlich versaut. Einige seiner Kunden (die des Alten!) haben sich nämlich beim Optimalen beraten lassen, weil der angeblich so nett sei, und sie wollten beim Optimalen auch abschließen. Das aber habe der Optimale in fairer Weise abgelehnt und sie zum Alten geschickt, damit es auf dessen Verdienst gehe. Nur berate der Optimale leider nicht im Sinne der Bank - und deshalb würde der Gewinn des Alten sinken. Darüber sei er empört. Er sei auch auf den Ehrgeizigen böse, weil dieser ihm schon frech ins Gesicht gesagt habe, er, der Alte, würde schlecht arbeiten. Und er habe schon von Leuten aus dem Ort erfahren, dass der Ehrgeizige mit dem Filialleiter essen gegangen sei. Da könne er sich die Lage leicht ausmalen, und er wisse ja auch, warum der Filialleiter gerade jetzt mit ihm sprechen wolle. Da laufe ganz sicher eine Intrige gegen ihn. Er werde, je nachdem, wie das Gespräch jetzt verlaufe, seine alten Kumpel in der Bankleitung anrufen, mit denen er vor Jahrzehnten bei der Bank angefangen habe, und sich bei denen erkundigen, worum es wirklich ginge. Wahrscheinlich solle er wohl in den Ruhestand gehen. Das wolle er keinesfalls, er habe einen angenehmen Job bei der Bank, und die Rente sei ihm zum jetzigen Zeitpunkt zu wenig.

Da geht der Filialleiter zum Optimalen. Der weist ihm am Computerbildschirm anhand von Kontobewegungen eindeutig nach, dass der Alte einfach fast gar nicht arbeite und eher noch weniger Gewinn mache als er selber mit der optimalen Beratung. »Man sollte den Alten mal auf eine Weiterbildung schicken oder ihm wenigstens eine Menge Kunden wegnehmen, das würde den Gewinn steigern.« Der Ehrgeizige aber scheine gar keine Moral zu haben, er überrede seine Kunden zu absolut windigen Anlagen, die nur für die Bank gut seien. »Schauen Sie hier - zum Beispiel hat er diesen Fall hier ›verbrochen‹, würde ich sagen. Wenn das um sich greift, wird unsere Filiale bald noch in der Zeitung stehen mit so etwas. Das hängt man letztlich Ihnen als Filialleiter an. Ich würde an Ihrer Stelle schlecht schlafen.«

So, jetzt sind Sie dran. Wer bekommt welche Ziele? Welche Kunden zugeteilt? Wer arbeitet von den dreien gut? Nach welchen Gesichtspunkten verteilen Sie die 5000 Euro Bonus? Welche Maßnahmen ergreifen Sie für die Filiale? Welche Politik verfolgen Sie? Optimale Beratung für die Kunden oder Ihre eigene Karriere? Sie können überlegen: »Was im Himmel ist hier gerecht? Wie gleicht man die Interessen der vier in der Bank, der vielen Kunden und nicht zuletzt der Bank aus?«

Bevor ich dazu etwas sage: Für Führungskräfte ist eine solche Situation total normal. Ich habe sie absolut nicht an den Haaren herbeigezogen. Wenn Kunden (also dem nackten Gewinnstreben entgegengesetzte Prioritäten) im Spiel sind, wird die Lage sehr unübersichtlich und vielschichtig. Service-Business ist nicht so einfach wie Hühnerschlachten nach Scientific Management oder eben das Pflücken von Erbsen. Leider haben das sehr viele Manager noch nicht verstanden.

Lösungsvorschläge:

1. Der Leiter erklärt die Service-Erbringungsart des neuen Optimalen für alle verpflichtend und setzt die beiden anderen durch behutsames, geduldiges Coachen unter sanften Druck, sich auch so zu verhalten. Das schmeckt den beiden zuerst nicht, es gärt für einige Zeit. Später beruhigt es sich, weil alle Kunden zufrieden sind und bald das Klima in der Bank stimmt. Sie werden Freunde. Der Gewinn der Filiale kümmert allerdings für ein oder zwei Jahre vor sich hin, danach steigt er wegen der höheren Kundenzufriedenheit und der deshalb steigenden Neukundenzahl an. Die kurzfristige Karriere des Leiters ist gefährdet, man belässt ihn hoffentlich dort, bis es der Filiale gut geht, dann bleibt er wohl noch lange.
2. Der autoritär führende Leiter herrscht den Alten an, sofort mehr aus den Kunden rauszuholen, er sagt dem Ehrgeizigen, er solle sich bloß nicht erwischen lassen, und gibt dem neuen Optimalen so hohe Gewinnziele, dass er gar nicht mehr kundenoptimal beraten kann (er wird irgendwann vor Frust kündigen und hoffen, dass es andere Banken gibt, die ihn ethisch wertvoll arbeiten lassen). Der Gewinn der Filiale steigt sofort, der Leiter zeigt seinen Achtungserfolg der Zentrale (»Alles blitzartig gefixt!«) und wird befördert, dann kommt eben ein neuer Filialleiter.
3. Er führt ein Managementsystem ein. Jeder Kundenkontakt wird dokumentiert. Man misst die zeitliche Dauer des Kundenbesuchs, die Häufigkeit und die Ergiebigkeit der Kontakte, dazu den Gewinn der Bank. Er hebt die Kundenzuordnung auf. Jeder Kunde kann sich von einem der drei beraten lassen. Damit wird möglichst harter Wettbewerb unter ihnen geschaffen. Der Filialleiter bekommt per Computer Berichte, was welcher Berater wann nach wie vielen Minuten welchem Kunden verkauft hat. Er stellt die

Betreuer stichprobenartig zur Rede, wenn sie gegen seine Anweisungen entschieden haben. Kunden, die sich lange haben beraten lassen und dann nichts kauften, sollen frostig behandelt werden und nach Möglichkeit weggeekelt werden. Nulltoleranz für verlustbringende Kunden! Der Ehrgeizige rennt jetzt dauernd zur Tür, wenn gute Kunden kommen, und umgarnt sie. Er macht die beiden anderen Betreuer schlecht. Der neue Optimale ist schwach verzweifelt und arbeitet weiter wie bisher, muss aber nun zusätzlich die Dokumentation und die Rechtfertigungen abarbeiten. Er fühlt sich unter starkem seelischem und zeitlichem Druck. Der Alte überlegt, ob er nicht doch in Rente geht. Er findet es ungehörig, dass er in seinem Alter jeden Kontakt einzeln dokumentieren und vor dem Filialleiter wie ein kleiner Junge rechtfertigen muss. Die Stimmung in der Filiale ist allmählich vergiftet. Die Kunden spüren den Druck auf die Betreuer und die nervöse Stimmung, die sich auf sie überträgt. Sie kommen nicht mehr so gerne in die Bank wie früher, als alles noch ganz entspannt war. Sie beginnen, sich für Internet-Banking zu interessieren. Der Gewinn der Filiale schießt zuerst hoch und siecht später langsam dahin. Der Leiter wird befördert, sein neues System wird von anderen Filialen auf Druck von oben kopiert, weil dieses System im Unterschied zu den beiden erstgenannten leicht kopierbar ist.

Ich möchte mit dieser fiktiven Story eines sagen: Die wirkliche Lage ist ungeheuer viel komplexer als die reine Idee des Scientific Management, nach der es für jede Aufgabe eine bestmögliche Erledigungsart gibt. Was ist denn die bestmögliche Erledigung der Bankkundenbetreuung? Wie bewertet man die Leistung von Mitarbeitern? Was ist gerecht?

Scientific Management durch Flachbildschirmrückseitenberatung

Im Zuge der letzten zwanzig Jahre hat man begonnen, nicht nur die Produktion, sondern auch die Dienstleistungen zu industrialisieren. Im Grunde hat man sich darangemacht, trotz aller Schwierigkeiten bei einer möglichen Industrialisierung von Beratung immer weitergehender und genauer festzulegen, wie eine Service-Erbringung zu geschehen hat. Dazu werden alle Services wie bei der Produktion auf dem Fließband in kleinere Teile zerlegt und den Mitarbeitern einstudiert. Der Mitarbeiter wird dabei sehr oft vom Computer teilgesteuert.

»Guten Tag, Ihr Wunsch?«

»Geldanlage.«

»Okay, lassen Sie mich ein paar Daten erfassen. Wie viel?«

»10 000 Euro.«

»Welches Risiko?«

»Was meinen Sie damit?«

»Ob Sie niedriges Risiko, mittleres oder hohes Risiko haben wollen.«

»Wo ist der Unterschied?«

»Bei hohem Risiko können Sie mehr verdienen, aber auch mehr verlieren.«

»Ich weiß nicht ...«

»Sie müssen schon 1, 2 oder 3 sagen, sonst kann ich nicht weitermachen.«

»Mittel.«

»Wollen Sie das nur jetzt so oder für immer? Immer wäre mir lieber, dann müssen wir beim nächsten Mal nicht so lange alles von vorne beginnen.«

»Okay, immer.«

»Danke. Ich optimiere jetzt Ihre Geldanlage. Sie wird vom Computer gesteuert, der einen Überblick über die Weltmärkte hat. Kann sein, dass er Ölbohren in Grönland empfiehlt.«

»Das will ich aber nicht.«

»Entschuldigen Sie bitte, das können Sie hier nicht vorbringen. Sie bekommen hier vom Computer die optimiert weltbeste Lösung. Ich selbst kann das dann auch nicht besser. Moment, es tut sich etwas im Computer, er ist gleich fertig mit dem Optimieren, ja ... Jetzt! Seine Entscheidung ist gefallen: Die Hälfte soll in Sparbriefen unseres Hauses und in Immobilienfonds unseres Hause angelegt werden.«

»Ach, da bin ich froh, dass es nichts aus Grönland ist.«

»Dann darf ich das so freigeben?«

»Ja.«

»Ich habe Sie belehrt, dass Sie die optimale Lösung haben wollten?«

»Ja.«

»Sie akzeptieren, dass die Lösung wirklich optimal ist, die der Computer als optimal ausgerechnet hat?«

»Ja, das weiß ich doch nicht, ich habe ihn ja nicht programmiert …«

»Sie müssen aber zustimmen, sonst geht es nicht. Oder wollen Sie es sich überlegen und morgen wiederkommen? Dann haben Sie aber für heute die Zinsen verloren.«

»Ach du meine Güte, das stimmt. Also: ja.«

Gehen wir in unser Beispiel zurück. Wenn ein »computergestütztes Beratungssystem« eingeführt wird, wird der Kunde nicht mehr richtiggehend beraten, sondern von einem Computer wie in einer Produktionslinie abgefertigt. Versicherungsabschlüsse, Autoverkäufe oder Reiseberatungen laufen heute oft schon so wie das Einchecken im Flughafen. Das Einchecken ist heute so sehr durchorganisiert, dass es schon probeweise ganz vom Kunden vor einem Computerterminal erledigt werden kann. Bald können wir auch im Internet-Banking eingeben: »Lege 10 000 Euro optimal an.«

Der Service ähnelt heute immer mehr einer Flachbildschirmrückseitenberatung (eine Wortschöpfung von mir, die seit einem Auftritt bei der re:publica-Konferenz 2011 einigen Bekanntheitsgrad erzielt hat). Wir lassen uns zwar formal von einem echten Menschen bedienen oder beraten, zwischen uns aber ist ein Flachbildschirm. Wir sitzen auf der falschen, »ahnungslosen« Seite und verfolgen (oft mitzitternd), was eine sichtlich nicht so arg kompetente Teilzeitkraft da so mit uns anstellt. Neulich hat mein Hotel-Check-in etwa 15 Minuten gedauert. Der Mitarbeiter fand meine Reservierung im Computer nicht. Hilfe lehnte er ab. Er schwitzte. Neben seinem Flachbildschirm lag eine Konferenzliste der Redner des nächsten Tages, mein Name war dabei. Ich zeigte darauf. Er kämpfte aber verbissen mit dem Computer, ohne auf mich einzugehen. Klickte und klickte, sagte viele Male »gleich«, endlich bekam ich eine Zimmerkarte. Ich hatte eine Fürstensuite bekommen, aha - sie hatten also meine Reservierung verschlampt und mussten im System eine sehr teure Ausnahme begründen.

Diese zunehmende Flachbildschirmrückseitenberatung nimmt überall Form an. Wir glauben eigentlich, wir arbeiten mit der Hilfe des Computers - wir benutzen ihn also für unsere Arbeit. In Wirklichkeit steuert uns der Computer, wir selbst füttern ihn nur noch mit den entscheidungsrelevanten Informationen. Man hat uns »die beste Erbringung einer Arbeitsleistung« durch den Computer vorgegeben. Der Taylorismus hat uns alle erreicht. Die Mitarbeiter selbst haben kaum noch Entscheidungsspielräume, vielleicht noch »Fenster oder Gang?« beim Einchecken ...

Das Bankbeispiel mit dem neuen Optimalen, dem Alten und dem Ehrgeizigen gehört bald der Vergangenheit an. Es spielt kaum noch eine Rolle, ob der Alte die Stammkunden noch kennt oder nicht. Vor dem Computer der Bank sind alle gleich, die Angestellten und die Kunden.

Ich kenne einen Zweigstellenleiter, der sich den Zorn eines ganzen Dorfes zugezogen hat, weil sein Computer (nicht er selbst) alle Hauskreditwünsche einer riesigen Großfamilie ablehnte (alle »Ureinwohner« im Dorf sind irgendwie verwandt). Jeder Einzelne von ihnen war nicht kreditwürdig, aber alle zusammen hatten seit Jahrzehnten alles pünktlich zurückgezahlt. Der Computer (und das Gesetz) verlangen die Kreditwürdigkeit des Einzelnen und nur dieses einen Einzelnen! Also gab es für die Leute im Dorf gar keine Kredite oder sehr schlechte Bedingungen und großen Krach. Der Computer stellte anschließend fest, dass der Zweigstellenleiter in diesem Jahr zu wenige Kredite vermittelt hatte, und lastete das den Bankangestellten als Unfähigkeit an! Können Sie sich dieses Desaster vorstellen, das ja vor allem deshalb so schlimm wurde, weil die Beteiligten im Dorf nicht wussten oder jedenfalls nicht akzeptieren konnten, dass der Computer der Bösewicht war und »die Bank« an sich nichts dafür konnte?

Zurück zum Beispiel hier: Der neue Optimale kann nun nicht einfach Bundesschatzbriefe empfehlen, wenn der Computer Sparbriefe des Hauses als optimal »errechnet«. Auch der Ehrgeizige muss dem Computer gehorchen. Die Arbeit läuft wie am Fließband ab. Wenn der Computer eine Bausparwoche beschlossen hat, empfiehlt er (und damit der Angestellte) für fünf Tage nur Bausparverträge, dann sollen alle Berater die Kunden zehn Tage nach Wasserschadenzusatzversicherungen fragen. Je erfolgreicher sie das tun, umso mehr Bonuspunkte bekommen sie. Die einprogrammierte Zentralintelligenz im System steuert uns mehr und mehr!

Die Dienstleistungen standardisieren sich dadurch immer stärker. Sonderwünsche werden unsinnig teuer, also nehmen wir fast überall den Standard. Was passiert insgesamt? Sie ahnen es vielleicht, worauf ich hinaus will: Die Standards, zu denen wir gezwungen werden, sind lieblos einfach, nicht genial einfach (werfen Sie ruhig noch einmal einen Blick auf die unerbittliche Grafik ...). Alles funktioniert brauchbar gut, nervt ein bisschen, aber wir sind ja selbst auch Angestellte und wissen, dass es oft unser Job ist, die Bildschirminhalte vorzulesen. Wie die Prominenten im Fernsehen, bei denen die Flachbildschirme noch Teleprompter heißen. Durch die Verlagerung der Arbeit in den Computer ist vorher recht komplexes Beratungsge-

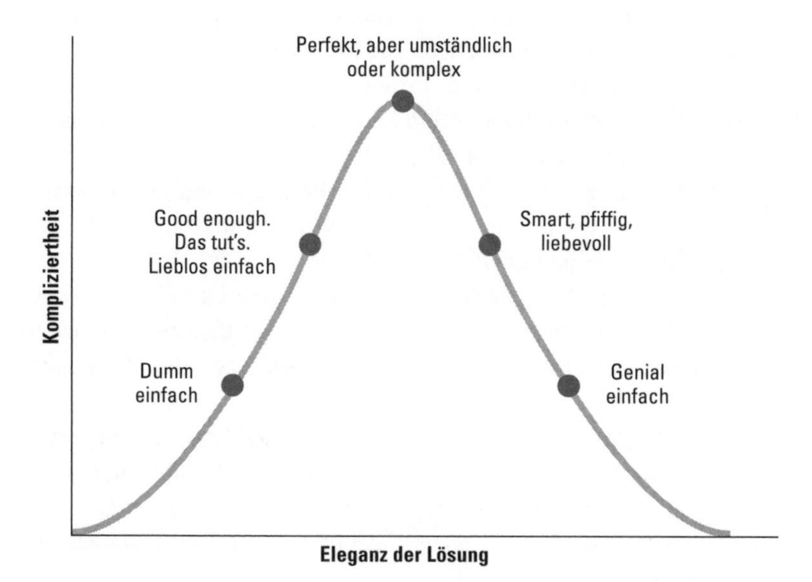

Die Einfachheitskurve, Version 3.0

schäft zu einer Routinetätigkeit wie Erbsenpflücken geworden, das Management dieser Arbeit so leicht wie Erbsenzählen. Arbeit, die dumm vereinfacht wurde, lässt sich jetzt lieblos einfach organisieren.

Todesspirale durch opportunistisches Ausnutzen eines Wissensvorteils

Und jetzt kommt der Sündenfall - eine praktisch globale Dummheit. Die nach dem Willen der Konstrukteure »da oben« programmierten Computer werden nun so »optimal« eingestellt, dass sie - ich sage das einmal drastischer, als man es sehen muss - zu ihren Gunsten schummeln oder geradeheraus betrügen. Es ist schon schwierig, verschiedene Produkte miteinander zu vergleichen. Noch schwieriger ist zum Beispiel das Abschätzen von Kunstwerken (ist ein Monet mehr wert als ein Manet?). Aber bei Services? Da begeben wir uns in die Hände der Service-Erbringer - mehr oder weniger. Wir fragen uns:

- Können wir dem Arzt wirklich vertrauen, dass er das Beste für uns tut - oder doktert er nur gewinnbringend an uns herum? Sind die Vorwegtests wirklich alle notwendig?
- Sollte ich lieber in Frieden sterben oder muss ich jetzt vielleicht nur aus Profitgründen durch endlose Chemotherapien und habe keinen guten Tag mehr im Leben?
- Wissen wir, was der Kfz-Meister bei der Inspektion tut? Ist wirklich das irre teure Formel-1-Öl im Auto drin, das auf der Rechnung steht? Brauche ich das überhaupt?
- Hat uns der Bankberater bestmöglich beraten oder hat uns der Computer übers Ohr gehauen? Ist der Bankberater denn nicht ganz neu und nur auf Zeit eingestellt? Kann der überhaupt etwas?
- Jedes Mal, wenn ich mich beim Internet-Banking einlogge, sehe ich, dass meine Bank für Neukunden Traumkonditionen verspricht. Und ich? Was tut sie für mich als Stammkunden?
- War es richtig, die viel teurere All-in-one-sorglos-Versicherung abzuschließen?
- Kocht das Restaurant im Nachbarort frisch, oder taut es nur auf?

- Bin ich beim Gebrauchtwagenkauf geneppt worden?
- Ist man generell blöd, wenn man einen empfohlenen Listenpreis bezahlt?
- Hat mein Steuerberater alles abgesetzt, was ging, oder hat er einfach den Vordruck ausgefüllt und eine schnelle Rechnung geschrieben?
- Habe ich den richtigen Handy-Vertrag?
- Ist der Immobilienmakler tatsächlich einige Tausend Euro wert, oder googelt der vielleicht nur?
- Warum kostet der Liter Diesel hundert Meter weiter 12 Cent weniger?
- Sind die Flugpreise wie aus der Lotterie? (Ich habe gerade einen German-Wings-Flug von Wien nach Zürich für 54,99 Euro gefunden. Es gibt zur exakt gleichen Zeit einen Flug der Austrian Airlines für 438 Euro. Im Kleingedruckten steht: Dieser Austrian-Flug wird »operated by German Wings«, ich fliege also im *selben* Flugzeug nach Zürich! Und German Wings und Austrian gehören *beide* der Lufthansa!)
- Was ist der Unterschied zwischen Milch für 69 Cent und solcher für 1,29 Euro pro Liter? Ist nicht Kuh gleich Kuh? Nein, sagen die Bauern, aber stimmt das?
- Sind die Ökosachen wirklich öko? Oder verkaufen sie Schrumpelreste als öko?

Ich will jetzt nicht sagen, dass alle Dienstleister Betrüger sind. Aber es sind so viele von ihnen zu grenzwertigen Opportunisten geworden, dass wir ganz generell und rundum misstrauisch werden mussten. Wir erleben heute so viel in den genannten Bereichen, dass wir unsere Dienstleister erst einmal alle daraufhin abklopfen müssen, ob wir ihnen vertrauen können. Das ist überhaupt nicht sicher.

Wir wehren uns mit dem Surfen und Überprüfen im Internet und schauen auf dem Smartphone nach. Ich habe ein Kleidungsstück in München gegoogelt und bei eBay für 119 Euro per Sofortkauf statt 298 Euro im Geschäft gefunden. Die Preise in den Duty-free-Läden liegen heute sehr oft über denen im Internet – checken Sie einfach einmal die Duty-free-Produkte mit der Amazon-App per Smartphone. Wir haben im Irland-Urlaub eine berühmte irische

Destillerie besichtigt, wo uns natürlich ab Werk die Whiskeys sehr günstig angeboten wurden. Stimmt das? Ich habe gleich das Smartphone rausgeholt und bei Amazon Deutschland geschaut: Dort sind alle Whiskeys 10 bis 15 Prozent billiger, und ich muss sie nicht rumschleppen.

Wir fühlen uns in dieser Weise immer ein bisschen geneppt. Es liegt daran, dass der Lieferant von Services viel besser als wir selbst einschätzen kann, was eigentlich die Leistung wert ist. In der Wirtschaftstheorie spricht man von der Informationsasymmetrie zwischen dem, der den Auftrag erteilt (der »Prinzipal«), und dem, der den Auftrag abwickelt (der »Agent«). Die sogenannte Prinzipal-Agent-Theorie untersucht die entstehenden Problematiken für diese beiden Seiten, wenn sie zu opportunistischem Verhalten neigen.

Es sind aber nicht nur die Unternehmen oder Service-Erbringer, die uns übervorteilen (wollen). Auch wir gehen einmal zu viel zum Arzt, weil wir gut versichert sind, feiern krank, weil das Gehalt weitergezahlt wird, machen länger Mittagspause als vereinbart, wir bummeln schon einmal im Alter, wenn wir ganz unkündbar sind (und unterstellen das den Beamten im Vorurteil ganz generell), oder wir kennen alle Menschen, die sich öfter zur Gewichtssenkung eine Kur verschreiben lassen und satt und proper wieder heimkommen. Uns misstrauen die Arbeitgeber deshalb schon immer - dass wir nämlich *moral hazard* eingehen, also die Gemeinschaft ausplündern, wenn es nicht auffällt.

Im Jahre 1970 publizierte George Arthur Akerlof den berühmten Artikel »The Market for Lemons«, für den er 2001 den Nobelpreis für Wirtschaft erhielt. Akerlof ist mit Janet Yellen verheiratet, die seit 2014 Chefin der FED, der amerikanischen Zentralbank, ist. Im Amerikanischen bedeutet Lemon nicht nur Zitrone, sondern auch »qualitativ minderwertiger Artikel«, übertragen »Niete«, in diesem Fall auch »Schrottkarre« oder »Montagsauto«. Im Deutschen wird es gewöhnlich von den Ökonomen ganz unkundig mit Zitrone übersetzt - na gut, wir sprechen dann im Deutschen eben vom Zitronenproblem.

Akerlof studierte den Gebrauchtwagenhandel, bei dem der Käufer nicht gut einschätzen kann, was er da eigentlich kauft. Akerlof studierte lokale Märkte, die in Verruf gerieten, weil dort offenkundig Käufer mit »Lemons«, also Schrottkarren, übers Ohr gehauen wurden. Bei diesen Fällen von Arglist flammte die Empörung der Käufer hoch. Sie wurden fast schlagartig misstrauisch, und das hatte Folgen: Die Käufer des lokalen Marktes hatten nun eine geminderte Erwartung an die angebotenen Autos, sie wollten nicht mehr den üblichen Preis zahlen, sondern eben weniger - wegen des offenbaren Risikos einer Schrottkarre. Deshalb - das zeigten Akerlofs Untersuchungen - fielen die Preise für Gebrauchtwagen ganz allgemein nicht unbeträchtlich. Sie fielen so stark, dass die qualitativ besten Anbieter zum Teil hohe Verluste einfuhren. Sie konnten hohe Qualität nicht mehr vernünftig anbieten und verließen den Markt. In der Folge gab es nun gar keine sehr guten Gebrauchtwagen mehr. Das merkten die Käufer natürlich bald auch und senkten ihre Erwartungen an die Qualität der Autos erneut. Sie kauften folglich nur zu noch niedrigeren Preisen. Da machten auch die »zweitbesten« Firmen Verlust und boten nichts mehr an. Und so weiter und so weiter! Die Todesspirale drehte sich nach unten. Am Ende gab es dann wirklich nur noch Schrottautos, ganz billig, die man unter dem totalen gegenseitigen Misstrauen aller Akteure verramschte. Der Markt brach quasi zusammen. The End.

Die Käufer möchten gute Autos und die Verkäufer gutes Geschäft. Doch am Ende kommt etwas heraus, was niemand will, und alle sind ratlos.

Akerlofs Arbeit bekam den Nobelpreis, weil er eine eherne Fundamentaltheorie der Wirtschaft infrage stellte: Überhaupt alle Welt sagte und sagt vielleicht heute noch, dass der (»heilige«) Markt die Nachfrage und das Angebot über den Preis ausgleicht und dass der Markt auf diese Weise wie von einer »unsichtbaren Hand« (Adam Smith) im Gleichgewicht gehalten werde. Das stimmt nach Akerlofs Ergebnissen aber nicht in Märkten von asymmetrischer Information, in denen also Käufer und Verkäufer verschieden gute Informationen haben und sich gegen den weniger Informierten opportunistisch verhalten, ihn eben mehr oder weniger skrupellos ausnutzen.

Ich habe Ihnen zu Anfang dieses Abschnitts eine lange, lange Liste mit Märkten und Geschäftsverhältnissen präsentiert, die Sie vielleicht nur überflogen haben - »Ja, ja, hab ich verstanden!«, werden Sie unwillig gedacht haben. Lesen Sie sie lieber doch noch ganz durch. In allen diesen Fällen ist die Information asymmetrisch verteilt. Und wenn Sie so wollen: Es ist eher die Regel als die Ausnahme, dass die Information so ungleich ist.

Akerlofs Theorie sagt nun: Wenn die Marktteilnehmer mit dem Informationsvorsprung opportunistisch bis hin zu ausbeuterisch umgehen, dann kommt es zu der Todesspirale des ganzen Marktes, bis es nur noch niedrigste Qualität zum Schleuderpreis gibt.

Anbieter und Kunden liefern sich ein Catch-as-catch-can

Es ist schleichend so gekommen: Die ganze Welt hat sich »ökonomisiert«, sie hat es erlaubt und eigentlich sogar propagiert, dass sich die Unternehmen und Menschen bei asymmetrischer Information opportunistisch verhalten. Wer einen Informationsvorsprung hat, nutzt ihn aus. Wer ihn nicht hat, wird ausgenutzt. Wer die Macht hat, nutzt sie aus - oder er wird ausgenutzt.

Viele einzelne Entwicklungen haben dazu beigetragen:

- Computer und Internet haben gigantische Effizienzinnovationen ermöglicht (Automation, Virtualisierung, Reengineering, Lean Management, Downsizing, Outsourcing ...).
- Computer und Internet ließen ein ungekanntes Ausmaß zentraler Steuerungen in Unternehmen zu (von Microsoft Excel bis Big Data, Kundendatensystemen, Datenanalysen, Mitarbeiterberichtssystemen).
- Die Globalisierung ermöglicht das schamlose Ausnutzen ärmster Bevölkerungsteile zu Billiglohnarbeit in gigantischem Stil. »Moderne Sklaven«, Opfer einer realen Asymmetrie.
- Die Managementtheoretiker gaben das Mantra des Shareholder-Value aus, nach dem alles in der Welt gut wird, wenn sich alle Menschen bemühen, den Wert des Unternehmens zu steigern, in dem sie arbeiten.

In den Sechziger-, Siebziger- und auch Achtzigerjahren des letzten Jahrhunderts erzielte man Markterfolge vor allem durch Verbesserungsinnovationen. Man versorgte den Kunden mit immer noch wunderschöneren Autos, besserer Technik, neuen Fernsehern, immer besseren Elektrogeräten, Eigenheimen und Arbeitsplätzen. Der Erfolg kam durch das Bemühen um die Menschen, die sich die 35-Stunden-Woche gönnten und vor allem ein gutes sorgenfreies Leben führen wollten. Der Wohlstand schien auf ewig zu wachsen.

Dann kamen die Automatisierungsbemühungen und die durch Computerdatensysteme (zum Beispiel SAP R3) ermöglichten Methoden, alles in Geld zu bewerten. Die neuen Managementmethoden richteten sich am Unternehmenswert aus und wollten ihn steigern.

Während sich die Wirtschaft früher mehr den Verbesserungen für Kunden verschrieben und verpflichtet sah und Geld durch Leistungen im eigentlichen Sinn verdiente, begann sie, unter exzessiven Utopien über den Unternehmenswert, unter Auslastungswahn und obsessiven Effizienzbemühungen als Mittel zum Zweck auch Vernichtungswettbewerbe, Unethik, Moral Hazard und Opportunismus zuzulassen. Das frühere Umsorgen des Kunden wich einer immer stärker kalt berechnenden Verhaltensweise.

Akerlof hatte nur den Gebrauchtwagenhandel untersucht. Dieser begann seinen Niedergang, als einzelne Marktteilnehmer ihre Kunden in opportunistischer Weise leimten, weil sie einerseits ihr besseres Wissen um den Zustand der Autos und andererseits die noch vorhandene Vertrauensseligkeit der Käufer ausnutzten. Die Kunden fühlten sich hereingelegt, wurden wachsam und waren auch nicht mehr bereit, für echte Qualität die früheren Preise zu zahlen. Das trieb die besten Anbieter aus dem Markt. Soweit habe ich es schon erklärt. Nun kommt der entscheidende neue Punkt:

Wenn man das Zitronenproblem nicht nur im Gebrauchtwagenmarkt einer Kleinstadt anschaut, sondern im ganzen Land oder global betrachtet, dann können sich die hochqualitativen Anbieter ja nicht aus dem Markt zurückziehen. Wenn alle mit dem Betrügen beginnen, kann doch ein ehrliches Unternehmen nicht so einfach sagen, es mache da nicht mit! Soll es sich denn selbst aufgeben? Das tut es gewiss nicht. Es macht eben mit. Es betrügt auch.

- Die Finanzkrise: Alle Banken begannen, das Unwissen über Risiken von Kunden, Unternehmen, Städten, Institutionen, Staaten und auch von »dümmeren Banken« auszunutzen. Wer Risiken nicht gut beurteilen konnte, bekam sie als »risikolos« von anderen verkauft, die es besser wussten. So, wie Schrottkarren an Vertrauensselige oder Dumme verkauft wurden, schob man nun die Risiken den Unkundigen zu. Heute ist das Vertrauen verloren. Die Banken beklagen unisono, dass Kunden für erstklassige Beratung nicht zahlen wollen (sie bezahlen ja auch nicht für das Aufschwatzenlassen von Gebrauchtwagen).

- Die Telefonanbieter übertrumpfen sich mit »Null-Euro-für-drei-volle-Monate«-Angeboten mit unendlich viel Kleingedrucktem im unteren Prospektteil. Handy-Tarife sind zu einem Zitronenhandel geworden. Kunden wechseln jetzt andauernd den Anbieter. Jeder fühlt sich nach dem Abschluss eines Vertrages unsicher, ob es gut so war. Würden wir »ehrliche« Angebote ehrlich bezahlen wollen? Woher wissen wir, ob sie ehrlich sind?
- Die Autoverkäufer bieten Zusatzversicherungen, Nullzinsen und ein Smartphone in Autofarbe an, wenn man ... ja, wenn man ein Halden-Auto (»sofort verfügbar, es steht da schon fünf Monate«) zum Listen-Mondpreis kauft. Es werden ganz unklare Leistungspakete angeboten. Die Kunden sind misstrauisch, während sie früher beim Ortshändler einfach einen Neuwagen bestellten, auf den sie lange warten mussten.
- Stromanbieter ködern mit »Billig-für-garantiert-ein-Jahr«-Angeboten, sie schicken »Experten« zu Hausbesuchen und verunglimpfen den ortsansässigen Anbieter. Wir sind unsicher, was nun stimmt.
- Versicherungen übertrumpfen sich mit dem Angebot von nicht vergleichbaren Rundum-sorglos-Paketen, in denen oft sinnlose Versicherungen enthalten sind. Man hört von Verkäufen von Ausbildungsversicherungen an Achtzigjährige - es sieht nach Drückerkolonne aus.
- Bekleidung wird uns so oft zum halben Preis angeboten, dass wir uns beim Bezahlen eines Normalpreises latent übers Ohr gehauen fühlen.
- Baumärkte schenken uns mal die Mehrwertsteuer, mal nicht ...
- Politiker versprechen alles Mögliche, zum Beispiel die Fertigstellung des Berliner Flughafens für unter 20 Milliarden oder High-Speed-Internet »auf jede Hallig und jede Alm« (der Minister auf dem IT-Gipfel von 2008), aber wir glauben nichts mehr und sind politikverdrossen.

- In Toiletten bitten Mitarbeiter um Trinkgeld, das sie aber meist an das Unternehmen abgeben müssen. Das ist nicht im Sinne der Sache, wir geben lieber nichts. Wir bleiben Bettlern gegenüber hart, weil es zu viele schwarze Schafe gibt.
- In der Bahn und im Flughafen entschuldigen sie sich dauernd bei uns, aber wir wissen genau, dass die vielen Störungen die Folge von Überlast sind - sie haben die Maschinen total ausgelastet und jede Störung wird nun von uns als Kunde ausgebadet.

Selbst wenn etwas »ehrlich« wäre, wie wüssten wir es denn? Wir sind eigentlich überall verdrossen, weil wir immer weniger vertrauen können. Überall müssen wir nachdenken und nachrechnen, um wenigstens teilweise die Asymmetrie der Information zugunsten der Anbieter aufzuheben. Dazu ist das Internet mit den Preisvergleichen und Produktbewertungen eine wundervolle Hilfe, die uns eine gewisse Transparenz bringt. Wir werden jetzt selbst berechnend. Wir wehren uns unserer Haut. Wir bezahlen nicht mehr gerne den vollen geforderten Preis. Wir misstrauen. Wir betrügen, indem wir Beratung stehlen. Aber dieses Misstrauen, so berechtigt es auch ist, schadet den echten Qualitätsanbietern - so, wie Akerlof es voraussagt.

- Wir kaufen billig Elektrogeräte (»wir sind ja nicht blöd«) und lassen nur noch den Service im Ort erledigen. Der Ortshändler verkauft nun nichts mehr und darbt. Bald ist er weg.
- Wir gehen in zwei oder drei Qualitätsmöbelläden und lassen uns von Innenarchitekten jeweils ein wundervolles Wohnzimmer designen. Dann wählen wir das beste aus und kaufen die Einzelteile woanders billiger. Das ist reiner Beratungsdiebstahl.
- Wir probieren Luxusmode im Laden und bestellen bei eBay.
- Wir kopieren unerlaubt Bücher und Musik und würgen die Neuproduktion ab.

Mit anderen Worten: Auch wir als Kunden sind opportunistisch und unfair geworden, wir missbrauchen unsere Lieferanten. Wir leisten damit unseren noch existierenden Qualitätsanbietern aktive Sterbehilfe oder treiben sie ebenfalls in den Opportunismus. Wir lassen die ehrlichen Unternehmen nicht mehr leben.

Runde um Runde dreht sich die Todesspirale. Zum Schluss kämpfen wir nur noch um Rabatte für lieblos einfache Standardprodukte, die wir jemandem gut und günstig abgeluchst haben. Am Ende leben wir in gegenseitig berechnender »schlauer« Handlungsweise in einer schlechtqualitativen Welt, die kein Marktteilnehmer - kein Kunde, kein Unternehmen - eigentlich so haben wollte. Wir sind als Menschenteam ganz global schwarmdumm und zerstören den schöneren Teil unseres Lebens durch Opportunismus und Berechnung.

Jeder von uns ist sehr intelligent und weiß das alles intuitiv. Wir benutzen aber unsere Intelligenz gegeneinander und zerstören das gute Vertrauen. Die gegeneinander gerichteten Intelligenzen heben einander auf und enden in einer großen Gesamtdummheit.

Diese Gesamtdummheit kann nur aufgehoben werden, wenn sich die Mehrheit mit dem berechnenden Opportunismus aufhört und wieder einen Sinn für Schwarmintelligenz entstehen lässt. Ich sehe kaum, wie das gehen soll, so weit hat sich die Todesspirale schon gedreht. Das Ausbrechen wird täglich schwerer. Am leichtesten könnte es gelingen, wenn wir eine lange Prosperitätsphase in der Wirtschaft bekommen, sodass wir wieder großzügiger werden und uns allseits gut leben lassen.

Computergestützter Opportunismus

Die globale Schwarmdummheit aller Menschen manifestiert sich jetzt im Einbruch des allgemeinen Opportunismus im Arbeitsleben. Wozu ist ein Unternehmen da? Da gibt es verschiedene Sichten:

- Der Zweck des Unternehmens ist es, Bedarfe seiner Kunden zu decken.
- Der Zweck des Unternehmens ist es, seinen eigenen Wert zu steigern.

Die erste Version ist die wahre »offizielle«, wie sie so ähnlich in den Lexika steht (»Ökonomie dient der Deckung von Bedarfen«). Die zweite ist die der Shareholder-Value-Bewegung, die so argumentiert: Wenn ein Unternehmen die Bedarfe seiner Kunden bestmöglich deckt und dabei gut wirtschaftet, steigt sein Wert im Ganzen an. Wenn es aber die Bedarfe der Kunden nicht richtig deckt oder nicht gut wirtschaftet, dann fällt sein Wert ab. Also sind die beiden Sichtweisen in etwa gleich. Wertvolle Unternehmen sind zugleich die, die dem Kunden in besonderer Weise dienen.

Darin steckt ein großer logischer Irrtum: Man kann in Märkten mit asymmetrischer Information auch damit sehr viel Geld verdienen und den Wert des Unternehmens steigern, dass man den Kunden systematisch opportunistisch übervorteilt. Kurz und grob: Man kann hart arbeiten oder auch einfach stehlen. Wenn man das mit Verfechtern des Shareholder-Value-Ansatzes diskutiert, dann sagen sie, dass sie natürlich eine langfristige Wertentwicklung des Unternehmens anstreben und deshalb dem Kunden dienen *müssen*.

Akerlofs Gebrauchtwagenbeispiel zeigt aber, dass das Misstrauen im Markt gegen opportunistische Anbieter zu sinkenden Preisen und schlechteren Qualitäten führt und - jetzt kommt es - dass hochqualitative, langfristige, kundenfreundliche, ehrliche, solide Anbieter aus dem Markt verschwinden, weil sie mit den Unseriösen kurzfristig nicht mithalten können. Sie scheiden aus dem Markt aus oder werden auch opportunistisch.

Ich folgere: Wenn ein guter Prozentsatz der Unternehmen beginnt, opportunistisch nur den Wert des Unternehmens steigern zu wollen, dann müssen alle anderen mitziehen oder längerfristig sterben. Das merken die Unternehmen nach und nach und werden nun opportunistisch. Sie versuchen, alles aus dem Kunden herauszuholen - was dieser natürlich merkt und ebenfalls opportunistisch agiert. Aus dem einstigen Vertrauensverhältnis ist ein nüchterner und berechnender Kampf geworden.

> In einer opportunistischen Wirtschaftsordnung dienen die Unternehmen nicht mehr vorrangig der Deckung der Bedarfe. Sie nutzen Sehnsüchte und Unwissen aus, um sich zu bereichern. Die scheinbare Tätigkeit, Bedarfe zu decken, ist nur das Mittel zum Zweck.

Kehren wir in die kleine Bankfiliale zurück, in der wir uns zu Beginn dieses Kapitels umsahen. Sie ist, seit Sie in diesem Kapitel weitergelesen haben, inzwischen von ganz oben, vom Vorstand, angewiesen worden, opportunistisch zu werden. Sie soll den Gewinn dadurch steigern, dass sie systematisch alle Kundendaten per Computer durchforstet und feststellt, ob die Kunden ihr Geld so angelegt haben, dass die Bank damit am meisten verdient.

Dann müssen sämtliche Kunden erst sanft, dann auffordernd zu Beratungsgesprächen eingeladen werden, bei denen sie überzeugt werden müssen, ihr Geld entsprechend den Gewinnvorstellungen der Bank umzuschichten. »Kaufen Sie Zertifikate oder hauseigene Fonds!«

Glauben Sie das nicht? Vertrauen Sie Ihrer Bank noch? Warum? Es könnte jetzt sein, dass Sie meine Ausführungen nur theoretisch oder systemkritisch finden und mir das alles nicht glauben. Ich gebe Ihnen zur Probe ein einziges Argument - das allein ist schon gewichtig genug. Schauen Sie auf diesen Fall:

Ihre Bank verkauft Ihnen doch Investmentfonds. Die werden Ihnen zu einem Ausgabekurs angeboten. Wenn Sie die Investmentfonds wieder verkaufen möchten, können Sie Ihre Fonds zum sogenannten Rücknahmepreis wieder an die Fondsgesellschaft zurückgeben. Der Ausgabepreis ist je nach Fonds zwischen 3 und 5,5 Prozent höher als der Rücknahmepreis. Sie zahlen also diesen Prozentsatz an die Fondsgesellschaft. Ihre Kosten: Zwischen 3 und 5,5 Prozent - Rentenfonds liegen eher bei 3 Prozent, Aktienfonds eher bei 5 Prozent.

Wussten Sie aber, dass sehr viele der großen Investmentfonds der großen Anbieter (Volksbanken, Sparkassen, Deutsche Bank, Commerzbank, Allianz) ganz normal an der deutschen Börse gehandelt werden? Hat Ihnen das jemand gesagt? Wussten Sie, dass der Börsenkurs von Investmentfonds in der Regel ungefähr so hoch ist wie der Rücknahmepreis, also 3 bis 5,5 Prozent unter dem Ausgabepreis liegt, den Ihnen Ihre Bank berechnet?

Schauen Sie sich doch einmal die Investmentfonds an, die Sie jetzt gerade besitzen. Rufen Sie den Kurs Ihres Fonds auf der Internet-Seite Ihrer Bank (oder woanders) auf. Dort finden Sie den Ausgabepreis der Fondsgesellschaft, den Rücknahmepreis und die

Tagesbörsenkurse der Fonds an den Börsen Hamburg, Stuttgart, Frankfurt und so weiter. Da Käufe über die Börse bei Internet-Banken etwa 0,3 Prozent Bankprovision kosten und nicht 5 Prozent Ausgabeaufschlag, liegen Sie bei einem Kauf über die Börse 4,7 Prozent besser. Wenn Ihnen also Ihre Bank Investmentfonds anbietet, sind Sie für nichts und wieder nichts 4,7 Prozent Ihres angelegten Vermögens los. Das freut natürlich die Bank. Deshalb hängt Ihre Bank Plakate ins Schaufenster: »Supersonderangebot! Sie bekommen für ein halbes Jahr 3 Prozent Tagesgeldzinsen, wenn Sie den gleichen Betrag in Fonds unseres Hauses anlegen.« Da die Tagesgeldzinsen derzeit fast null sind, schenkt Ihnen die Bank 1,5 Prozent (3 Prozent auf ein halbes Jahr) auf die eine Hälfte des Geldes und nimmt ihnen von der anderen 4,7 Prozent weg.

Bitte verifizieren Sie alles und denken Sie nach: Berät man Sie tatsächlich, um Ihren Wohlstand zu mehren? Oder ist es nicht doch so, dass jetzt fast jede Investmentfondsberatung eine Ausbeutung Ihres Unwissens darstellt? Ist es ethisch, Ihnen bei Rentenfonds 3 Prozent Ausgabeaufschlag zu berechnen, wenn eine Bundesanleihe derzeit nur etwa 1 Prozent Zinsen im Jahr bietet?

Der neue Optimale in unserem Bankbeispiel könnte auf die Idee kommen, Ihnen ganz ehrlich den Kauf von Fonds über die Börse zu empfehlen. Da bekäme er prompt einen Verweis von der Bank. »Solche Beratung überleben wir nicht!« Das stimmt wahrscheinlich sogar. Die Bank würde heute ohne Opportunismus gegenüber allen noch unaufgeklärten Kunden wie vielleicht Ihnen ganz einfach pleitegehen. Ich habe das eben beschriebene Fondsbeispiel Bankern vorgelegt. Sie lächeln dann alle sehr speziell und sagen zu mir: »Gott bewahre uns vor aufgeklärten Googlern wie Ihnen!« Will heißen: Die Banken leben von der opportunistischen Ausbeutung der Informationsasymmetrie (»Kundenunwissenheit«).

Der neue Optimale bekommt deshalb Ärger. Er wird gezwungen, ausschließlich den Computer zur »Optimierung« heranzuziehen. »Denken Sie bitte nicht selbst!« Der Alte wird drakonisch gezwungen, alle Altkunden zum Gespräch vorzuladen und »optimal computergestützt« zu beraten. Der Ehrgeizige wird erst zurückgepfiffen, als die Revision Fälle von gewinnträchtiger Fehlberatung findet, die nicht mehr verantwortbar sind. Man zwingt bald alle Mitarbeiter, die Beratung des Computerprogramms als verbindlich zu sehen. Die drei Mitarbeiter unserer Filiale werden zu menschlichen Fortsätzen des Computerprogramms, zu Robotern des Opportunismus oder zu seinen Sklaven.

- Der neue Optimale verzweifelt, weil er jetzt wissentlich schlecht berät. Er hat seelische Burn-out-Erscheinungen. »Was ist der Sinn?« - »Geld verdienen!« - »Und unsere Grundsätze?« - »Geld verdienen.«
- Der Alte muss jetzt schuften und so viele Fälle abarbeiten wie alle anderen. Er flucht. »Früher war alles besser.«
- Der Ehrgeizige spielt lange mit dem Computerprogramm herum, um die Möglichkeiten zu erfassen. Er findet heraus, welche Kunden sich am leichtesten umdrehen lassen. Er wird es mit Tricks und Überstunden allen anderen zeigen - in der ganzen Bank.

Scientific Mismanagement im Chaos opportunistischer Ziele

Das Unternehmen setzt den Mitarbeitern der Bank verschiedene Ziele. Der Computer zählt mit, wie hoch der Zielerreichungsgrad insgesamt beziehungsweise in den einzelnen Sparten ist:

- Bezahlte Beratung
- Konten und Zahlungsverkehr
- Wertpapiere
- Bausparen
- Immobilien
- Versicherungen
- Vermögensbildung
- Altersvorsorge
- Reiseschutzbriefe
- Kreditkarten
- Neukundengewinnung

(Ich nehme hier durchgehend das Beispiel einer Bank, weil Sie das fast alle kennen. Fast jedes größere Unternehmen hat verschiedene

Sparten. Als ich noch bei IBM arbeitete, da sollten wir ja auch als Mitarbeiter verschiedene »Sparten« anbieten: Hardware, Software, Beratung, Cloud Services, Drucker, Bau von IT-Zentren, IT-Services, Outsourcing, Forschung und Entwicklung et cetera. Bitte übertragen Sie einfach dieses Beispiel der Bank auf Ihren eigenen Erfahrungsbereich.)

Für jede der Produktsparten eines Unternehmens gibt es einen Chef, hier im Beispiel den Leiter Immobilien, den Leiter Altersvorsorge, den Bausparchef und so weiter. Die bekommen - jeder einzeln - vom Vorstand »ehrgeizige« (zum Teil utopische) Wachstumsziele, die sie einzeln in ihrem Bereich erreichen sollen. Diese Ziele sind schön hoch angesetzt, denn der Vorstand will sichergehen und erzeugt damit schon Überlastungsstress und ein Utopiesyndrom. Die Spartenchefs erklären jetzt den Bankmitarbeitern sehr eindringlich, bitte doch jedem Kunden möglichst Immobilien, Wertpapiere oder Versicherungen nahezulegen, damit die Spartenchefs ihre ehrgeizigen Wachstumsziele erreichen. Sie beantragen beim Vorstand Sonderkampagnen für ihre Sparten, zum Beispiel eine Altersvorsorgewoche rund um den Weltspartag. Die Begründung ist: »Altersvorsorge macht gerade großen Profit, die positionieren wir deshalb ganz prominent.« Oder: »Altersvorsorge macht Verlust, wir positionieren sie deshalb prominent, damit sie aus dem Tal herauskommt und der Altersvorsorgechef doch noch den Bonus bekommt.« Was genau entschieden wird, ist eine Machtfrage. Die Begründung ist nicht so wichtig, man designt erst nach der Kampfentscheidung eine Mitarbeiter-Kommunikation, die man den Mitarbeitern logisch präsentieren kann.

Die Bankmitarbeiter schäumen: »Der Weltspartag ist für alle Kunden und Produkte, nicht nur für Altersvorsorge. Wir haben am Weltspartag regen Publikumsverkehr, da können wir uns nicht mit jedem zwei Stunden hinsetzen und über Altersrenten reden, außerdem brauchen wir da Fachleute aus der Zentrale, weil wir selbst von Rentenplänen keine Ahnung haben, wir verkaufen die doch nur!«

Die Filialmitarbeiter sind in dieser Weise wie Marionetten der Spartenchefs geworden. Jeder Spartenchef hat (s)einen Faden der Marionette zu bewegen. Die Idee ist, dass alle Spartenchefs gemeinsam die Marionette des Mitarbeiters so bewegen, dass sie dem

Kunden gegenüber wie ein normaler netter Mensch erscheint, aber auch alles verkauft, was die Spartenchefs wollen. Leider müssen die Spartenchefs ihre Einzelziele erreichen und zanken miteinander. Sie ringen um Prioritäten. Wenn der Kunde zwischen Bausparen und Investmentfonds schwankt, wohin soll ihn der Filialmitarbeiter lenken? Über ihm streiten sich dann die Spartenchefs, sie ziehen an den Fäden der Marionette und die verrenkt sich ...

Der Streit der Spartenchefs wird natürlich nicht ständig über/hinter dem Mitarbeiter ausgetragen, nein, man gibt ihm einfach die ausgestrittenen Prioritäten der Bank in den Computer als Ziel ein. Jeder Mitarbeiter muss so und so viele Neukunden gewinnen, so und so viele Fonds, Versicherungen oder Bausparverträge verkaufen et cetera. Da die Spartenchefs quasi gegeneinander arbeiten (der Kunde kauft eben nur das eine oder andere), weil ihre Ziele in Konkurrenz stehen, wird eine Menge Stress auf den »Diener vieler Herren« in der Bankfiliale abgeladen. Der Filialberater soll nun alles gleichzeitig richten. Er schafft es nie, alle Ziele so zu erfüllen, dass er genau den Verkaufsmix liefert, wie er oben von den Spartenchefs ausgestritten wurde. Er sieht oft, dass der Spartenmix ganz am Kunden vorbeigeht und so gar nicht verkäuflich ist. Die Ziele des Kundenberaters beruhen ja auf Gewinnträumen und Rivalitäten der Sparten, sie sind ganz ohne den Kunden entstanden.

Deshalb muss sich der Verkäufer eigentlich immer und ständig rechtfertigen, warum er einzelne Teilziele nicht erfüllt hat. »Bei Versicherungen liegen Sie gut, aber Sie haben kaum Neukunden gewonnen! Tun Sie etwas! Sonst ist Ihr Bonus in Gefahr!«

Das ganze opportunistische System wird immer komplexer, die Fäden laufen nicht mehr gut zusammen, die Interessen des Kunden werden bei den Zieldefinitionsrunden kaum gesehen (für die Spartenchefs sind die Kunden weit weg und ihnen aus ihrer Partikularsicht auch egal). Das Unternehmen hat große Mühe, die Ziele überhaupt einigermaßen konsistent zu definieren, da würde der Kunde, so hart es klingt, alles nur noch stärker verwirren.

Für den Kunden kommt im Endeffekt etwas lieblos Einfaches heraus, das ihn Ärger und Nerven kostet. Er muss sich die Leistungen der Bank fast erstreiten (»Nein, ich will keine Fonds! Nein, ich brauche keinen Reiseschutzbrief. Sie kennen mich doch, warum kommen Sie mir immer wieder damit?«). Ach, früher, als wir die Kontoauszüge noch abholen mussten! Da kannte man uns noch wirklich. Früher war die Bank unser Freund und mochte uns. Einfach so, ohne Gewinnziel oder Euro-Zeichen in den Augen.

Für den Mitarbeiter wird das Beraten nun ein stressiger Knochenjob. Er schaut unter seinen fast unerreichbaren Zielen den Kunden anders an. Er liest in den Augen des Kunden nicht mehr. »Was möchte er wirklich, was kann ich Gutes tun?«, sondern: »Wird er abschließen?«, oder er fürchtet ganz genervt einen Beratungsdiebstahl: »Der redet und redet und stiehlt mir die Zeit, er hat bestimmt ein Internet-Bankkonto und will sich für seine eigenen Entschlüsse für dieses Konto hier meinen Rat schnorren.«

Die Akerlof'sche Todesspirale dreht sich weiter und weiter: Filialen werden zusammengelegt, weil sie sich nicht mehr rechnen, denn die Kunden wollen nicht mehr hereinkommen - sie werden nur noch umgarnt und fast belästigt. Die immer stärker konzentrierten Filialen haben bald ein so großes Einzugsgebiet, dass der Berater seine Kunden gar nicht mehr kennen kann. Die Banken stellen Zeitarbeitskräfte ein, weil man eigentlich gar nicht mehr so viel Fachkenntnis braucht, wenn man ja doch dem Kunden anbieten muss, was der Computer (also dahinter der Spartenleiter) empfiehlt. Irgendwann verschwindet alles in ein Call-Center und dann ganz ins Internet.

Das ist dann das Ende der allseitigen Opportunismus-Spirale. Wir haben alle mitgemacht. Die einen beraten nicht mehr, die andern bezahlen anständige Arbeit nicht mehr. Wir haben uns alle einander entfremdet, weil wir uns alle auf den allgemeinen Zitronenhandel eingelassen haben. Die Kundenberater benehmen sich wie dilettantische Marionetten fremder Interessen, und wir Kunden erleiden das manchmal noch mit einem gewissen Verständnis - wir haben aber zunehmend Mühe, die Berater wirklich zu respektieren. »Wir machen doch alle nur unseren (sinnentfremdeten) Job.« Mir fällt dazu nur der Begriff »Scientific Mismanagement« ein.

Scientific Mismanagement denkt nicht nur über die bestmögliche Erledigung einer Arbeit nach, es wird versucht, die Arbeit in optimiert opportunistischer Weise zu erledigen. Allseitiges Vertrauen wird durch Opportunismus in jeder Beziehung ersetzt: Kunden,

Servicegeber, Mitarbeiter, Chefs, Spartenvorständen, Aktionäre - sie alle versuchen sich gegenseitig zu übervorteilen, indem sie Unwissen auf der anderen Seite ausnutzen.

[Wenn sich in einem Schwarm alle »Intelligenten« bemühen, alle anderen als »Dumme« Aufgefassten übers Ohr zu hauen, wird der Schwarm insgesamt dumm und misstrauisch.]

Schwarmintelligenz betont doch immer das verbindende Interesse, die gleichen Ziele und Visionen. Solche Visionen und »Teamziele« gibt es immer noch, aber sie tauchen nicht mehr als Teamziel auf. In unserem Beispiel wäre das Erreichen des Gesamtgewinnziels der Filiale ein »Teamziel«, aber in dem Augenblick, wo die Mitarbeiter ihre individuellen Ziele bekommen, verlieren sie am Team und an der Filiale, an der Bank insgesamt und an der Menschheit (zu der die Kunden gehören) jedes Interesse. Sie sind Einzelkämpfer geworden, weil das System sie dazu gemacht hat. Noch schlimmer: Wenn die Bank zunehmend Zeitarbeitskräfte einstellt, immer wieder neu, um »flexibler in der Workforce zu sein«, dann ist da kein echtes Team mehr. Besonders nicht unter Managementansichten wie »Zeitkräfte kann man besser auspressen, aber mit den Festangestellten muss man leben - die kündigen leider nicht, weil sie die Lage der Zeitkräfte sehen«.

Der einsame Mahner mitten im opportunistischen Schwarm

Was kann ein einzelner Vernünftiger tun? Ich habe einmal als Berater den kompletten Vorstand eines Unternehmens gewarnt, jedes Vorstandsmitglied einzeln nacheinander, dass es logisch gesehen eine große Katastrophe geben würde. Sie blockten ab. Einer sagte - das habe ich heute noch im Ohr: »Es ist logisch, was Sie sagen. Wahrscheinlich stimmt es sogar. Aber es sagt sonst niemand. Nur Sie. Nehmen wir an, ich setze um, was Sie sagen - und nehmen wir an, es geht schief. Dann werden mich die Shareholder fragen, warum ich so entschieden habe - als Einziger unter vielen Unternehmenschefs. Ich werde dann antworten, dass mir Gunter Dueck das so empfohlen hat. Den Dueck kennen meine Shareholder leider nicht - ich wäre daher sofort meinen Job los. Warum also soll ich Ihnen überhaupt zuhören, wenn Sie etwas vorschlagen, was keiner sonst vorschlägt?« - Ich erwiderte: »Weil es nach normaler Logik eine Vollkatastrophe gibt, wenn Sie nicht auf mich hören.« - »Aber nicht für mich, Herr Dueck, weil alle anderen Unternehmen ebenfalls in dieselbe Katastrophe laufen. Wenn mich dann die Shareholder fragen, warum ich versagte, dann kann ich damit auftrumpfen, dass es in der Branche niemand richtig gemacht hat, sodass ich es also nicht habe erkennen können, weil es ja kein Einziger erkannt hat. Sie sind sehr intelligent, Herr Dueck, ich aber auch. Verstehen Sie mich in der vollen Tragweite?«

Wenn alle dumm zu sein scheinen, ist es unter vielen Umständen besser, sich selbst auch dumm zu stellen. Weil das so ist, fordert man so oft, so laut und völlig erfolglos, dass sich Top-Manager einmal etwas zutrauen und etwas Ungewöhnliches tun sollten - und dabei das Fehlerrisiko in Kauf nehmen. Man vergisst naiv, dass es verschiedene Fehler und Risiken gibt, solche für das Unternehmen, solche für die eigene Karriere und - vergessen Sie die nie - solche, die einem eine Menge Baustellen und Überstunden einbringen.

Wie ging es weiter? Logik ist Logik, die Katastrophe kam sechs Monate später. Es wurde niemand entlassen, weil die Manager dann auf kurze Sicht wirklich gekonnt und energisch gegensteuerten. Diese Beherztheit war den Aktionären sicher einen dicken Bonus wert. Logik ist Logik. Man löst im Schwarm Probleme, wenn sie kommen, eins nach dem anderen - und man wartet gelassen (= schwarmdumm?), bis sie kommen. Es hat keinen Sinn - so sagen viele oder so sagt die Mehrheit -, Probleme zu lösen, die noch nicht gekommen sind. Vieles erledigt sich bekanntlich von selbst, und die meisten Probleme kommen dann doch nicht. Manager sind nicht gut beraten - so sagen viele -, zu sehr auf dünnhäutige Schwarzseher zu hören.

Man erzieht uns als Book Smarts – aber wir mutieren zu Street Smarts!

Vernunft gegen Gewieftheit: Im Amerikanischen gibt es die Bezeichnung *Book Smart,* die oft im Gegensatz zum *Street Smart* gesehen wird. Ein Book Smart ist gut erzogen, hat akademische Bildung und weiß alles genau. Ein Street Smart hat die schlaue Intelligenz, wie sie im Straßenkampf der Gangs nützlich ist. Street Smarts sind gewiefte, clevere Meister des Überlebens, die auch in sehr kritischen Situationen richtige Entscheidungen treffen können. Sie haben den schnellen Instinkt im Kampf, während die Book Smarts alles mit Vernunft bewältigen wollen.

Das digitale Urban Dictionary sieht einen Street Smart so: »A person who has a lot of common sense and knows what's going on in the world. This person knows what every type of person has to deal with daily and understands all groups of people and how to act around them. This person also knows all the current shit going on in the streets and the ghetto and everywhere else and knows how to make his own right decisions, knows how to deal with different situations and has his own independent state of mind. A street smart person isn't stubborn and actually listens to shit and understands shit.«

(»Eine Person mit einer Menge von gesundem Menschenverstand, die weiß, wie es in der Welt zugeht. Diese Person weiß, wie sie jede Art von Personen im täglichen Leben behandeln muss, sie versteht alle Gruppen um sich herum und weiß mit ihnen umzugehen. Diese Person kennt all die Scheiße, die auf der Straße, im Ghetto und sonstwo passiert, und kann immer richtig entscheiden, sie kann mit allen Situationen umgehen und hat einen unabhängigen, freien Standpunkt. Ein Street Smart ist nicht widerspenstig, ganz im Gegenteil, er hört sich all die Scheiße an und versteht die Scheiße auch.)

Diese Sätze sind authentisch Street Smart, nicht wahr?

Unter den Street Smarts gibt es eine Menge Lästerei über Book Smarts, besonders, wenn sich Book Smarts in ungewöhnlichen Situationen mit Buchwissen lächerlich machen. Ich selbst bin ein

Book Smart. Bei der IBM muss man, um Führungskraft zu werden, ein sehr hartes Assessment Center überstehen. Nach zwei Tagen von Übungen, in denen man Durchsetzungskraft zeigen sollte, fiel das Urteil über mich: Sie sagten mir, ich könnte wohl schon managen, aber ich sei viel zu rational und würde wohl innerlich voraussetzen, dass alle anderen auch vernünftig wären. In diesem Falle - und zunächst wohl nur dann - wäre ich wohl ein guter Chef. Wenn nun aber die Mitarbeiter zänkisch, schlecht, irrational und unethisch wären, würde ich wahrscheinlich als Chef versagen, weil meine Vernunft als die eines Book Smarts unter diesen Umständen nicht ausreichen würde, um die Lage zu beherrschen. Sie hatten deshalb überlegt, ob ich wirklich als Führungskraft geeignet sei, meinten dann aber, sie könnten mir nicht direkt anlasten, ein lupenreiner Book Smart zu sein, weil ich ja in meiner Universitätslaufbahn nur mit Book Smarts zu tun gehabt hätte. Es könnte ja sein, dass ich mich noch ändern würde und es gut könnte, wenn ich es denn müsste.

Ehrlich gesagt wusste ich damals nicht wirklich, was sie damit meinten. Vernunft ist doch gut?! Und dann wurde ich Manager. Und ich hatte mich mit Irrationalem zu befassen. Und - wow! - wie Recht sie hatten, dass ich zu wenig Street Smart war! Ich versagte in Situationen, in denen man sehr laut sein musste, das konnte ich nicht. Ich wollte nicht Gleiches mit Gleichem vergelten, wenn Leute mich zu übervorteilen suchten. Ich fühlte mich wie in einem Gefängnis an die vernünftigen Buchweisheiten gekettet. Ich hatte hilflose Momente. »So eine Scheiße.« Und ich wusste nicht, dass ein Street Smart sich eben all die Scheiße anhört und sie versteht - und dann mit allen entsprechend umgehen kann.

Ich habe damals Bücher gelesen, wie man in Streitigkeiten und bei Verhandlungen die Oberhand gewinnt oder behält. Haha, ich lerne es als Book Smart! In der Literatur wurden verschiedene Typen von Menschen vorgestellt. Ich war Book Smart. »Hey, Sie! Sie handeln nach wenigen ethischen Grundsätzen und kämpfen immer für das Ganze und dessen feste Prinzipien. Man kann Sie daher beliebig weit vorausberechnen und weiß schon, wie Sie in den nächsten Monaten entscheiden. Weil das jeder im Team weiß, ist Ihre Position jedes Mal irrelevant, weil Sie beim Pokern in Verhandlungen mit offenen Karten spielen und das auch noch gut finden. Man streitet dann im Meeting nur mit denen, die gut pokern.« Für meinen Typ gab es eine Sektion mit Ratschlägen. Die war kurz: Ich sei für Verhandlungen hoffnungslos schlecht und kaum zu verbessern. Es sei aber praktikabel, wenn ich alle paar Monate einmal vollkommen rabiat schimpfend ausrasten würde, so irre, dass vielleicht ein Arzt gerufen werden müsste. Danach könnte ich wieder vernünftig sein, wenn es unbedingt sein müsste. Das Ausrasten würde die Leute so sehr erschrecken oder verwundern, dass sie mich für einige Monate etwas fürchten würden und nicht mehr so rücksichtslos mit mir umsprängen.

Da erinnere ich mich an meine Zeit als Abiturient - sie hänselten mich oft, weil ich meine Hausaufgaben machte, einfach so. Einmal war es mir zu viel. Der Chemielehrer kam gerade zur Klasse herein, alle standen zum Gruß auf. Ich ging ruhig nach vorne, tränkte einen weißkreidigen Dreckschwamm mit Wasser, ging zu meinem Quälgeist, der noch vor dem Lehrer in Hab-Acht-Haltung stand, stellte mich hinter ihn und drückte den Schwamm sorgfältig auf seinem Kopf aus. Er zeigte keine Reaktion. Es war still. Ich setzte mich auf meinen Platz. Niemand hat sich je zu diesem Vorfall geäußert, der Lehrer nicht und auch keiner in der nachfolgenden Pause. Und das Hänseln hörte ziemlich weitgehend auf.

Seit dem Urteil des Buches über das Verhandeln habe ich mich ein bisschen bemüht, Anteile eines Street Smart in mir zu aktivieren ... Ich verstehe also auch für mich selbst, dass jeder ein bisschen Street Smart sein sollte. Aber der heutige Arbeitsdruck und der Kontrollwahn werfen uns vom einstigen Büroparadies aus so sehr in den opportunistischen Dschungel (»in die ganze Scheiße«), dass der Book Smart in uns ganz verloren zu gehen droht.

> Der Book Smart macht sich Gedanken, wie die Welt sein könnte oder sollte. Der Street Smart nimmt sie, wie sie ist.

Der ursprüngliche Taylorismus beziehungsweise das Scientific Management ist im Grunde die hehre Idee eines Book Smarts. Auch die Universitätslehre ist eine der Book Smarts, die alles in Regeln und Verstand packen. Ein Street Smart kommt in den Universitätsvorlesungen in Betriebswirtschaftslehre nicht vor. In der Universität wird erklärt, wie man mit reinen Gedanken, mit Mathematik und Scientific Management die beste Art findet und anwendet, wie man mit den knappen Gütern unseres Planeten optimal wirtschaftet. Das will Scientific Management.

In der realen Wirtschaft aber kämpfen die Menschen um ihren Vorteil. Je nach Zeit und Konjunkturlage sind sie dabei mehr auf Wettbewerb oder mehr auf Kooperation aus. Seit einigen Jahrzehnten wird der Kampf mit Computern und Optimierungssoftware, mit Preiskriegen und Lohndumping geführt - die Arbeitnehmer werden unter Arbeitsplatzverlustangst und Incentive-Druck gehalten.

In dieser Weise zieht sich ein Zwiespalt durch unser Denken und Handeln. Die Book Smarts reden immer vom Wohlstand für alle, die Street Smarts vom Siegen über andere oder vom Überleben im Wettbewerb. Die Praxis der Street Smarts hat zu unsinnigen Überlastungen und der Akzeptanz des opportunistischen Verhaltens der Marktteilnehmer geführt. Die Wirtschaft ist zum Straßendschungel geworden. Wer einen Wissensvorsprung hat, nutzt ihn aus (»monetarisiert ihn«). Alle diese Street-Smart-Effekte zusammen leiten einen Teufelskreis ein, eine Akerlof-Spirale, die zu immer größerem Opportunismus der Anbieter, zum Sinken der Kundentreue und zu immer schlechterer Leistungsqualität (»das tut's«) führt.

Ratgeber – meine Binsenweisheiten

Es ist eigentlich sonnenklar: Eine gute Gemeinschaft ist produktiver als eine lose Ansammlung von opportunistischen Einzelnen.

Vertrauen, Redlichkeit und Ehrlichkeit sind vom Prinzip her besser als Misstrauen und Opportunismus unter gestresster Hetze. Nachdem alles Vertrauen opportunistisch in Vorteile umgewandelt wurde (das war auch der wahre Grund der Finanzkrise, die wir noch lange Jahre werden ausbaden müssen), wird nun unter den

Schlachtrufen »Team! Vertrauen! Verantwortung! Corporate Social Responsibility (klingt so gut in Englisch, dass man fast nichts mehr tun muss)! Business Ethics (klingt viel besser in Englisch)! Gemeinsam sind wir stark! All together now! All you need is vision!« gepredigt, aber es hört sich wie Gesundbeten an. Erst wurde damit Geld verdient, dass man den Kunden und die Mitarbeiter übervorteilte, um zu hohe Ziele zu erfüllen und an hohe Boni zu kommen, nun sollen Kunden und Mitarbeiter sofort wieder vertrauen, damit das Leben vernünftig weitergehen kann. Und was wäre, wenn wir gleich wieder vertrauten? Würden wir sofort wieder übervorteilt werden und müssten noch eine Irgendetwaskrise mit Steuergeldern bezahlen?

Ich kenne keine Managementlehre, die dazu auffordert, Mitarbeiter dauerhaft chronisch zu überlasten oder Kunden listig zu übervorteilen. Keine Managementlehre führt zum Ausbrennen in Kurzfristigkeit oder zum Zusammenbruch aller Nicht-Tagesgeschäft-Gedanken. Keine davon will den Mitarbeiter zu Flachbildschirmrückseitenberatung dressieren, keine predigt das absichtliche Einimpfen von Arbeitsplatzverlustangst.

William Edwards Deming (1900 bis 1993), der wesentlich zum Erblühen der japanischen Industrien nach dem Zweiten Weltkrieg beitrug, warnte insbesondere vor »placing blame on workforces who are only responsible for 15 per cent of mistakes where the system designed by management is responsible for 85 per cent of the unintended consequences«. (»Beschuldige nicht die Arbeiter - die machen nur 15 Prozent der Fehler selbst, während die restlichen 85 Prozent aus unbeabsichtigten Konsequenzen eines Systems resultieren, das das Management so designt hat, wie es ist.«)

Aber ich allein kenne so viele Manager, die ihren Mitarbeitern genau das aufdrücken: nicht immer über die Unvollkommenheiten des Systems zu meckern, sondern damit verdammt noch mal fertig zu werden. »Ich muss mit diesem System schließlich selbst auch fertig werden, das verlange ich von Ihnen auch.«

Fazit

Scientific Management der Book Smarts wird zum Scientific Mismanagement der Street Smarts. Dieses Mismanagement erzeugt Schwarmdummheit, von der immer größere Teile der Wirtschaft erfasst werden, insbesondere die großen Unternehmen. Schwarmdumme Systeme zwingen die intelligenten und gebildeten Menschen (Book Smarts), zu Street Smarts zu werden, »die im Dschungel der Straße überleben«.

Wollen wir wirklich wieder nach den Gesetzen des Dschungels leben? Haben wir nicht schon erkannt und akzeptiert, dass wir ohne große Kriege besser leben und Rüstungsspiralen schwarmdumm sind? Warum glauben wir denn, dass »Kampf um das Überleben« in Privatleben und Ökonomie besser sei als gesunde Vernunft? Die Schwarmdummheit lastet auf uns.

4

Das Dauertagesgeschäft verliert den Sinn für First Class

Das Tagesgeschäft frisst unsere Zeit so völlig auf, dass wir nicht mehr dazulernen und langsam den Sinn für Qualität und Erstklassiges verlieren. Wenn unser Chef Exzellenz fordert, weiß eigentlich niemand mehr, was er will. Er selbst auch nicht.

Kurzinhalt: Die Book Smarts studieren fortwährend Exzellenz und die Champions der Wirtschaft. Wenn wir uns aber im Tagesstress nur noch auf das Quartalsergebnis (»das Überleben«) fokussieren, verlieren wir den Blick für das Erstklassige. Als Street Smarts kümmern wir uns vorrangig um den »täglichen Scheiß«. Natürlich gibt es dann früher oder später Kritik an den Leistungen eines Unternehmens, und zwar von Kunden und Aktionären. Dann versucht man, das Erstklassige schnell und effizient vorzutäuschen. Für echte First-Class-Lösungen fehlt oft schon die Kompetenz. Zweitklassige »Good-enough«-Mitarbeiter verstehen nicht einmal, was erstklassig wäre. Wenn der Schwarm keine Sehnsucht nach Erstklassigem hat, wird er zweitklassig, drittklassig – dumm. Eine Teufelsspirale. Das Streben nach Erstklassigkeit ist ein Nährboden für Schwarmintelligenz. Wenn das fehlt, entsteht Schwarmdummheit.

First Class Hires First Class – Second Class Hires Third Class

Dieser Titel ist ein Zitat, das überall verwendet wird, ich konnte den eigentlichen Urheber nicht herausfinden. Ich hörte es zum ersten Mal (und in der Folge sehr oft) von meinem Doktorvater Rudolf Ahlswede, der damit seine Sicht auf die in der Forschung herrschenden Zustände erhellte. Er selbst war übrigens einer der »Weltmeister« auf seinem Forschungsgebiet, also absolut First Class.

Seine - für gewöhnlich recht ausführliche und emotionale - Erläuterung des Zitats klang ungefähr so: Die Zweitklassigen verstehen einfach nicht, was erstklassig ist. Sie verstehen nicht, was genial, charismatisch, außergewöhnlich, kreativ oder großartig ist. Sie beurteilen alles nach Regeln und Kriterien. Sie verstehen nichts! Nichts! Alles Clerks [hier = »Verwaltungskleinkrämer«]! Deshalb ruinieren sie die Wissenschaft, weil sie keine Ahnung haben. Außerdem haben sie Angst, dass einer besser sein könnte als sie selbst! Wenn sie Leute als Professoren einstellen, dann lieber nur Drittklassige, weil die ihnen nicht den Rang ablaufen. Zweitklassige sind dumm und schlau zugleich. Zu dumm, um Erstklassige zu erkennen. Zu schlau, um sie einzustellen. Deshalb heißt es in den USA: *First Class Hires First Class - Second Class Hires Third Class.* [Die Erstklassigen stellen Erstklassige ein, die Zweitklassigen Drittklassige.] Auf diese Weise hat man dann eine Menge Drittklassiger in der Forschung, die nichts bringen, absolut nichts. Das Witzige ist, dass die Drittklassigen manchmal sogar Erstklassige einstellen wollen, weil sie beim Einstellen ganz naiv nach guten Leuten suchen. Drittklassige können natürlich auch keine Erstklassigen erkennen und verwechseln sie leicht mit Zweitklassigen, aber nicht mit Drittklassigen, weil die Erstklassigen sich von Drittklassigen zu sehr unterscheiden. Aber die Erstklassigen lassen sich nicht von Drittklassigen einstellen, weil sie dann unter deren Einfluss stehen würden und nicht anständig arbeiten könnten. Ich sage Ihnen: Wenn die Clerks erst einmal genug Einfluss haben, dann geht alles den Bach runter. Leider bekommen sie stets und unweigerlich Einfluss, weil sie in der Forschung nichts bringen und dann lieber in Ausschüssen rumsitzen, was die Erstklassigen als geisttötend ablehnen. Wehe, irgendwann kommt einmal ein Zeitklassiger unter die Erstklassigen! Er wird sofort Dekan, weil dazu keiner der Erstklassigen Lust hat! Und dann beginnt der Ruin. Wehe, wenn nicht der Beste Dekan ist, sondern ein Clerk. Dann kommen massenhaft Drittklassige hinterher.

Bei Platon diskutiert Sokrates oft die Frage, ob First Class überhaupt lehrbar ist. Kann man Tugend, Tapferkeit oder Charisma lehren? Kann man lehren, *arete* zu erkennen? *Arete* ist bei Platon eine Eigenschaft von Dingen oder Menschen. Platon sagt, etwas habe Arete, wenn es das, was es eigentlich sein soll, in überaus vortrefflicher Weise auch ist. Im Amerikanischen würde man »outstanding« sagen oder »sound«. Alles ist gut, alles passt perfekt zusammen. Es ist schwer zu beschreiben, wann etwas vortrefflich ist - wann ist etwas große Kunst, wann Kitsch, wann durchschnittliches Machwerk? Kann man lehren, was wahre Schönheit ist? Gerechtigkeit? Weisheit? Sinn? Stil? Geschmack? Kann die First Class der Second Class überhaupt im Prinzip beibringen, was First Class ist? Das, was ich mit genial einfach bezeichnet habe - das ist auch so eine Kategorie der Vortrefflichkeit, die schwer zu beschreiben ist.

Dunning und Kruger stellten ja fest (ich wiederhole es hier), dass »weniger Kompetente« und ganz bestimmt die Dummen dazu neigen,

- ihre eigenen Fähigkeiten zu überschätzen,
- überlegene Fähigkeiten bei anderen nicht zu erkennen,
- das Ausmaß ihrer Inkompetenz nicht zu erkennen vermögen ...

Zwischen der Erstklassigkeit und der Zweitklassigkeit besteht also ein tiefer Graben. Ich will Ihnen jetzt dafür ein gewisses Gefühl geben. Erstklassige sehen das Ziel, etwas genial einfaches Exzellentes zu erschaffen. Dann suchen sie nach Mitteln dafür, es zu erreichen. Sie nehmen sich Zeit, es zu erreichen. Sie üben und üben und streben. Zweitklassige Book Smarts schauen nach rechts und links: Sind sie selbst aus ihrer Sicht und im Vergleich zu anderen »in Ordnung«? Haben sie ihre Pflicht getan? Was tun die anderen? Sind sie schon weiter oder besser? Wer ist Klassenprimus? Ist man selbst noch besser als der Durchschnitt? Zweitklassige Street Smarts denken im Hier und Jetzt: Was ist jetzt im Augenblick an Gewinn für sie drin? Was bringt es jetzt sofort? Der große Unterschied liegt zwischen der absoluten Sicht der Erstklassigen und der relativen Sicht der Zweitklassigen. Darauf will ich jetzt ein erstes Blitzlicht werfen.

Wenn es in irgendeinem Schwarm dazu kommt, dass das Zweitklassige die Mehrheit erringt, dann setzt sich das Denken der Zweitklassigen durch. Sie sehen nicht mehr auf das gemeinsame Ziel, sondern achten nur noch darauf, gut zu arbeiten. Die Schwarmdummheit setzt ein, wenn sich das Erstklassige nicht mehr gegen das Zweitklassige halten kann. Das ist regelmäßig der Fall, wenn Firmen sehr groß werden. Nur wenige große Firmen behalten ihre Größe, wenn sie größer werden. Die großen Schwarmdummen täuschen bald nur noch Erstklassigkeit vor. Sie sind nicht mehr erstklassig, aber sie können noch eine lange Zeit so tun als ob (*faken*): »Wir stehen für Innovation und Nachhaltigkeit! Wir verstehen Kunden und lieben unsere Produkte!« Sagen lässt sich das noch lange ...

Erstklassige denken in absoluten, Zweitklassige in relativen Maßstäben

Was zeichnet die Besten aus? Es ist schwer zu beschreiben, das wissen wir spätestens seit Platon. Darf ich es dennoch ein bisschen versuchen? Man braucht Talent, Charakter, Haltung, Ausstrahlung und disziplinierte Leidenschaft für Vortrefflichkeit. Viele Trainer erkennen Talente. Reicht das? Manche Talente entwickeln sich nicht, haben keinen großen Traum. Andere sagen: »Stelle die Leute ein, die eine First-Class-Haltung haben, und bringe ihnen dann bei, was sie bei ihrem Job können müssen!« Im Amerikanischen sagt man: »Hire for attitude, train for skills.« Daran ist sehr viel Wahres! Schauen Sie einfach in die Fußballberichte: Die Besten haben Charakter, übernehmen die Verantwortung, sind Führungsspieler, motivieren die Zweitbesten, treiben sie an, nehmen sie mit und sind Gewinnertypen. Sie lernen aus Niederlagen, lieben den Fußball und bewundern Höchstleistungen ihrer Gegner. Diese Haltung ist aber auch nicht alles - Talent und Sinn für das Vortreffliche brauchen die Besten auch!

Es gibt gar nicht so viele Menschen, die fachlich und menschlich erster Klasse sind. Die nur fachlich Besten geben gute Fachleute ab, die Führungskräfte werden wirklich fast nur nach Haltung und Charakter ausgewählt - was sie dann inhaltlich managen oder führen, bringt man ihnen bei. Aber dann leidet man unter diesen Einseitigkeiten beziehungsweise zu engen Auslegungen von Erstklassigkeit: Viele gute Fachleute denken zu komplex und verstehen das genial Einfache nicht, viele haben große Talente, sind aber ohne jede Ausstrahlung. Wir hadern mit Managern, die zwar die richtige Haltung haben, aber jede fachliche Bodenhaftung vermissen lassen. Wirkliche Erstklassigkeit ist ... ja, schwer zu beschreiben.

First-Class-Ansatz: Was ist das absolut gesehen Beste?

Die Besten stellen die grundsätzlichen Fragen: Wie spielt man großartigen Fußball? Was wollen die Kunden an genial einfachen Produkten und Dienstleistungen? Wie sieht das schönste Auto aus? Wie wollen wir in Zukunft wohnen? Welche Verkehrssysteme sind ideal? Wie sieht Bildung in der Wissensgesellschaft aus? Wie leben wir weiter als Volk der Dichter, Denker, Ingenieure und des Made in Germany? Welche Menschen brauchen wir in Zukunft - wie erziehen wir sie? Wozu sind wir selbst da? Welche Verantwortung haben wir über bloße Jobs hinaus? Was ist beste Forschung, Entwicklung und Arbeit? Wie kommt man dahin, das Beste zu verwirklichen? First Class stellt die Fragen im absoluten Sinne. Darum kreisen Denken und Handeln [nochmal: und Handeln]. Erfolg ist, dass es verwirklicht wird. Dafür zeigen sie Leidenschaft und Feuer, sie sind Pioniere und Unternehmer.

Es wird immer darüber diskutiert, wie man First Class erkennt. Sokrates diskutiert es lange bei Platon und hat dafür kaum einen Rat. Er findet einerseits, dass man intuitiv wissen oder fühlen könne, was First Class sei, meint aber auch, dass man es nicht in Worten beschreiben könne, weil alle Kriterien, die man geben könne, nicht den Kern träfen. So etwas wie Genie mag erfahrbar oder sinnlich wahrnehmbar sein, es ist aber nicht lehrbar.

Fast alle Großen haben einen besonderen Charakter, sie begründen neue Wissenschaften, sind auf einem Gebiet kreative

Schöpfer oder prägen einen eigenen Stil. Das ist manchmal leicht zu sehen, aber die Vielfalt und das überraschend Einzigartige an ihnen macht es ganz schwer, sie »nach einheitlichen Kriterien« zu beschreiben. Man kann das Große nur im Ganzen erfassen - ja, und manchmal lässt sich das Geniale erst viel später erkennen (armer van Gogh!).

Ich sehe es so - und Platon mag es so gemeint haben: Viele spüren die Gegenwart des Erstklassigen, aber sie können die reine Erfahrung des Erstklassigen nicht dazu nutzen, selbst Erstklassiges zu erzeugen. Die Zweitklassigen brauchen Regeln, Empfehlungen und Rezepte, um etwas zu erzeugen - und die gibt es für das Erstklassige eben meistens nicht.

Second-Class-Ansatz der Book Smarts: Wer ist der Beste?

Für die Masse der Menschen ist es klar: Der Beste ist derjenige, der beim Vergleich (Ranking) am besten abschneidet oder »die besten Noten bekommt«. Das ist sehr simpel zu beschreiben! Im Sport gibt es Punkte, in der Schule Zensuren, in den Unternehmen Leistungsmessungen, Beförderungen und Gehaltserhöhungen. Manager werden nach dem Gewinn des Unternehmens beurteilt oder nach dem Umsatzbeitrag der Abteilung. Stars werden nach Jahreseinkommen beurteilt, es gibt eine Rangliste der Reichen und der PISA-Ergebnisse der Länder. Wer in einer Tabelle oben steht, ist der Beste. Das denken alle, haben aber eine tiefe Abneigung gegen die sogenannten EinsPunktNuller, das sind diese ungeliebten Streber, die alles richtig machen - und die bei Anlegung irgendeines Kriteriums stets die Tabelle anführen. Sie sind nach allen Regeln perfekt und machen keinen Fehler bei der Umsetzung von Rezepten. Sie sind die besserwisserischen Book Smarts, sie wissen alles. Sie haben alle Fähigkeiten (Skills), aber nicht die innere Haltung der First Class. Oft sind EinsPunktNuller nicht kreativ, handeln nur auf der sicheren Seite und kommen mit dem Leben nicht ganz klar, weil sie keinesfalls Street Smarts sind - das verlangen die Kriterien ja nicht. Alle diese Perfektionisten sind die Besten unter den Zweitklassigen. Zweitklassige insgesamt handeln nach Kriterien und Anforderungskatalogen, sie tun ihre Pflicht für Lob.

Zweitklassige machen sich viele Gedanken, wie gut sie abschneiden - und zwar fast immer relativ, nicht absolut (First Class denkt fast nur absolut!). »Es kommt im Leben selten darauf an, der wirklich Beste zu sein. Es reicht, eine Nasenlänge vor den anderen zu sein - so lange bleibst du im Business.« Das ist das Credo der nicht so perfektionistischen Zweitklassigen, es reicht, ein bisschen besser als die Konkurrenz zu sein, dann ist man ja vorn dabei.

Ein Beispiel: Während der Universitätsausbildung muss der Student viele Scheine erwerben, die ihm den erfolgreichen Abschluss von Übungen attestieren. Es ist in vielen Fächern üblich, die Bestehensgrenze bei 50 Prozent festzulegen. Ich habe als Professor unermüdlich die Frage gestellt: »Wenn jemand bis zum 25. Lebensjahr den Master-Abschluss mit immer nur 50 bis 60 Prozent bestanden hat - ist er dann eigentlich im Beruf tragbar? Erwarten wir unseren Arzt, Rechtsanwalt oder Vermögensberater als Menschen, der immer nur die Hälfte richtig macht?« Die meisten Studenten rechneten immer mit ihren Punkten herum. »Bin ich gut genug?« Keinen wirklichen Gedanken an den späteren Beruf, kein leidenschaftliches Interesse am Fach an sich. Viele sagten sich: »Zwei Drittel der Punkte muss ganz gut sein, weil zum Bestehen schon die Hälfte reicht. Mit zwei Drittel bin ich zufrieden.« Second Class will gut bestehen und schafft das. Das ist die relativ orientierte Haltung (Attitüde) der Second Class. Erfolg ist, wenn man relativ zu den anderen gelobt wird. Die Frage, ob zwei Drittel im absoluten Sinne gut sind, wird nicht gestellt.

Eine Anekdote: Mein Sohn Johannes hatte ganz zu Beginn seines Mathematikstudiums große Probleme. Er klagte und wollte aufgeben. Ich versuchte es etwas hilflos mit: »aber du hast doch ganz gute Punktzahlen in den Übungen, sei nicht so verzweifelt«. Johannes: »Papa, es geht nicht um die Scheine. Ich will es einfach voll und ganz verstehen. Es tröstet mich nicht, wenn es andere noch weniger verstehen. Ich will, dass mir alles ganz klar ist.« Huiih, da war ich stolz auf ihn. Mathe konnte ich ihm ja noch beibringen, aber diese Haltung ist das Entscheidende. Es geht nicht um das relative Abschneiden, sondern um die absolute Sicht!

Second-Class-Ansatz der Street Smarts: Wie hole ich genug für mich heraus?

Die Second Class nach Art der Book Smarts holt immer brav zwei Drittel der Punkte und sieht es damit als garantiert an, nicht nur ein stempelbeglaubigter Master zu sein, sondern auch ein wirklicher Meister im Fach. Bei ihrem entsprechenden Motto »Ich *habe* den Master, also *bin* ich Meister!« dreht sich Erich Fromm (Autor von *Haben oder Sein*) bestimmt im Grabe um ...

Die Second Class nach der Art der Street Smarts braucht einfach nur ein Abschlusszeugnis oder den finalen Erfolg. Sie ist sehr zielorientiert und pragmatisch, es geht ihr darum, wie sie eine Sache effektiv »meistert«. Man kann zum Beispiel die Lösungen der Mathe-Aufgaben ja auch abschreiben. Street Smarts sind kreativ und Meister der Effektivität oder der Effizienz. Sie halten das »Cheaten« oder Schummeln unter Not, bei Null Bock und auch sonst für einigermaßen zulässig. Beim Second Class-Ansatz der Book Smarts wird nur in Not geschummelt (»Das ist eine Notlüge gewesen, das ist erlaubt«, sagte meine Mutter ein paar Mal in ihrem Leben, oder sie sagte es grundsätzlich immer, wenn wir sie erwischten). Im First Class-Ansatz wird nie gemogelt, weil es das Beste verfälscht und damit das Absolute sicher verfehlt.

Ein Street Smart hängt sich nur dann richtig rein, wenn es etwas zu holen gibt, zum Beispiel eine Gehaltserhöhung, eine Beförderung oder am besten einen Triumph. »Du schindest dich in der Uni und weißt dabei ganz genau, dass du dein Master-Zeugnis nur ein einziges Mal im Leben vorzeigen musst - nämlich bei der ersten Bewerbung. Das Wissen von der Uni brauchst du nie, das sagen alle, die schon arbeiten. Es muss offensichtlich auch stimmen, weil wir das Abiturzeugnis nur einmal im Leben vorzeigen müssen, nämlich bei der Immatrikulation. Den Abi-Stoff habe ich schon ganz vergessen und es schadet mir nichts. Was soll's also? Wozu soll ich mich im Studium reinhängen?«

Wenn sich viele First-Class-Leute in hoher kritischer Masse (Silicon Valley) zusammentun und wie die sieben Samurai im Film ein High-Performance-Team bilden, dann kommt hohe Schwarmintelligenz auf. In der Regel aber verlieren sich ein paar First-Class-Leute unter vielen Book Smarts (die für Punkte aller Art arbeiten) und Street Smarts (die etwas für sich herausholen wollen). Sie schaffen es in zu großer Minderheit nicht, die anderen für die Fragen nach Exzellenz, Vortrefflichkeit und dem genial Einfachen zu interessieren. Dafür gibt es eigentlich nie Punkte!

Um die aber geht es doch meistens! Der Chef misst den Umsatz, den Einsatz, die Arbeitszeit, die Auslastung und den Erfolg in Relation zu anderen Abteilungen und im Vergleich zum Wettbewerb. Es geht im normalen Management fast nur darum, die Nase vorn zu haben, was auch immer das relativ gesehen bedeutet. In dieser Wirklichkeit siegt fast immer Second Class - und es ist legendär, dass oft die besten Street Smarts ganz groß im Management herauskommen.

In meinem Beispiel mit der Bankfiliale ist der Ehrgeizige ein Street Smart. Der Alte war bestimmt früher einmal ein Book Smart, dessen Lehren langsam obsolet geworden sind, an denen er aber festhält und nach denen er sich selbst noch immer beurteilt. Der Optimale will eine ideale First-Class-Beratung bieten, und zwar eine aus der absoluten Sicht des Kunden. Er begeht den »Fehler«, damit einigen Unfrieden in der Bank zu erzeugen, weil die beste Kundenberatung für das System zweischneidig ist. Er vergisst, dass er die Interessen des Kunden nicht von denen der Bank trennen kann und im Sinne seines Erfolges auch nicht völlig trennen sollte. »So gebet dem Kaiser, was des Kaisers ist, und Gott, was Gottes ist!« (Lukas, 20,25).

Diesen Einklang des Idealen der First Class mit dem Realen der Second Class schaffen nicht viele - hier versagen so viele Leute mit einem First-Class-Ansatz. Es geht nicht darum, immer nur höchstselbst mit dem Absoluten zu ringen und es für sich selbst zu erreichen, man muss auch die Book Smarts und die Street Smarts für das Erreichen des Exzellenten und Absoluten einspannen können oder eben nur First Class um sich scharen.

Viele wunderbare Mönche können große Klöster aufbauen, aber einzelne ideale Säulenheilige bewegen nichts weiter unter den Menschen ... Das wirklich Vortreffliche muss ausstrahlen ... Zur First Class gehört auch ein (gehöriger?) Schuss Street Smartness dazu.

Stress nimmt jede Sehnsucht nach Erstklassigem

Ich habe es schon gesagt: Die Mitarbeiter werden heute so stark mit Aufgaben überfordert und mit utopischen Zielen so sehr seelisch überlastet, dass sie unter Totalstress nur noch lokal im Hamsterrad rödeln und sich verzweifelt den hoffnungslosen Mondzielen widmen. »Fokus! Wir müssen uns fokussieren!«, trommelt das Management auf sie ein und fordert sie oft erstaunlich unverhohlen auf, gegenüber dem Kunden im Interesse des Unternehmens opportunistisch zu agieren. »Gebet dem Kaiser, was immer er verlangt, und Gott, wenn noch etwas übrig bleibt.«

Die Überlast und der Druck zu hoher Ziele lenken den Blick der Mitarbeiter auf die absolut engste Auffassung von Zielerfüllung, die nur möglich ist. Jeder versucht, seine eigenen Ziele zu verfolgen und nur diese. Jeder versucht, Probleme auf andere zu schieben. Jeder klagt über das »dumme System«, das ja auch wirklich zu 85 Prozent an der Misere schuld sein könnte. Insbesondere arbeitet fast jeder ziemlich ausschließlich an den Zielen seiner eigenen Produktsparte oder seines Firmenbereichs, wenn er direkt zugeordnet wird. In diesem verordneten Extremfokus sieht jeder nur einen kleinen Teil des Ganzen, er ist wie einer der Blinden geworden, die den Elefanten nur noch verfälscht an einem Einzelteil erfassen können. Eine absolute First-Class-Sicht ist nun für fast niemanden mehr möglich.

> Zieltyrannei führt zum Abschied vom Erstklassigen.

Punktesammler und Vorteilssucher bleiben unter sich. Der Schwarm verabschiedet sich von jeder absoluten Sicht, von allen Sinnfragen, von Zukunftsüberlegungen oder Exzellenzüberlegungen. Er wird immer dümmer. Solange der Schwarm noch relativ zur Konkurrenz gut im Rennen liegt, glänzt er vor Selbstzufriedenheit. Wenn aber ein Second-Class-Schwarm im Vergleich zu anderen Schwärmen eigene Schwächen einräumen muss (das ist meist erst der Fall, wenn man von Note »gut« auf »ausreichend« abgefallen ist), dann denkt er kurz wieder einmal nach, was eigentlich sein sollte. Was ist First Class?

Wenn es sein muss, wird Erstklassigkeit vorgetäuscht

Das relative Abrutschen auf die hinteren Ränge äußert sich so:

- »Wir werden unter Stress zu oft krank.«
- »Wir kennen unsere Familien kaum noch.«
- »Wir bilden uns nicht weiter, wir arbeiten oft schon ziemlich lausig.«
- »Wir dürfen (!) nicht mehr auf den Kunden eingehen, viele können es schon nicht mehr, weil sie es nie anders kannten.«
- »Wir bringen keine Innovationen mehr auf die Straße.«
- »Wir zanken uns - jede Sparte kämpft gegen alle anderen.«
- »Wir agieren nicht nachhaltig.«
- »Es wird kaum noch in die Zukunft investiert.«
- »Wir zerstören die Umwelt, alles verfällt, wir modernisieren nicht zügig.«

Die schwarmdumme, extrem selbstbewusste Unternehmensführung empfindet solche Klagen zunächst lange Zeit als »wahnsinnig überzogen« und »bewusst negativ und damit feindlich. Kritiker werden stigmatisiert. Die Unternehmensleitung glaubt insgeheim, dass sie wohl erhebliche Konzessionen beim Gewinn machen müsste, wenn sie alle diese Klagen ernst nehmen und Abhilfe schaffen würde. Diese Auffassung ist fast genauso dumm wie die des fast ausgebrannten Mitarbeiters, der in seinem Körper den Burn-out nahen fühlt und sich weigert, zum Arzt zu gehen oder einen Gang zurückzuschalten, weil er dann weniger Erfolg haben würde.

In dieser Dummheit ist das Unternehmen nicht bereit, wirklich zu agieren, aber die Kritik muss verstummen, sonst sinkt womöglich die Motivation im Schwarm. Deshalb werden nun Beauftragte oder Manager eingesetzt, die sich jeweils »beruhigend« um die einzelnen Probleme kümmern sollen. First Class wird nun gefaked. Das geschieht so:

Man ernennt Vice Presidents für Genderization, Diversity, Innovation, Wellness, Employee Health, Employability, Client Satisfaction, Communication Excellence, Sustainability, Environment, Vision und Work-Life-Balance. Wie schon gesagt, die amerikanischen Bezeichnungen sind sehr wichtig! Es gibt dann einen Chief Vision Officer und einen Chief Diversity Officer et cetera. Diese »für unser Unternehmen eminent wichtigen Funktionen« haben die »extrem wichtige Aufgabe«, das ihnen zugewiesene »Thema« im Unternehmen »herausragend zu positionieren«.

Nun werden Managermeetings und Mitarbeitermeetings einberufen. Die Agenda:

- Fünf Minuten Moderation (»Wir haben eine sehr dicht gepackte Agenda, wir haben heute so viel vor, denn das Unternehmen ist so großartig. Ich bin so glücklich, für Sie einen so aufregenden Tag moderieren zu dürfen. Ich kannte bis gestern Ihr Unternehmen noch gar nicht. Wie konnte ich bisher nur leben?«).
- Zehn Minuten Motivationstrommler, sehr laut. Selbstaufpeitschender Applaus.
- Zehn Minuten Ansprache des Chefs, der (je nach Typ) entweder ernst-bedächtig Schwerwiegendes wie eine Grabrede abliest (»Jeder in unserem Unternehmen ist sehr wichtig«, nach fünf Minuten fertig) oder mitarbeitersonnend und selbstbegeisternd schwafelig wird - man hat Mühe, ihn von der Bühne zu bekommen, der Zeitplan der dichten Agenda ist jetzt im Eimer.
- Eine volle Stunde Chief Finance Officer, der mit Leichenbittermiene den gegenwärtigen Zielerreichungsgrad geißelt und mehr oder weniger unverhohlen drohend höhere Leistungen einfordert.
- Danach je 15 Minuten (faktisch je 20 Minuten, Zeitchaos entsteht) die Vice Presidents für Vision, Wellness und so weiter, die sich den Mitarbeitern neu vorstellen und versichern, dass sie sich um ihr »Thema« energisch kümmern werden. Was sie konkret tun wollen, wissen sie noch nicht - sie sind ja noch neu (wie jedes Jahr). Aber sie sind schon auf dem richtigen Weg, weil sie ja begeistert sind, dem Unternehmen in einem solch wichtigen Punkt helfen zu dürfen.

- Es wird stillschweigend toleriert, dass der Zeitplan gnadenlos überzogen wird (»wir wollen uns für das so Wichtige wirklich Zeit nehmen und alles gebührend ernstnehmen«), sodass alle wahnsinnig glücklich sind, wenn das Meeting endlich beendet ist.

Neuerdings gibt es auch schon CCOs (Chief Client Officers), die »sich um unsere Kunden kümmern«, also Beschwerdemanagement und Beschwichtigung betreiben (»Wir bitten um Verständnis«). Wenn es solche gibt, muss ja der Kundenservice erstklassig sein!

[Unternehmen, zähle deine CxOs auf und ich sage dir, wer du bist.]

Nach dem Meeting sind viele Mitarbeiter wirklich begeistert, dass sich die Firma in einem solchen extremen Ausmaß um alle Problemfelder kümmert. »Es wird jetzt sicher alles besser. Ich bin beruhigt, dass sie die Probleme endlich erkannt haben und energisch angehen. Ich hatte eigentlich befürchtet, dass sie die Probleme gar nicht gesehen haben oder nicht sehen wollen. Mir gefällt die offene Art, wie jetzt damit umgegangen wird. Dadurch ist jetzt bestimmt das Eis gebrochen und wir werden in Kürze wieder erstklassig sein.« Ältere Mitarbeiter, die diese Meetings schon viele Jahre kennen, sind den Tränen nahe und kommen fast alle erst gar nicht zum Kick-off, weil sie sehen, dass die meisten eben leider nicht weinen, weil sie dem Fake wie von oben geplant aufsitzen.

Die Alten wissen, dass alle diese Vice Presidents meist nur eine kleine Abteilung von null bis fünf Mitarbeitern im Unternehmensstab führen und damit absolut nichts bewegen können. Von den kurzen Reden wird keine Belegschaft gesund oder besser ausgebildet.

Aber jetzt sind formal gesehen alle Probleme »adressiert« und damit - so der allgemeine Fake - schon fast gelöst. Ist jetzt etwa noch jemand über die Innovationskraft besorgt? »Hallo? Sind Sie blind? Haben Sie nicht zugehört? Wir haben doch jetzt einen Chief

Innovation Officer!« Fürchtet sich jemand vor dem Burn-out? »Geh zum Chief Wellness Officer. Die halten in seinem Office wirklich ganz großartige Broschüren bereit, wie man es schafft, beliebig viel Stress auszuhalten.« So gibt es für jedes Problem jemanden, der geduldig zuhören und anschließend beruhigen kann. Diese vielen CxO-Stellen sind im Grunde Feigenblätter an den Stellen, an denen das Unternehmen eine Blöße hat.

Als ich das erste Mal in meinem Leben das Wort »Kick-off« hörte, fragte ich naiv in die Runde, was denn ein Kick-off wohl sei. Ein älterer Kollege erläuterte trocken, es sei das Triumphgeschrei der Graugänse. Wieso? »Wenn Graugänse einen Feind sehen, zum Beispiel einen Fuchs, dann stellen sie sich in einer Front auf, zischen und schreien extrem laut und schwingen schräg nach vorn gerichtet böse-energisch die Flügel. Dann zieht der Fuchs ab. Danach schreien sie noch einige Zeit weiter, im Triumph. Das ist das Triumphgeschrei der Graugänse.« - »Aha«, erwiderte ich, »und was ist ein Kick-off?« - »Manchmal, wenn die Graugänse einfach nur Lust dazu haben, machen sie das Ganze ohne den Fuchs. Das ist ein Kick-off. Da genießt sich das Unternehmen selbst, wie gut es gerade aufgestellt ist.«

Im Ernst: In den Meetings ist kaum noch von Inhalten und Strategien die Rede. Ich bin bei vielen Veranstaltungen »überall« dabei. Ich sehe dieses Verschwinden der Intelligenz rund um das Ganze mit Trauer und Besorgnis. Es geht überhaupt nicht mehr darum, was eigentlich getan wird - die Frage ist nur noch, wie viel und wie schnell. Wenn Sie zum Beispiel die vierte Konferenz über den Weltfrieden besuchen, hören sie keinen Martin Luther King mehr zu Anfang, sondern der Konferenzleiter eröffnet die Tagung mit Worten dieser Art: »Willkommen zu dieser hoch erfolgreichen Konferenz, die wir nun zum vierten Mal organisieren. Das gute Feedback aus den ersten drei Konferenzen hätte uns in diesem Jahr eigentlich einen erneuten Besucherrekord bescheren müssen, wenn nicht zeitgleich die World Peace Conference in San Francisco stattfinden würde. Die hat uns einen Strich durch die Rechnung gemacht, sodass wir wohl nur mit einem kleinen Profit abschließen werden. Wir sind trotzdem stolz auf die Anzahl der Volleintrittszahler und die Steigerung der Platinsponsoren, ohne die der Weltfrieden nicht in dieser Form stattfinden könnte. Wir sehen den Besucherandrang und das Sponsoreninteresse als eine deutliche Bestätigung für die herausragend gute Arbeit, die wir für Sie nun das vierte Mal leisten werden. Bleiben Sie dem Weltfrieden auf unserer Konferenz treu, wir leben doch davon.«

Scherz beiseite! Es ist leider bitterer Fakt, dass immer nur über Zahlen und Erfolge geredet wird - die Sache an sich muss nur noch sein, damit die Konferenz viele Volleintrittszahler und Sponsoren hat. Die Sache ist an sich nicht die Hauptsache, so wie bei Unternehmen das Produkt oder die Dienstleistung gegenüber dem Gewinn an Bedeutung verliert.

Hoffnungslose Intelligenz gegen Chief Swarm Officers

Ich will es noch einmal betonen: Wenn man den Gewinn maximiert, muss man natürlich doch ein bisschen auf das Ganze sehen. Man wird nicht reich, wenn man die Kunden direkt verärgert oder Mitarbeiter ganz wegekelt. Der Druck auf den Gewinn und der entstehende Opportunismus lassen Problemfelder um das Ganze beziehungsweise den Zweck des Unternehmens entstehen. Immer wieder liegt auf den folgenden Feldern vieles im Argen:

- Kundenvertrauen und Zufriedenheit
- Mitarbeitermotivation, Vertrauen und Bezahlung
- Leadership im Management
- Produktexzellenz und Premium Service
- Innovation & Kreativität
- Interne Kommunikation
- Learning/Weiterbildung
- Diversity
- Nachhaltigkeit
- Ermöglichung von Privatleben und Kindern
- Gesundheit (»Burn-out«, »Depressionen«)
- Eigenverantwortliches Agieren in zu engem Prozesskorsett

Schwarmdumme Unternehmen vernachlässigen diese Problemfelder. Sie finden, dass »all das Geld kostet« und von der direkten Gewinnerzielung ablenkt, an der alle wirklich talentierten Manager mit entsprechendem Biss arbeiten. Die Vice Presidents, die sich um die Problemfelder kümmern, sind fast nie die Spitzentalente im Management. Sie werden »zur Weiterentwicklung« zu verschiedenen Chief-x-Officers ernannt, von denen in der Wikipedia ernsthaft 26 verschiedene gängige aufgezählt werden.

Die offizielle oder formale Aufgabe solcher CxOs ist es, »die ganze Betriebskultur mit dem Thema seelisch so sehr zu erfüllen, dass jeder Mitarbeiter vollkommen im Einklang mit diesen Werten arbeitet, denkt und lebt.« Das Ziel: »Jeder Mitarbeiter baut Kundenvertrauen auf, beteiligt sich an Innovationen, bildet sich weiter, ist gesund, liebt seine Kinder und hat Zeit für sie und handelt bei seiner Arbeit unternehmerisch im Sinne der Vision des Gesamtunternehmens.«

Wie sieht so ein Job aus? Die Geschäftsführung verlangt sehr simpel, dass durch die Ernennung der CxOs alles zum Besten bestellt ist und kümmert sich weiter nicht mehr so sehr um die Aktionsfelder der CxOs. Das ist ja jetzt deren Aufgabe. Die Geschäftsführung ernannte die CxOs meist wegen eines aktuellen Problems (»aus gegebenem Anlass reagieren wir auf Lügen-Berichte in der Presse«) und »löst« durch die Ernennung das Problem vermeintlich schon vollkommen. Aktuelle Probleme könnten sein: Investoren mahnen mehr Innovation an, nicht nur Gewinn – der Aktienkurs droht zu fallen. Oder: Der Krankenstand ist bedrohlich hoch, die Gewerkschaften geben dazu Interviews in der Presse. Oder: Die Presse verlangt einen Nachhaltigkeitsbericht. Oder: Die Gewerkschaften prangern den Mangel an Weiterbildung an.

Der neu ernannte CxO muss nun zuerst sehr schnell dafür sorgen, dass diese Problemfelder nicht mehr an der Oberfläche sichtbar sind. Sonst bekommt er Ärger und bald darauf einen Nachfolger im Amt. Wenn die Probleme nicht mehr sichtbar sind, kann die Geschäftsführung wieder in Ruhe der alleinigen Gewinnmaximierung durch Druck auf die Mitarbeiter nachgehen. Wenn nun der CxO über das erste Problemberuhigen hinaus noch gut oder exzellent arbeitet, so ist das ein netter Zusatz. Der ist hochwillkommen und gern gesehen, aber er wird im Gewinnsinne als nicht kriegsentscheidend wahrgenommen.

Diese Haltung, alle Probleme außer der Gewinnmaximierung einfach abzuwimmeln, zu verstecken oder zu übertünchen, erzeugt eine sprudelnde Quelle von großer Schwarmdummheit:

> Das Unternehmen verlangt beim Gewinn die Note eins, ansonsten reicht Note vier.

Ich sage jetzt nicht, dass alle diese Sonderproblem-CxOs schlechte Leistungen vollbringen. Sie werden vom Unternehmen meist gar nicht in den Stand versetzt, dies tun zu können. Sie sind oft Einzelkämpfer ohne Machtkompetenzen, sie werden von den Spitzenmanagern (den für den Gewinn zuständigen Produktspartenchefs) nicht wirklich für voll genommen. Da können sie ihr Arbeitsfeld nur in der Art eines Predigers hochhalten. Sie sind wie ein Pfarrer, der laut vernehmbar gegen Sünden wettert, aber bis auf glückliche Einzelfälle (»Leuchtturmprojekte«) die Menschen insgesamt nicht rettet.

Die Kunst ist es, gut zu faken und das alles die Kunden, die Mitarbeiter, die Presseleute und Investoren nicht merken zu lassen. Hier eine typische Situation im Meeting - der Chef besucht die Niederlassung und stellt sich den Fragen der Mitarbeiter. Diese sind fast immer und überall um das Ganze besorgt, also auch um Motivation, Innovation und Nachhaltigkeit. Sie stellen deshalb die üblichen Fragen:

- »Arbeiten wir an neuen Zukunftstechnologien?«
  Antwort: »Der Chief Innovation Officer hat von mir persönlich ein Budget bekommen. Er hat die Aufgabe, für die Zukunft von uns allen zu sorgen.«
  »Was tut dieser Officer konkret?«
  »Er ist neu in der Position und sichtet gerade die vielen Ideen, die ja überall ungenutzt in den Köpfen der Mitarbeiter herumliegen. Wir sammeln Ihre Vorschläge.«
  »Ist schon etwas konkret in Arbeit?«

»Natürlich, äh, der Officer arbeitet gerade an einem Bericht für die Presse, dem will ich nicht vorgreifen. Es geht immer darum, dass wir die Besten sind.«

- »Wir verschwenden in der Produktion so viel Strom. Das taucht im Nachhaltigkeitsbericht nicht auf. Wissen Sie das überhaupt?«

  »Guter Punkt. Wir haben das Problem bereits aufgegriffen, aber eine sofortige Lösung ist nicht möglich. Ich mache das demnächst zur Chefsache. Sie haben Recht, wir müssen entschlossen handeln. Wir haben aber auch Gewinnprobleme, das wissen Sie, und da ich selbst so schrecklich überlastet bin, muss ich zurückhaltend sagen: eines nach dem anderen. Das Wichtigste zuerst.«

- »Warum werden wir nicht weitergebildet?«

  »Wir haben schon länger solche Klagen gehört. Ich konnte das gar nicht glauben. Nun sprechen Sie mich direkt an. Vielleicht ist das ganz gut. Wahrscheinlich sind Sie auch solchen Lügen aufgesessen, wie ich sie erst gar nicht ernst nehmen konnte. Ich habe mir persönlich vom Chief Learning Officer berichten lassen. Wir haben nach seinen Statistiken 0,3 Tage mehr Weiterbildung pro Mitarbeiter im Jahr, als es im Branchendurchschnitt in Europa üblich ist. Darauf bin ich stolz.«

  »Wir sind aber nicht stolz. Es geht nicht um die Statistik, sondern um unser Wissen beim Kunden.«

  »Wollen Sie damit sagen, Ihnen persönlich reicht die Zeit nicht aus, die branchenüblich ist?«

  »Die internen Kurse sind schlecht, viele fallen aus, weil zu wenige Teilnehmer die Erlaubnis bekommen, wir glauben, dass ausgefallene Kurse bei der Statistik mitzählen.«

  »Das sagt doch nur die Gewerkschaft! Hetze! Sehen wir es nüchtern: in der Statistik der Firmen aus Europa sind doch alle Zahlen in gleicher Weise verfälscht. Kommen Sie mir da nicht mit einem nachgewiesenen Einzelfehler, der nun beim CLO zur Bearbeitung liegt. Ich muss ihn da in Schutz nehmen. Machen Sie doch unsere Firma nicht schlechter, als sie statistisch gesehen ist. Und überhaupt, meine Damen und Herren, ich mag diese düstere Sicht nicht. Sie sprühen nicht so vor Begeisterung, wie ich erwarten kann. Wie sollen wir da Erfolg haben?«

- »Wie viele Burn-outs haben wir im Unternehmen? Es ist schrecklich, jeder kennt solche Fälle, wir haben Angst um uns selbst.«

  »Der Chief Health Officer sagt, wir haben keine branchenunüblichen Zahlen.«

  »Wie hoch sind unsere Zahlen?«

  »Es gibt nicht so richtig Zahlen, weil die Diagnose Burnout nicht eindeutig gestellt werden kann, oft leiden Mitarbeiter unter familiärer Überlastung - das können Sie nicht dem Unternehmen zurechnen. Kann ja auch nur Frust sein, den wir alle - auch ich - einmal haben, oder eine Allergie. Es ist doch nicht alles Burn-out, ich bitte Sie, hören Sie doch nicht auf allen Tratsch. Viele Unfähige entschuldigen sich jetzt mit Burn-out.«

  »Wenn Sie sagen, unsere Zahlen sind wie im Branchenmittel, dann gibt es doch welche?«

  »Äh, nein, eigentlich nicht, nur anekdotische Einzelaussagen.«

  »Aber die Arztdiagnoseanzahlen?«

  »Oh, das sind private Daten, die sind geheim, sagt der Chief Data Security Officer.«

- »Warum ist die Kommunikation im Unternehmen so intransparent?«

  »Wie kommen Sie darauf? Ich bin doch heute offensichtlich hier bei Ihnen. Ich opfere glatte zwei Stunden für diese Kommunikation mit Ihnen. Schreiben Sie mir nicht hinterher Mails mit Fragen. Sie können hier und jetzt welche stellen. Was ist da intransparent?«

  »Ich habe mir alle Fragen notiert, die wir gerade gestellt haben, die nach Innovation, Weiterbildung oder Burn-outs zum Beispiel. Sie weichen heute nur aus. Wir konfrontieren Sie mit Problemen, und Sie sagen immer nur, die Probleme seien erkannt und von irgendeinem Sonder-CxO in Arbeit und in guten Händen. Sie müssen doch mehr dazu wissen.«

»Nein.«

Nein! Das stimmt sogar. Er weiß es nicht.

Die Mitarbeiter machen sich oft große Sorgen um das Ganze des Unternehmens. Sie stellen sich das Unternehmen aus Sicht des Kunden vor. Sie wollen aus dieser Sicht heraus stolz auf das Unternehmen sein können, auf seine Innovation, auf das Betriebsklima, die offene Kommunikation, ihre eigene Expertise, auf ihre Karrieremöglichkeiten und die spannende Arbeit bei zufriedenen Kunden. Ich habe Firmen kennengelernt, bei denen die Gewerkschaftsvertreter eigentlich die besseren Unternehmer waren. Mitarbeiter und Kunden sehen viel geschärfter auf das Ganze und Smarte, das sie sich vom Unternehmen wünschen.

Nach dem Meeting sagt der Chef bei der Rückfahrt im Auto ganz genervt zum Assistenten: »Sie fragen jedes Mal dasselbe. Ich frage mich, ob so ein Meeting einen Sinn hat. Sie verstehen einfach den Druck nicht, unter dem ich als Boss stehe.«

Hoffnungslose Intelligenz sieht, dass immer nur davon die Rede ist, dass Projekte angefangen (!) wurden, dass Pläne gefasst (!) wurden oder gute Absichten bestehen (!), jetzt nun doch »endlich die Hausaufgaben zu machen«. So reden Schüler mit Note vier, die ihre Hausaufgaben eben nicht gemacht haben und in den nächsten Sekunden eine Fünf kassieren.

Was würde ein normal intelligenter Mensch in der Schule denken, der einen Schüler wie folgt reden hört? »Ich weiß nun ziemlich gut, welcher Weg vor mir liegt und was ich alles lernen soll. Ich will es nun anpacken, jetzt, wo ich sicher bin, dass die Richtung stimmt. Meine Strategie ist es, meine Hausaufgaben zu machen, und ich fühle jetzt schon meine Begeisterung für und Hingabe an die Erreichung dieses Ziels. Ich mache entschlossen das Erreichen einer Note drei zur Chefsache. Ich will die Extrameile gehen. Der Grundstein ist damit gelegt. Im Grunde kann ich schon jetzt stolz auf mich sein, weil ich umsetze, was ich mir vorgenommen habe. Ich hasse Bedenkenträger wie meine Eltern und Lehrer, die mich davor warnen, es allzu leicht zu sehen. Ganz leicht ist es nicht, aber ich bin so begeistert. Ja, ich habe in der Vergangenheit Fehler gemacht - aber das ist jetzt reine Historie. Schwamm drüber. Es sind schon ganz andere als ich auf die Note drei gekommen, bei vielen war es sogar ganz leicht. Ich denke, bei mir wird es auch leicht, weil ich nämlich jetzt hart arbeiten werde. Und mich reizt ja auch die Belohnung dafür. Ich schufte ja nicht umsonst. Gleich nach meinem Urlaub fange ich an. Ich danke Ihnen allen für Ihr Vertrauen.«

Wir denken: »So reden Menschen, die es niemals bringen werden, die aber die Mama immer noch rumkriegen, ihnen für den tollen Plan eine Taschengelderhöhung abzuluchsen.« Und genauso reden sehr oft sehr hoch bezahlte Menschen im dummen Schwarm.

Ratgeber – meine Binsenweisheiten

Und wie kann man einen Schwarm dazu bringen, erstklassig werden zu wollen? Dieses Anliegen sollte zumindest Chefsache sein. Dann kann es gehen - Steve Jobs konnte es, Bill Gates auch. Erstklassigkeit verlangt ein Gespür für die Inhalte. Was genau ist erstklassig? Viele Chefs interessieren sich gar nicht dafür und unterbrechen jeden Mitarbeiter mit einer guten Idee sofort mit einem stereotypen: »Was bringt es wie schnell?«

Wirkliche Erstklassigkeit in einem zweitklassigen Unternehmen wirkt auch immer wie ein Vorwurf an die Zweitklassigkeit - den muss jemand, der Sehnsucht erzeugen will, unbedingt vermeiden. Vorwürfe aber prallen ab. Also: keine Vorwürfe!

Ebenso: Keine Meetings! Wenn die Zweitklassigen nämlich einen erstklassigen Vorschlag überhaupt billigen und umsetzen wollen, dann müssen sie »dieses Problem lösen«, und sie stehen jetzt vor einer »Herausforderung«. Dazu setzen sie eine Arbeitsgruppe oder bei Politikern einen Ausschuss ein! Und Sie können sich kaum vorstellen, wie schnell die Sehnsucht nach dem Erstklassigen in Ausschüssen abnimmt. »Wir verstehen, dass wir immer besser werden müssen, aber so schlecht sind wir ja gar nicht. Die anderen kochen auch nur mit Wasser, relativ gesehen.« In allen solchen Meetings wird das Erstklassige abgewiegelt: »Wir müssen doch jetzt nicht gleich nach den Sternen greifen. Warum müssen wir die ersten sein, die damit anfangen? Wir sollten uns jetzt nicht wieder überschätzen, das hat in der Vergangenheit ab und zu viel Lehrgeld gekostet. Ich erinnere mich noch. Ich glaube nicht, dass wir jetzt zu Abenteurern werden sollten. Wir waren noch nie Heißsporne, es liegt nicht im Charakter unseres gediegenen Unternehmens, ungestüm und ohne genauesten Plan nach vorne zu preschen. Es ist nicht in unserer DNA eingebaut. Wir konnten das noch nie. Wir sollten das tun, was wir am besten können - das ist, ja ... das wissen wir ja.«

Manager, die gerade vor der Presse in höchsten Tönen revolutionäre Ideen anpriesen und ihre Innovationskraft über allen Klee lobten, reden in den Meetings eben viel vorsichtiger. Es gibt einen Unterschied zwischen Fassade und Innenleben.

Es erscheint fast hoffnungslos, einem schwarmdummen System die Sehnsucht nach der Erstklassigkeit einzuhauchen - so, dass diese Sehnsucht auch noch in den Meetings und Ausschüssen überlebt. Am leichtesten ist Erstklassigkeit in Start-ups anzustreben. Wer ganz neu beginnt, kann mit Schwarmintelligenz starten und muss sie möglichst lange steigern und nähren. Das ist für mich das eigentliche Erfolgsgeheimnis von zum Beispiel SAP oder Google. Wehe, wenn diese Sehnsucht verblasst und Firmen »zu groß« werden.

Vielleicht ist es am einfachsten, in Unternehmen überall interne Start-ups mit neuen Ideen zuzulassen, die frische Luft hereinbringen. Aus meiner Zeit bei IBM weiß ich, dass die höchsten technischen Positionen nur mit Leuten besetzt wurden, die ein First-Class-Flair mitbrachten. Das bringt's! Man muss dann aber höllisch darauf achten, dass die großartigen Erfolgsprojekte der Beförderungskandidaten wirklich First Class sind - und bitte, bitte nicht nur groß im Sinne von $€¥! Die Zweitklassigen erkennen erstklassige Projekte immer nur an der Größe, am Gewinn oder am Umsatz - sie interessieren sich nicht für den erstklassigen Inhalt. Wenn man konsequent die hohen technischen Funktionen nur den First-Class-Leuten vorbehält, dann hat das System die Chance, erstklassig zu bleiben - First Class Hires First Class! First Class muss mindestens in der Führungsschicht immer in kritischer Masse präsent sein. So einfach ist das. Eine Binsenweisheit.

Fazit

Es wäre gut, die Unternehmen und Institutionen, die Parteien und Kirchen würden sich einfach einmal *absolut* im Spiegel anschauen - und nicht *relativ* zu anderen oder ihrer Historie.

First Class schaut täglich absolut in den Spiegel, um viel und achtsam zu sehen und zu lernen. First Class sucht von sich aus proaktiv nach Resonanz, beobachtet Kunden und Märkte, Facebook und Twitter, diskutiert leidenschaftlich über die »endgültige Kunstform« und das Meisterliche. First Class sorgt sich um die gute Gestalt eines Ganzen, um das harmonisch genial Einfache. First Class will auf keinen Fall als Blinder neben dem nie im Ganzen gesehenen Elefanten stehen.

Second Class schaut nur in den Spiegel, um sich darin möglichst gut zu finden - wenn es Lob oder Belohnung geben wird. Sonst muss man Second Class den Spiegel vorhalten und energisch zwingen, wirklich hineinzuschauen. Vor dem Spiegel aber (und das unterscheidet First Class von Second Class sehr) stammelt Second Class Entschuldigungen, relativiert alle Probleme bis zur Unkenntlichkeit oder kritisiert den Spiegel und das zu hart einfallende Licht.

Für Schwarmintelligenz ist die Frage »Was ist vortrefflich?« essenziell. Wenn sie verdrängt wird, entsteht Schwarmdummheit. So einfach ist das. Die Art, in den Spiegel zu schauen, entscheidet.

Unternehmen müssen eine kritische Masse von Mitarbeitern haben, die auf Erstklassigkeit gepolt sind. Es hilft nicht, sich mit den Wettbewerbern im Markt zu vergleichen oder Lippenbekenntnisse für eine inhaltlich unverstandene Exzellenz abzugeben. Schwarmdumme Unternehmen, in denen die Street Smarts im Daily Business vorherrschen oder in denen alles nur in Zahlen und Tabellen kommuniziert werden kann, nehmen mit der Zeit Abschied von jeder Vortrefflichkeit.

5

Gnadenlos vereinfachender Fokus auf das Nächstliegende

Wenn es an jeder Ecke brennt, nimmt sich das Management immer nur das größte Problem entschlossen vor. Zum Beispiel Kostensenken! Alles andere bleibt liegen und brennt weiter.

Kurzinhalt: »Letztlich kommt es nur auf das Ergebnis an«, sagen die Kämpfer im Tagesgeschäft. »Man muss immer schauen, was man sich als Nächstes vorknöpft. So einfach ist das.« In dieser Weise kämpfen sich Manager Schritt für Schritt weiter. Ist der Umsatz zu niedrig? Vertriebsoffensive. Sind die Kosten zu hoch? Sofortiger Stopp aller Ausgaben. Geht es immer noch nicht? »Wir hören uns gerade bei Konferenzen um. Preisausschreibungen sollen gut sein oder eine Unternehmens-Facebook-Seite. Irgendetwas wird schon klappen.« Dumm einfach Schritt für Schritt.

Die Street-Smart-Ökonomie vereinfacht für den Tagessieg

Die Universitäten bescheren uns so wundervolle Einsichten! Hochwertvolle Theorien sagen uns, wie die Wirtschaft funktionieren sollte, wenn sich alle nur vernünftig benähmen. Leider ist das nicht so - ich habe Ihnen ja schon mein Feedback aus dem Assessment Center geschildert.

Ich will Ihnen kurz einige selbstverständliche Denkmuster aus der Wirtschaftstheorie wiederholen, die Sie sicher schon zum Erbrechen oft gehört haben, und diese jeweils aus der Sicht der Book Smarts und der Street Smarts vorstellen. Sie werden sofort sehen, dass die Theorien der Universität von den dortigen Book Smarts ausgeheckt werden. Die Book Smarts in den Unternehmen agieren dann nach diesen Lehren im praktischen Leben (so wie ich längere Zeit) und fallen damit gegenüber irgendwelchen nicht so intellektuell wertvollen Street Smarts glatt auf die Nase. Dann schimpfen die Book Smarts beleidigt (so wie ich damals) und reiben sich die Wunden. Sie schaffen es aber nicht wirklich, von ihren Buchweisheiten Abstand zu nehmen (das habe ich wenigstens in Grenzen geschafft)! Sie agieren stets richtig im Sinne der Bücher - und verlieren, weil im Dschungel andere Regeln gelten.

Als Beispiel dazu hier Adam Smith' berühmte Ansicht, die wir alle mehr oder weniger verinnerlicht haben: Das allgemeine, gesellschaftliche Glück wird maximiert, indem jedes Individuum im Rahmen seiner gesellschaftlichen Grenzen versucht, sein persönliches Glück zu erhöhen. Dagegen ist nichts zu sagen! Genial einfach, oder? Smith erläuterte, dass ein jeder einen »inneren Richter«, eine Art Gewissen oder ein - wie man heute nach Freud sagen würde - Über-Ich in sich trage, der oder das in ihm beurteile, ob das, was er tue, noch innerhalb der gesellschaftlichen Grenzen liege oder nicht. Smith meinte damit doch wohl, dass sich der Mensch bei der Maximierung seines Glückes streng an Recht, Ethik und Moral zu halten habe.

Haben Sie das schon einmal so erläutert gesehen? Meist wird Smith nur so rekapituliert: Wenn jeder egoistisch für sein Glück sorgt, dann kommt für alle das Beste heraus. Das ist kürzer und lässt das Begrenzende einfach aus. Es ist auf dumm-einfach gedreht.

Adam Smith wird von Street Smarts um »im Rahmen seiner gesellschaftlichen Grenzen« gnadenlos amputiert - damit ist die Ethik aus dem Spiel heraus. Die Street Smarts beziehen sich nun konsequent auf die nicht eingegrenzte Version. Wenn es ihnen nützt, tun sie es! Wenn man Gewinn macht, indem man andere übervorteilt - das maximiert das eigene Glück und damit das von allen, denn dem Übervorteilten wird es eine Lehre sein und ihn im Überlebenskampf (der Straße) fitter machen! Adam Smith war ganz eindeutig Book Smart. Es ging ihm um den *Wohlstand der Nationen*, nicht um den Sieg im Dschungel.

Ein zweites noch bekannteres Beispiel: das Shareholder-Value-Prinzip. Wenn man den Wert ihrer Aktien erhöht, erblüht letztlich die Firma. Deshalb ist der Aktienkurs ein Maß für gutes Management.

Kritiker sagen: »Haha, man kann den Kurs auch nur hochjubeln! Man kann die Zahlen schönen! Man kann kurzfristig gewinnen, um den Kurs hochzutreiben, aber dadurch das ganze Unternehmen ruinieren!« Da erwidern die Book Smarts von der Universität: »Das ist natürlich alles im Sinne der Nachhaltigkeit gemeint. Ihr Kritiker habt unsere wertvolle Book-Smart-Aussage nicht in ihrer vollen Komplexität verstanden. Wenn man eine Firma wundervoll managt, steigt auch der Kurs. Es kann ja nicht im Sinne der Aktionäre sein, den Kurs unter Ruingefahr nur kurz einmal hochschießen zu lassen, um die Aktien zu verkaufen. Das tut doch kein verantwortungsvoller Unternehmensboss. Das verbietet die Vernunft.«

Und wiederum sehen wir, dass das Shareholder-Value-Prinzip nicht so schlecht ist, wenn man es aus der verantwortungsvollen Sicht der Book Smarts sieht, die es ja erfunden haben. Die Street Smarts aber wollen nur etwas für sich selbst herausholen, also ihr ureigenes Glück maximieren - und da ist es richtig gut, wenn die Aktien einfach nur so steigen. Wenn es durch brutale Manipulation geht oder durch Hypen dank gekaufter Claqueure - auch gut!

Die Book Smarts denken sich etwas aus, was genial einfach klingt. Die Street Smarts legen es dumm einfach aus und bringen die Schäfchen ins Trockene, während alle anderen (als schon übers Ohr Gehauene) auf das Verantwortungsvolle vertrauen.

Ein drittes Beispiel: Blühende Unternehmen machen Gewinn.

Daraus wird im Dschungel der Street-Smart-Ökonomie ganz kurz: Macht Gewinn. Oder: Das Unternehmen sollte einen erstklassigen Gewinn erzielen, alles andere muss nur gut genug funktionieren.

Und so weiter! Ich will sagen, dass alles, was von den lieben, guten Book Smarts auf den Konferenzen so erzählt wird, dann von Street Smarts in einer Street-Smart-Ökonomie umgesetzt wird, und zwar anders! Street Smarts sind darauf aus, im Hier und Jetzt das eigene Glück im engeren Sinne zu maximieren. Sie suchen stets nach einem simplen, auch gerne einem dumm einfachen Hebel, das Glück zu ihren eigenen Gunsten zu wenden. Sie lieben diesen einen einzigen Steuerknopf - am besten so ein ganz einfacher wie der Abzug am Gewehr des Jägers im Dschungel.

Diese Tendenz, die Welt aus der einzigen Perspektive des Zielfernrohrs auf Gewinn zu sehen, erzeugt unendlich viel Dummheit. Darum geht es jetzt in diesem Kapitel.

Das Unternehmen im Zerrspiegel ganz weniger Zahlen

Auch die Aktionäre sind zu einem guten Teil Street Smarts, sie wollen Kurssteigerungen sehen - und zwar jetzt gleich, Nachhaltigkeit hin oder her. Vielen Aktionären ist das Unternehmen völlig egal. Das muss nicht Rücksichtslosigkeit sein. Viele Book Smarts legen ihr Geld in Investmentfonds an und hoffen auf eine hohe Rendite - sie wissen dann ja fast nie, an welchen Unternehmen sie beteiligt sind. Sie schauen ausschließlich auf den Rücknahmepreis in der Tageszeitung. Sie merken nicht einmal, dass sie rücksichtslose Kapitalisten sind, denen es nur um den Gewinn und den Gewinn allein geht.

In jedem Fall: Die Aktionäre bewerten die Aktien meist nur nach dem Gewinn des Unternehmens. Sie haben sehr simple, dumm einfache Vorstellungen von Aktienkursen. Sie schauen eben nicht auf Nachhaltigkeit (jedenfalls nicht in ihrer Mehrheit), sondern sie orientieren sich an den leicht zugänglichen Quartalsgewinnzahlen aus dem Internet. Ich erkläre kurz, wie die Kurse heute maßgeblich entstehen: Es ist heute üblich, dass verschiedene Banken oder Broker die Gewinne und Umsätze der Unternehmen schätzen. Sie publizieren oft Gewinn- und Umsatzschätzungen für die beiden nächsten Quartale, für das laufende sowie für das nächste Jahr.

Im Internet gibt es Portale, die die Schätzungen verschiedener Banken zusammenfasen und diese als Durchschnittsschätzungen bekannt geben. Dort heißt es dann zum Beispiel: »Der nächste Quartalsgewinn der Aktie XY wird von 14 verschiedenen Finanzhäusern zwischen 80 und 95 Cent pro Aktie geschätzt, im Durchschnitt auf 88 Cent. Der Umsatz wird zwischen 4 Mrd. und 4,2 Mrd. Dollar erwartet, im Durchschnitt 4,08 Mrd. Dollar.« - Einige Tage vor der Bekanntgabe der tatsächlichen Ergebnisse kommt über die Börsenticker: »XY results on May 8, after market close«. Die Aktie wird hier zum Beispiel in New York gehandelt, die Börse schließt dort um 22 Uhr deutscher Zeit.

Etwa fünf Minuten nach dem Börsenschluss am 8. Mai kommen ganz kurze Meldungen über den Ticker, die lauten in etwa so: »XY beats by 2 cents on earnings, misses revenue by 50 million, keeps overall view, guides second quarter somewhat lower, stock tumbles after close (-7 %).«

Erklärung: Diese Zeile stellt so etwas wie das Zeugnis der Firma XY für das erste Quartal (Januar bis März) dar. Die Zahlen für das erste Quartal werden in der Regel vom 15. April bis zum 15. Mai bekannt gegeben. In unserem Fall sagt die Meldung, dass der Gewinn 2 Cent höher als die Schätzung von 88 Cent lag, also 90 Cent betrug. Der Umsatz lag dagegen mit 4,03 Mrd. Dollar unter den Erwartungen. Die Gesellschaft revidiert die Gesamtaussichten, zu denen sie sich zu Beginn des Jahres äußerte, im Ganzen nicht (»keeps view«), glaubt aber, dass sich die Lage im zweiten Quartal etwas schwieriger als gedacht entwickeln wird - so sagt sie im Bericht (»guides lower«). Das ist kein so gutes Ergebnis! Die Meldung sagt ja auch, dass die XY-Aktien nach Börsenschluss im Interbankenhandel schon 7 Prozent niedriger liegen.

So kurz und schmerzlos geht man mit dem ganzen Unternehmen um! Alle wissen, wie die Lage vor der Bekanntgabe der Fakten geschätzt worden ist, dann wird nur noch verglichen, ob die tatsächlichen Zahlen besser (»beat expectations«) oder schlechter (»expectation miss«) ausgefallen sind. Das Management äußert oft schon die eigenen Erwartungen (»guidance«) für das laufende Quartal (April bis Juni), es weiß ja hier im Beispiel am 8. Mai schon eine Menge darüber.

Und sonst? Zwischendurch gibt es immer einmal wieder »Analysen« von Aktien einer Branche, in denen man die Gewinnmargen und das Wachstum mehrere Aktien vergleicht. Ist Coca-Cola nun besser als Pepsi-Cola? BMW besser als Daimler? Ja, und dann spielen auch noch Kritiken über die Produkte eine Rolle. Ist das Samsung-Smartphone nun besser als das Apple-iPhone oder nicht?

Im Grunde wird hauptsächlich darauf geschaut, ob die Erwartungen vor der Bekanntgabe übertroffen wurden oder nicht und wie das Unternehmen im Vergleich zu direkten Wettbewerbern dasteht. Überraschungen beim Quartalsgewinn »nach unten« werden sehr übel genommen - die Aktie wird dann »abgestraft«. Vor einer solchen Abstrafung haben die Aktionäre große Angst und damit das Top-Management auch. Das ist nicht nur in der Wirtschaft so: Auch im Fußball kann nach einer Niederlage sehr schnell der Ruf nach einer Ablösung des Trainers laut werden. Der Trainer und der Chef sind vor allem schuld, wenn etwas nicht gelingt. Sie müssen den Kopf hinhalten, wie auch ein Minister, der wegen irgendeines Versagens im Verantwortungsbereich durch Rücktrittsforderungen bedroht wird.

Die Aktionäre und damit die Top-Manager interessieren sich hauptsächlich für

- Gewinn pro Aktie und die Operating Margin (auch im Branchenvergleich),
- Entwicklung von Umsatz und Kosten, auch relativ zum Markt,
- Entwicklung des Marktanteils,
- Kundenzufriedenheit und Produktqualität.

Der Gewinn und der Umsatz werden also im Zeitverlauf und im Vergleich zum Wettbewerb beurteilt. Wenn ein Unternehmen gut gedeiht, aber langsamer wächst als die Konkurrenz, dann sinkt der Marktanteil. Es könnte dann die Preise senken und Marktanteile gewinnen, aber dann sinkt die Margin, die Gewinnspanne in Prozent von »Umsatz minus direkte Kosten des Umsatzes«.

Kurz: Die Beurteilung eines Unternehmens konzentriert sich

auf sehr wenige »Noten« in sehr wenigen »Fächern«, in denen das Unternehmen »seine Hausaufgaben« machen muss. Es reicht nicht, dass ein Unternehmen einfach nur gut ist - nein, es muss auch besser abschneiden als die Konkurrenz. Sonst ist es ja keine Leistung. Deshalb schwören die Bosse ihre Mitarbeiter unweigerlich auf die Parole ein: »Wir wollen stärker wachsen als der Markt.«

Es reicht also nicht, wenn das Unternehmen an sich einen großen Gewinn macht oder glücklich prosperiert - es muss auch besser sein als die anderen, sonst leistet es relativ gesehen zu wenig. Es soll relativer Klassenbester sein, das verlangen die Aktionäre. Eine politische Partei muss besser sein als die anderen, sonst verliert sie Stimmen. Die Fußballmannschaft soll nicht nur gut spielen, sondern gewinnen und einen guten Tabellenplatz einnehmen, sonst werden wir Fans ungehalten und ungnädig.

Woher weiß ein Aktionär, ob die Kunden *seines* Unternehmens zufrieden sind? Er muss auf Berichte in der Presse vertrauen, die aber meist nicht objektiv sind. Mal wird über den Klee gelobt (gegen PR-Bezahlung?), mal das Produkt verdammt (aus einer Ideologie heraus?). Welchen Einfluss solche Berichte auf den Aktienkurs haben, kann ein einzelner Aktionär nicht beurteilen, er kann allenfalls extreme Nachrichten einigermaßen verstehen, vielleicht auch die nicht. Ein Beispiel: Das Unternehmen Monster Beverage, das Energy Drinks in Halbliter-Dosen mit einem markanten M-Logo vertreibt, wurde von einem Elternpaar verklagt, die behaupteten, den Tod ihres Kindes auf den Genuss von zwei oder drei Dosen des »tödlichen Energy Drinks« zurückführen zu können. Der öffentliche Streit darüber hing viele Monate über dem Unternehmen, weil die prinzipiellen ideologischen Gegner von solchen »ungesunden« Drinks den Fall zu ihrem machten. Sie konnten in ihrem Krieg aus diesem Fall eine große Schlacht machen. Der Aktienkurs sank fast auf die Hälfte. Logik spielte in dieser Auseinandersetzung keinerlei Rolle - die Emotionen kochten ja deshalb hoch, weil Energy Drinks 32 Milligramm Koffein pro 100 Milliliter enthalten, während die schon so ungesunde Coca-Cola nur auf 10 bis 12 Milligramm kommt. Nüchtern-logische Hinweise, dass Tee 35 Milligramm Koffein pro 100 Milliliter enthält und Filterkaffee sogar etwa 80 Milliliter, blieben außen vor. Ist schon jemand von einem Liter Tee gestorben? -

An diesem Beispiel können Sie sehen, dass es nicht so einfach ist, zu beurteilen, ob eine Aktie steigt oder fällt. Heute steht die Monster-Aktie wieder so hoch wie vor dem großen Krach.

Die Unternehmen haben eine panische Angst, in solche Schwierigkeiten zu geraten. Autos könnten einen Produktionsfehler an den Bremsen haben, Spielzeuge Asbest enthalten, chinesische Kinder bei der Niedrigstlohnproduktion von Handys sterben, ein Medikament könnte Nebenwirkungen entwickeln, die man gut im Fernsehen zeigen kann - das sind wirkliche Katastrophen für Unternehmen, die dafür oft eigene Imageabteilungen haben, die in solchen Fällen das Schlimmste verhindern helfen. Wie gerade im Beispiel gesehen: Eine öffentliche Negativberichterstattung kann mehr Auswirkungen auf die Aktienkurse haben als eine schlechte Gewinnzahl.

Aber abgesehen von diesen doch seltenen Schreckensszenarien kommt es einfach nur auf den Gewinn und die Gewinnaussichten an. Die Aktionäre und damit die Börsen reagieren meist nur auf das Daumen-hoch-oder-runter-Spiel bei der Publikation der Quartalszahlen. Und weil das so ist, managen die Bosse eben die Quartalszahlen! Sie streben das an, was den Kurs hochtreibt, und verhindern, was ihn sinken lässt. Sie agieren dabei unter einem sehr eingeschränkten Fokus auf ihr Unternehmen - wie ein Street Smart eben.

Monomaner Fokus auf das Nächstliegende

Besonders Street Smarts sehen sofort auf das nächstliegende Problem. Ist das Kind in der Schule schlecht? Die Eltern schimpfen. Kommt nicht genug Umsatz rein? Der Vorstand prügelt auf den Vertrieb ein. Dieser monomane Fokus der sogenannten Macher kann ganze Unternehmen vollkommen fertigmachen. Denken wir nach:

Was tun Eltern, deren Kind schlecht in der Schule ist? Sie sehen sich das Zeugnis an, die miesen Noten sprechen scheinbar für sich. Wenn die Noten schlecht sind, dann - so die Logik der Eltern - ist das Kind schlecht. Woran liegt es genau? Die Eltern denken meist sofort an das Nächstliegende (nach dem Verständnis der Street Smarts):

- Das Kind ist faul (dann wird es »motiviert«).
- Das Kind ist unwillig und böse (dann wird es bestraft).
- Das Kind ist überfordert (es bekommt Nachhilfe).
- Das Kind ist krank (es muss zum Arzt).
- Das Kind hat eine psychische Störung (es wird psychotherapiert oder bekommt Ritalin).
- Das Kind wird ungerecht behandelt (man zankt mit der Schule).

Diese Logik hat einen prinzipiellen Haken: Die Eltern sehen das Grundproblem zunächst immer im Kind oder mindestens außerhalb der Familie. Vielleicht aber ist das Kind schlecht erzogen, die Eltern kümmern sich nicht genug um das Kind, helfen ihm nicht, schicken es auf eine ungeeignete Schule, zanken zu Hause in einer schlechten Ehe, neigen zu Alkoholismus, leben im Scheidungskrieg, behandeln es brutal oder erniedrigen es, lassen es neben der Schule zu ihrem eigenen Vorteil jobben (»von uns bekommst du nichts«), bieten ihm keinen ruhigen Arbeitsplatz daheim, drohen mit dem Abmelden bei der Schule, erklären es neben dem in der Schule guten Geschwisterkind für minderwertig, behandeln es ungerecht, lieben es nicht ... Mit einem Wort: An den Eltern liegt es nie! Manchmal versuchen dann die Familientherapeuten, die Eltern auf die Idee zu bringen, es könnte an ihnen liegen. Aber dann müssten die Eltern an sich selbst arbeiten. Das schaffen sie letztendlich nicht.

Ich habe so einige TV-Sendungen mit der »Super-Nanny« angesehen. Katharina Saalfrank ist damit im Fernsehen berühmt geworden, dass sie vielen Eltern half, wieder mit ihren »unerziehbaren« Kindern fertigzuwerden. Wenn Sie irgendetwas über Management verstehen wollen, sehen Sie sich diese Serie an! Es kommt in so ziemlich 100 Prozent aller Fälle heraus, dass die Kinder mit den Eltern nicht klarkommen, dass also die Eltern das eigentliche Problem darstellen. Die Eltern suchen immer nach Tipps und Tricks, die Kinder zu beherrschen. Sie haben aber nie die Erkenntnis, dass sie diese Tipps und Tricks nur deshalb suchen müssen, weil sie in der Erziehung ziemliche Amateure bis hin zu Volltrotteln sind.

Ich habe auch einige wenige Sendungen angesehen, wo Leuten beigebracht wird, mit schrecklich unerzogenen Hunden klarzukommen. Wieder besteht das Hauptproblem in fast allen Fällen darin, dass die Tierbesitzer keinen Schimmer von Tieren haben. Der Fisch stinkt vom Kopf her, sagt man. Das weiß jeder - solange er nicht selbst der Kopf ist. Deshalb werden immer wieder Kinder angeschrien, lebensuntüchtig gemacht und Hunde »versaut«.

Ganz genauso verhält es sich mit dem Management. Es schaut nicht in die Zeugnisse von Kindern, aber auf die Zahlen der Mitarbeiter. Das geht so: In der Regel äußert sich der Misserfolg eines Unternehmens zuerst in sinkenden Verkäufen. Sofort vermutet das Management das Problem im Vertrieb, weil es dort zuerst auftritt und sich sofort in den Quartalszahlen bemerkbar macht - das Unternehmen schneidet nun schlechter als der Markt ab. Das Nächstliegende ist, dem Vertrieb »in den Hintern zu treten«:

- Der Vertrieb ist »satt und träge« (sofort finanzielle Einbußen androhen).
- Der Vertrieb ist mutlos (sofort finanzielle Anreize erhöhen).
- Der Vertrieb ist überfordert (»Nachhilfe« und Aktivierung von mehr Leuten, »Jeder muss jetzt beim Verkaufen helfen, alle Mann an Deck, es ist Sturm!«).

Das Management lässt stressende Prüfungen hageln. Wie oft war der Vertrieb beim Kunden? Wie lange dauerten die Besuche? Hat man bitteschön dem Kunden eindringlich die ganze Produktpalette angeboten und nicht nur, was der Kunde fragte? Diese Fragen werden nicht deshalb gestellt, um eine Antwort zu bekommen, sondern, um mit dem Holzhammer zu drohen: mehr Kundenbesuche, mehr anbieten, dem Kunden Stress machen! So kommt das Donnerwetter über den Vertrieb, der bestimmt gerade auch einen Book-Smart-Lehrgang hatte: »Höre dem Kunden geduldig zu.«

Diese Managementlogik und das dazugehörige Maßnahmenbündel haben wieder denselben Haken: Das Management lokalisiert das Problem reflexhaft im Vertrieb. Es kann ja auch sein, dass die Produkte qualitativ nicht gut sind, dass sie nicht mehr modern wirken, dass sie zu teuer sind, dass die Kunden schon alle diese Produkte gekauft haben, dass die Kunden zu oft besucht werden und deshalb ärgerlich sind, dass der Vertrieb lästig ist, dass der Service des Unternehmens nicht gut ist oder dass der Verkäufer des Unternehmens dauernd wechselt (so wie ich alle paar Monate einen neuen Bankberater vorgestellt bekommen soll, wo ich doch schon etliche Jahre nicht mehr persönlich in der Bank war). Mit einem Wort: Das Management kommt nicht auf die Idee, dass es an ihm selbst liegen könnte. Wie sagte noch Deming? »Beschuldige nicht die Arbeiter - die machen nur 15 Prozent der Fehler selbst, während die restlichen 85 Prozent aus unbeabsichtigten Konsequenzen eines Systems resultieren, das das Management so designt hat, wie es ist.«

Wenn das Management dann den Vertrieb in Meetings anherrscht, »verdammt noch mal die Extrameile zu gehen«, dann wird öfter einmal verhalten bis wütend entgegnet, dass man andere Produkte brauche, ausgereifte und nicht so stark erklärungsbedürftige. »Das Zeug lässt sich nicht verkaufen!« Das streitet das Management regelmäßig ab, es will den Schwarzen Peter beim Vertrieb lassen und argumentiert in dieser Frage so sehr innerlich überzeugt (fast authentisch, aus vielleicht ganz und gar authentischer Ahnungslosigkeit heraus - SABTA), dass der Vertrieb am Verstand des Managements zweifelt. Manchmal kann man dem Management sogar über Kundenaussagen beweisen, dass die Produkte nicht mehr gut zu verkaufen sind, aber dann sagt das Management: »So schnell gibt es keine neuen Produkte - und trotzdem müssen wir das Quartalsziel schaffen. Wir müssen es schaffen, egal wie.« In amerikanischen Firmen sagt man allgemein: »Sell what's on the truck.« Oder: »Wir können eben nur verkaufen, was wir haben. Hört auf, von anderen Produkten zu träumen. Im Augenblick haben wir keine. Es tut nicht gut, zu erkennen, dass unsere Produkte schlecht sind, weil man sie dann nicht mit voller Begeisterung verkaufen kann. Leute, wir haben keine Wahl. Es ist, wie es ist. Augen zu und durch. Es liegt an euch, wer noch einen Bonus bekommt. Geht wieder und wieder zum Kunden! Vertrieb ist ein harter Beruf, man hat keinen Anspruch, nur Produkte verkaufen zu müssen, die sich von selbst verkaufen. Wer im Vertrieb so etwas will, ist faul.« - »Nein! Nein! Wir kommen nicht mehr weiter! Die Kunden wissen, dass wir in Not sind, sie wollen nichts kaufen, sie wollen absolut nicht mehr angerufen werden, sie fühlen sich von uns nur noch belästigt, wir verscherzen es uns mit ihnen ganz. Langfristig wird sich das rächen, wenn wir ihnen durch häufiges Anrufen zu deutlich zeigen, dass es uns nur um den Bonus geht.« -

»Ach was, sie beruhigen sich wieder. Es geht doch jedem nur um den Bonus. Das ist beim Kunden doch nicht anders, der will ja selbst in seinem Betrieb auch nur den Bonus. Wir sind alle Getriebene, wir werden uns das doch nicht übelnehmen? Los, Leute, Begeisterung ist Pflicht! Wer nicht an seinen Erfolg glaubt, hat keinen. Ich glaube fest daran, dass unsere Produkte gut sind, und deshalb werdet ihr sie in großer Menge verkaufen.« Ratloses Schweigen.

Da fällt mir ein, dass ich neulich gelesen habe, dass vollkommen ahnungslose Bankberater besser Tagesgeld verkaufen können als Fachexperten. Das Tagesgeld wird heute mit grandiosen 0,15 Prozent (!) verzinst - das lässt sich eigentlich nicht verkaufen und treibt einem beratenden Finanzexperten die Schamröte durch alle Körperteile, wenn er dem Kunden so etwas anbietet. Völlig Unbedarfte sagen aber einfach, dass es heute laut Tabelle auf dem Flachbildschirm 0,15 Prozent gebe ... Fertig. Sie glauben an das Produkt oder nehmen es, wie es ist, weil sie keine Ahnung haben. Dummheit macht hier selbstbewusster.

Monoman ist jemand, der einer einzigen fixen Idee folgt. In diesem Sinne ist das Management von der fixen Idee besessen, alles würde sich mit der rechten Begeisterung des Vertriebs einrenken lassen. Die Lehrer haben die fixe Idee, es liege am Fleiß des Kindes, die Eltern auch ... Was aber, wenn es eben nicht daran liegt? Wenn eben die Produkte nicht gut sind? Oder die Ehe der Eltern Schatten wirft? Dann sinken die Begeisterung im Vertrieb und der Fleiß des Kindes. Das registrieren die Manager und Eltern natürlich sofort - dass nämlich Fleiß und Begeisterung sinken. Und sie wissen in ihrer monomanen Fixierung sofort, was im Argen liegt: Fleiß und Begeisterung. Bingo! Dann schimpfen sie lange, verbessern aber die Zustände nicht. Da sinken Fleiß und Begeisterung noch weiter ab, der Aktienkurs fällt weiter, da steigt die Lautstärke des Schimpfens.

Wieder sehen wir eine Akerlof-Spirale, die sich unaufhaltsam nach unten windet. Die Krankheit schwächt bis zum Tod, weil monoman hartnäckig eine falsche Therapie verfolgt wird. Die Krankheit kommt, die falsche Therapie macht die Krankheit schlimmer, man verstärkt die falsche Therapie, die Krankheit wird schlimmer, man verstärkt die Therapie ...

Die nächste fixe Idee als eine neue Sau durchs Dorf treiben

»Da wird wieder eine Sau durchs Dorf getrieben«, so schütteln sich innerlich die älteren Mitarbeiter eines Unternehmens. Diese Redensart meint, dass jetzt wieder einmal Begeisterung für etwas entfacht werden soll, was schon früher nicht richtig funktionieren wollte und bald wieder einschlief. Dann ist für eine Weile Stille - bis man die nächste Sau durchs Dorf treibt.

Wenn das Management alles getan hat, um den Vertrieb zu motivieren (also ihm in den Hintern zu treten), bemüht es sich in der Regel noch zusätzlich um aktionistische Sonderprogramme, die die Zielerreichung noch sicherer sicherstellen sollen. Diese Sonderprogramme stützen sich oft auf neu formulierte Ideen (»alter Wein in neuen Schläuchen«), die regelmäßig von der Beraterbranche auf Konferenzen als gute Heilmittel angepriesen werden. Meist wird daher diejenige Sau durchs Dorf getrieben, die gerade alle anderen Unternehmen auch durchs Dorf treiben - dann hat man nicht nur etwas Großartiges getan, sondern auch die Wettbewerber ausgekontert. Und absolut großartig muss das ja sein, was gerade alle gleichzeitig versuchen. Millionen Unternehmen können nicht irren (dazu gibt es einen entsprechend garstigeren Spruch, der die Sache noch mehr zum Fliegen bringt). Schreckliche Logik, oder? »Durch die neue Methode, die jetzt alle anwenden und wir auch, erhoffen wir, einen Vorsprung gegenüber den anderen zu erzielen.«

- Große Marketing-Offensive
- Preisausschreiben im Internet
- Sonderangebote, ganz NEU, nur HEUTE (bis zum Quartalsende)
- Fan-Offensive bei Facebook, alle Mitarbeiter posten, wie glücklich sie sind, und bitten um Likes
- Ausrufen einer Qualitätsoffensive (»Kunden, wir haben verstanden!«)
- Service-Revolution (»Unser Kundendienst hat jetzt ein großes Herz im Logo!«)
- Darstellungen von besonderen Mitarbeiterleistungen in der Presse (»rettete Hund vor einer Katze«)

- Beteiligungen an Leuchtturmprojekten und Forschungen
- Nachhaltigkeitsdemonstration, Berufung einer Frau in den Vorstand
- Ökologie-Siegel und Spende von 1 Cent pro Produkt für indische Arbeiter, die wegen Krankheit keinen Lohn bekommen
- Client-Crowd-Innovation-Initiative (»Kunden, helft uns mit euren Ideen, neue Produkte zu erfinden, die wir dann für uns patentieren und euch verkaufen!«)
- Das Unternehmen fordert die Regierung lautstark auf, etwas für den Standort Deutschland zu tun, die Steuern zu senken, die Rahmenbedingungen zu schaffen et cetera
- Vollständige Reorganisation nach dem Vorbild eines Bundeskanzlers, der bei Ermüdung seines Teams ein paar Minister austauscht und dadurch praktisch noch am selben Tag wieder regierungsfähig ist

Ich bitte Sie um Verzeihung, wenn ich zunehmend sarkastisch geworden bin. Aber bei allen solchen Programmen geht es nicht darum, die tiefliegenden Probleme eines Unternehmens endlich beherzt anzugehen, sondern darum, schnell ein Freudenfeuer zu entfachen, das ganz neuen Umsatz über das Vehikel der Begeisterung »generiert«, wie man neudeutsch sagt. Das Schlimme an solchen Aktionen ist es, dass das Management jetzt wirklich (!) überzeugt ist, das Maximale zur Umsatzsteigerung getan zu haben – ein neuer Vice President wirbelt ganz trunken von seiner Karrierechance umher. Leider vergehen wieder etliche Monate, in denen nichts Ernsthaftes angefasst wird. Man muss ja den Erfolg der ergriffenen Maßnahmen abwarten. Jeder hat schließlich Anspruch auf seine 100 Tage Bewährungsfrist.

Diese Art Einfältigkeit, alle Probleme schnell mit einer einzigen Arznei zu therapieren, findet man im privaten Bereich auch, aber im Management-Schwarm ist sie absolut verbreitet. Private glauben vielleicht noch an die Therapie, aber im Management ist es oft nur wichtig, überhaupt eine Therapie zu haben. Schauen Sie die Business-Bestseller an, die die Manager als Einzelmenschen lesen und die sie dann im Management-Team als Säue durchs Dorf treiben. In der Buchhandlung wimmelt es von Teil- oder Vollerlösungstherаpien, von denen jede findet, man solle mit ihr zuerst beginnen und – ja, das reiche eigentlich aus, nur ihr zu folgen, dann werde alles gut.

- Gesunde Ernährung ohne Zeitverschwendung
- Erfolgstraining – Aneignung der Denkweise der Reichen
- Globuli gegen das Leiden unter zu homöopathischen Umsätzen
- Aufbau von Selbstbewusstsein (»Ich mag mich, ich bin schön«)
- Bemühen um Beliebtheit (»Schaffe dir Freunde«)
- Aufbau von Beziehungen (»Werde Teil von Netzwerken und Seilschaften«)
- Trichtere dir diese 50 Bücher ein, und du bist gebildet
- Hochleistung durch sinnstiftende Bürostühle und Wandfarben
- Lerne, witzig zu sein und gut zu reden!
- Beeindrucke durch Detailwissen von Zahlen!
- Kenne alle Trends, wisse um »in« und »out«!
- Training mentaler Stärke (»Du schaffst es«)
- Kosmetik und Kleidung (»Unterstreiche dein großes natürliches Charisma«)
- Gedächtnistraining
- Gewinne im Spiel!
- Verstehe andere Menschen und gedeihe bei guter Kommunikation!
- Lerne alles an alle zu verkaufen – durch die Magie der Überzeugung!
- Gewinne durch Körpersprache!
- Höre schneller zu als andere und spare Zeit!
- Fitness durch Treiben von Sport aller Art
- Lerne, zum richtigen Zeitpunkt »Danke!« zu sagen

Immer geht es darum, Allheilmittel zu besorgen, deren Verwendung und Verfolgung zum blitzschnellen Erfolg oder zur sofortigen Zielerreichung beitragen kann (aber in der Regel allein nicht dorthin führen). Es geht bei diesen monomanen Mitteln nicht um das Nachdenken, worin der Erfolg inhaltlich bestehen könnte. Man sammelt nur möglicherweise nützliche Mittel, ohne den Zweck zu kennen. Wäre es nicht sinnvoll, erst den Zweck festzulegen und dann die dazu nötigen Mittel zu beschaffen …?

Irgendwann breche ich innerlich zusammen, wenn wieder so ein Street Smart meinen geliebten Saint-Exupéry so irrsinnig unsinnig zitiert: »Wenn du ein Schiff bauen willst, dann trommle nicht Männer zusammen, um Holz zu beschaffen, Aufgaben zu vergeben und die Arbeit einzuteilen, sondern lehre die Männer die Sehnsucht nach dem weiten, endlosen Meer.« Sie sammeln aber dann doch gleich nach dem Zitat Mittel! Meist kommentieren die Manager das Zitat so, dass es besage, man solle Sehnsucht haben. »Also, Leute, habt mal Sehnsucht nach einer Gewinnsteigerung. Hey, Leute, ich will jetzt Begeisterung sehen!« Saint-Exupéry sollte für Street Smarts verboten sein.

Intelligente Skepsis gegenüber Allheilmitteln

»Ich habe jetzt ein Buch für 99 Euro gekauft, das mir dazu rät, jeden Morgen »Ich mag mich!« vor dem Spiegel zu sagen. Ich komme mir jetzt viel besser vor. Ich merke, wie mein Selbstbewusstsein Tag für Tag steigt.«

»Ich habe jetzt eine Facebook-Seite und klicke alle möglichen Leute an, dass sie mein Freund sein sollen. Das haben jetzt schon etliche gemacht. Ich habe jetzt endlich Freunde!«

»Ich lese gerade die wichtigsten 50 Bücher der Welt. *Ulysses* verstehe ich nicht, aber ich halte voll durch. Danach kommt *Auf der Suche nach der verlorenen Zeit* - puh, das sind 4000 Seiten. Kein Wunder, dass so wenige Menschen gebildet sind. Ich werde bald zu dieser Elite gehören. Wenn dann bei einer Party über Dantes *Göttliche Komödie* gesprochen wird, kann ich mitlachen.«

Das Wunderbare an solchen Allheilmitteln ist die warme Freude am Anfangserfolg, die sich als Placebo-Effekt im Körper wohlig breitmacht. Diesmal wird, ja, *ist* alles gut! In diesem euphorischen Stadium eines von einer fixen Idee Befallenen hilft kein Hinweis, dass es ein Placebo-Effekt ist, der bald nachlässt. Meist werden solche neuen Wege im Team oder als Gruppe beschritten - da verstärkt sich die Freude.

Wenn man warnt, wird man verhöhnt. Wenn man geduldig wartet und wieder warnt, dann haben diese Menschen oft schon ein neues Allheilmittel gefunden. »Ich habe jetzt etwas Besseres! Ich sage nicht mehr »Ich mag mich«, sondern »Ich schaffe das« vor dem Spiegel, das soll viel effektiver sein. Ich habe viel mehr davon, wenn ich etwas schaffe, als wenn ich mich nur mag. Dafür kann ich mir ja nichts kaufen.« Oder: »Du siehst kaum verändert aus, hat die Gurkendiät nicht angeschlagen?« - »Oh doch, aber ich habe eine neue Diät gefunden. Man darf dabei so viel essen, wie man will, aber man muss es vor dem Schlucken 222-mal kauen.« - »Aha, dann dauert das Dickbleiben zu lange?« - »Es ist ätzend, ich esse jetzt den ganzen Tag. Das viele Kauen soll die Kalorien im Essen zerstören.«

Allheilmittel begeistern! Und die Kraft dieser Begeisterung ist so groß, dass jede Vernunft neben ihr erbärmlich und blass erscheint. Deshalb fordert das Management stets die euphorische Begeisterung, wenn sie eine neue Sau durchs Dorf treibt. Unternehmen, die sich neuen Allheilmethoden widmen, haben Zeit gewonnen und sind kritikbefreit. Wer die modernen Methoden einsetzt, ist fortschrittlich. Er ist auf der Höhe der Zeit. Wer jetzt alles einmal nur mit Vernunft anschauen will, der ist? Störenfried.

Ratgeber – meine Binsenweisheiten

Da müsste ich jetzt einen Ratgeber gegen Ratgeber verfassen? Nein, Rat ist gut, aber nicht so allheilträchtiger! Wenn diese Methoden gut funktionieren würden, bekäme man sie ja auf Krankenschein. Na, auch das stimmt nicht, weil es ja manche Allheilmittel auf Krankenschein gibt, weil Placebo-Begeisterung billiger ist als ein Arzt. Die Krankenkassen sind ja nicht blöd. Das aber verstehen die Begeisterten anders: *Weil* die Krankenkassen etwas bezahlen, muss die Methode ja gut sein.

Skeptiker raten, wissenschaftliche Studien zu Rate zu ziehen, aber die Studien sind wieder sehr zweischneidig, darum geht es im nächsten Kapitel der Statistik-Umdeutungen zu den eigenen Gunsten. Allheilsmittel sind gut für Zweieinhalb- bis Drittklassige. Echte Vernunft trifft sie nicht. Warum das so ist, begründe ich gleich. Im Augenblick weiß ich keinen Rat gegen Begeisterung. Nach dem nächsten Kapitel kann ich das besser - vor Statistik-Umdeutungen warnen.

Fazit

Die Taktik der Street Smarts, immer dasjenige Nächstliegende anzugehen, das aktuell am meisten Erfolg verspricht, erzeugt ein großes Angebot an brandneuen Methoden für den sofortigen Erfolg. Einwände und Warnungen von Book Smarts prallen ab. Wenn die eine Allheilmethode nicht hilft, kürt man die nächste zum Motto des neuen Geschäftsjahres. Nach »Innovation 2009« folgt »Kundenzentrierung 2010« folgt »Diversity 2011« folgt »Cloud Computing 2012« folgt »Big Data 2013« folgt »Extrameile durch Partizipation 2014« folgt »Design Controlling 2015« ... Wenn Sie bei einem großen Unternehmen arbeiten, sollten Sie die Kaffeepötte mit dem Jahresmotto sammeln, so wie Jahresbembel oder Oktoberfestkrüge.

6

Statistiknieten suchen nach der simplen Erfolgsformel

Aus simplen Kausalitätsspekulationen der Art »Unternehmen mit vielen Facebook-Likes haben höhere Gewinne« werden wirklich dumme Aktionen abgeleitet: Alle Mitarbeiter liken und das Management wartet auf den Mehrprofit. Statistikunkundigkeit macht dumm, nicht nur schwarmdumm.

Kurzinhalt: Auf der Suche nach Allheilmitteln oder dem einen Hebel, der die Welt bewegt, lesen Erlösungsinteressierte die Ergebnisse von Studien, am besten die von »wissenschaftlichen«. Diese Studien stellen in aller Regel Zusammenhänge oder Korrelationen zwischen verschiedenen Phänomenen fest. Worin die Zusammenhänge bestehen, sagen die Studien so gut wie nie, aber die Statistiknieten interpretieren aus der Luft gegriffen die allereinfachsten Erklärungen hinein, um dadurch ein neues Allheilmittel zu gewinnen.

Wie eine Studie entsteht, was sie sagt und was sie nicht sagt

Die meisten Studien erhellen uns mit neu gefundenen Zusammenhängen. Die Ergebnisse von Studien sollten korrekt in der folgenden Diktion formuliert werden:

- »Es besteht eine positive Korrelation zwischen Ballbesitz und Sieg im Fußball.«
- »Es gibt keine Korrelation zwischen dem Jahresgehalt und der Schönheit einer Frau.«
- »Es gibt eine negative Korrelation zwischen Rauchen und Intelligenz.«

Es wird dann deutlich, dass festgestellt wurde:

- »Mehr Tore, mehr Ballbesitz« beziehungsweise »mehr Ballbesitz, mehr Tore«, die Größen sind tendenziell beide gleichzeitig groß oder gleichzeitig klein.
- Unklar, kein Zusammenhang zu sehen, ob Schönheit etwas mit dem Jahresgehalt zu tun hat; es kommen schöne Frauen mit kleinen und großen Gehältern vor, die Verteilung der Gehälter unter schönen Frauen ist wie bei normalen Frauen auch.
- »Mehr Rauchen, weniger Intelligenz« beziehungsweise »mehr Intelligenz, weniger Rauchen«, tendenziell ist eine der Größen klein, die andere groß.

Wie wurde das festgestellt?

- Man misst in vielen Spielen X = Ballbesitz der Mannschaft und Y = Anzahl der geschossenen Tore. Man trägt die (X, Y)-Werte in ein Diagramm ein und sieht: »Aha, sie zeigen einen positiven Zusammenhang.«
- Man misst Jahresgehalt und Schönheit vieler Frauen und verfährt wie vorher. Hier ist das Problem, die Schönheit einer Frau zu messen. Wie macht man das? Was ist »schön«? Gegenüber

dieser Problematik ist die Ballbesitzmessung oder die Toranzahlbestimmung ein Kinderspiel! Wegen der Schwierigkeit der Messung kann solch eine Studie sehr aufwändig werden. Aber im Prinzip kommen wieder nur ein paar Messwerte wie im ersten Fall heraus.

- Man lässt Raucher und Nichtraucher einen Intelligenztest machen und hat damit die gewünschten Werte. Das ist wieder im Prinzip einfach. Praktisch gesehen aber müssen Sie viele Leute finden, die den Test für Sie ablegen und Ihnen das Ergebnis verraten. Man müsste wohl erst eine Vorstudie machen, welche Menschen gerne solche Tests mitmachen (nur Intelligente, weil sie angeben können?). Solch eine Studie ist nicht so ganz simpel, sage ich Ihnen! Das Ergebnis sind dann aber wieder zwei einfache Messreihen, die sich leicht in ein Diagramm eintragen lassen.

Was bedeuten diese Aussagen? Darüber kann man jetzt nachdenken! Ich versuche es für Sie:

- Wenn eine Mannschaft gewinnt, wird sie wohl mehr Ballbesitz gehabt haben, oder? Ich glaube, das Ganze hat einen tieferen Grund: Es wird wahrscheinlich so sein, dass im Fußball aktiver Einsatz, Ausdauer und Spielfreude belohnt werden. Wer sich reinhängt und von Herzen gewinnen will, wer Zweikämpfe gewinnt und Lust hat, der erzielt BEIDES GLEICHZEITIG, Ballbesitz und Tore. Dann ist es aber banal: Wenn man gut spielt, hat man tendenziell mehr Ballbesitz UND mehr Tore, wenn man sich nicht reinhängt, beides nicht.
- Viele - ich auch - hätten gedacht, dass schöne Frauen mehr verdienen. Ist das denn nicht so? Warum nicht? Vielleicht gibt es nur Vorteile für Schöne, wenn sie Sekretärin sind? Oder sie heiraten Reiche? Oder sie haben in unteren Gehaltsklassen Vorteile, aber weiter oben nicht, weil Schönheit nicht zum Bild der toughen Chefin passt und auf Vorurteile trifft? Ich gestehe: Ich habe keine Ahnung! Ich kann hier alle meine Vorurteile und Vermutungen auffahren, aber ich traue meinen Argumenten absolut nicht. Ich passe.
- Sind Raucher dümmer? Glaube ich nicht. Ich denke, der IQ hat

gar nichts mit dem Rauchen zu tun. Ich habe gelesen, dass Leute in den bildungsfernen Schichten mehr rauchen als zum Beispiel Akademiker. Der Zusammenhang zwischen dem IQ und dem Rauchen erklärt sich dann einfach über die Bildungsschichten, die derzeit verschiedene Lebensführungen bevorzugen.

Sie sehen, dass man leicht einen Zusammenhang feststellen kann, indem man einfach nur zwei Datensätze erhebt. Dann aber kann man sich lange Gedanken machen, wie dieser Zusammenhang zustande kommt. Das Feststellen eines Zusammenhangs ist in dieser Weise der Beginn einer schwierigen intellektuellen Reise durch das Land möglicher Erklärungen. Jetzt ist es für Wahrheitssucher vielleicht angebracht, neue Studien anzufertigen, die mögliche Erklärungen mit neuen Daten erhärten:

- Wir messen, ob Fußballmannschaften, die sich reinhängen und Spielfreude mitbringen, beides erzielen - Ballbesitz und Tore. Dann wären wir weiter.
- Wir vergleichen Schönheit und Gehalt in verschiedenen Berufen und Hierarchiestufen und schauen, ob es Unterschiede gibt. Wenn nicht, geben wir auf.
- Wir probieren es mit mehreren gleichartigen Raucherstudien in verschiedenen Milieus. Wir werden dann nach meiner Idee wohl feststellen, dass Rauchen und IQ innerhalb eines Milieus nicht wirklich zusammenhängen, dass es aber große Unterschiede zwischen den Milieus gibt.

Damit will ich sagen (Entschuldigung, ich brauchte diesen langen Vorlauf): Man kann aus Datenzusammenhängen nur selten gleich eine Erklärung für den Zusammenhang abgeben. Es ist leicht, Zusammenhänge in Daten zu finden. Es ist meistens *sehr schwer,* den Zusammenhang wirklich gut zu erklären. Die Studien stellen fast immer nur den Zusammenhang fest, geben aber keine wahre und überprüfte Erklärung des Zusammenhangs ab. Dazu müssten fast immer neue Studien angefertigt werden, um der Wahrheit langsam nach und nach auf die Spur zu kommen. Das bedeutet in der Regel harte und vor allem anspruchsvolle Arbeit.

Wie Statistiknieten aus Studienergebnissen simple Erfolgsformeln ableiten

In der Praxis werden die wissenschaftlichen Studien als Teil einer Masterarbeit, einer Dissertation, einer Forschungsarbeit oder eines Beratungsauftrags angefertigt. Die Forscher oder Berater erheben Daten und publizieren gefundene Zusammenhänge, wenn sie welche gefunden haben. Diese Studien werden oft von Journalisten oder Managern angeschaut, die die Ergebnisse für sich nutzen wollen - die einen wollen interessante Berichte schreiben, die anderen wirksame Handlungsempfehlungen ableiten. Die Forscher lieben es, wenn ihre Studien große Aufmerksamkeit erzielen. Berater lesen Studien, um als Erste daraus neue Erfolgsrezepte abzuleiten. Diese Erfolgsrezepte verkaufen sie dann als Erstwisser teuer an Unternehmen, die die Studien nicht selbst gelesen haben oder nicht selbst lesen wollen. Und so kommt es zum ultimativen Sündenfall vieler gemeinsam Beteiligter, der vielleicht die größte Flut an Schwarmdummheit unter den Menschen erzeugt.

> Der Schwarm erklärt den Zusammenhang dumm einfach und falsch als simple Kausalbeziehung.

In der Presse, die ja von Berufs wegen die Artikel zuspitzen muss, damit eine gute Story entsteht, finden wir die Studienergebnisse so wieder:

- »Ballbesitz ist die neue Mega-Erfolgsformel.«
- »Schminke bringt nichts.«
- »Rauchen macht dumm.«

Das sind Interpretationen oder Erklärungsversuche der Zusammenhänge in den Studien, die einfach nicht stimmen. Die schmissigen Thesen stehen so nicht in der Studie und sind auch falsch. Aber: Sie klingen gut und fetzig. Sie regen eine Diskussion an. Eltern reagieren darauf und nehmen den Kindern die Zigaretten weg, weil die Kinder ja gerade verdummen. Trainer beginnen, die Mannschaften auf Ballbesitz zu trimmen. Die Fernsehzuschauer bekommen jetzt seit kurzem die Ballbesitzquote eingeblendet - von dieser Quote war in 100 Jahren Fußball nie die Rede. Jetzt ist sie total wichtig! Ein neuer Hype entsteht. Wenn eine Mannschaft verliert, fragt sie der Reporter, warum sie so wenig Ballbesitz hatte. Wenn Mannschaften zurückliegen, werden sie den Ball dauernd zum Torwart spielen, dann haben sie wenigstens Ballbesitz und werden nicht so stark wegen der Niederlage verhöhnt. Raucher werden jetzt scheel angesehen, weil sie sich aktiv verdummen, der Arbeitgeber wird sie bald ermahnen. Schöne Frauen werden hämisch angeschaut: »Ätsch, du verdienst nicht so viel, wie du gerne möchtest, Pech, was? Du muss dich nicht über uns erheben.«

Die falschen Erklärungen erzielen also ihre Wirkung. Sie verbreiten sich als Dummheit weiter. Der Mechanismus ist immer der gleiche. Ich erläutere ihn an einem witzigen Beispiel aus der Praxis:

1. Eine Studie stellt einen Zusammenhang zwischen zwei Größen X und Y fest, zum Beispiel zwischen X = Gehalt und Y = »trägt einen schwarzen Anzug oder nicht«.
2. Die Studie wird auf zwei dumm einfache Erklärungsversuche abgeklopft, das sind immer die beiden Kausalbeziehungen »Wenn X, dann Y« oder »Wenn Y, dann X«. Beide sind fast immer falsch, weil die Wahrheit im wirklichen Leben nicht so dumm einfach »wenn - dann« ist. Unser Leben ist nicht wie ein Gesetz der Physik. In diesem Fall sind die beiden dumm einfachen Kausalerklärungen: »Wenn man viel Geld verdient, trägt man eher schwarze Anzüge.« Und: »Wenn man schwarze Anzüge trägt, bekommt man mit der Zeit mehr Geld.« Beides ist falsch!
3. Man nimmt von den beiden falschen dumm einfachen Erklärungen diejenige, die eine schön grelle Schlagzeile abgibt und am meisten Aufmerksamkeit erregt. Daraus macht man nun: »Trag Schwarz, und du bekommst eine Gehaltserhöhung.«
4. Man lässt die - so drückt man sich aus - »Ergebnisse der Studie« im Fernsehen diskutieren. Da werden dann alle möglichen anderen Erklärungen von teilweise sehr intelligenten Menschen

diskutiert, aber im Volk und im kollektiven Gedächtnis bleibt haften: »Willst du Geld, trag Schwarz. Da ist schon etwas Wahres dran.«

5. Ergebnis: Als ich im letzten Jahr eine Rede vor dem gesamten Management einer großen Versicherung hielt, trug ich einen dunkelblauen Anzug. Ich ging nach vorne, schaute ins Publikum und sah: Ich war underdressed. Von vielleicht 400 Personen trugen vielleicht zehn nicht schwarz. Würden die jetzt unterbezahlt? Hatten sie die Studie nicht gelesen? Wollten sie Trotzreaktionen zeigen? Heute trägt manchmal nur der oberste Chef keine Krawatte. Es ist das Zeichen der Macht, das alleine zu dürfen.

Ich fasse zusammen: Wenn es einen Zusammenhang zwischen X und Y gibt, muss man über seine mögliche Erklärung in der Regel tief nachdenken. Das tun viele nicht und dichten sich eine mögliche Erklärung zusammen, die vor allem schmissig klingt. Die verbreitet sich dann überall und erregt Aufmerksamkeit. Und dann geschieht dies: Was alle gehört haben, muss wahr sein. Wenn es im Fernsehen kam, sowieso.

- Manager wollen einfache Erfolgsrezepte,
- Journalisten schmissige Thesen,
- das Fernsehen liebt starke Aussagen,
- die Zuschauer einfache oder skurrile Wahrheiten,
- die Berater verdienen mit einfachen Allheilmitteln,
- Lobbyisten wollen eine simple Erfolgsformel,
- Politiker gewinnend-platte Kernbotschaften,
- Vorstandsvorsitzende möchten ein fetziges Motto für den Kaffeepott 2016.

Alle wollen simple Dummheit der Form »wenn - dann«:

- Wer viel fernsieht, wird dumm (bis 2008).
- Wer viel im Internet surft, wird dumm (seit 2008).
- Senioren mit Tablet werden wieder geistig fit.
- Gewaltspiele erzeugen Amokläufer.

- Der Besitz von Waffen ist wichtig für Jagd und Sport und damit für alle.
- Viel Geld macht unglücklich.
- Hohe Steuern ruinieren ein Land.
- Was für Bayern gut ist, hilft der Welt.
- Die Wiedereinführung der DM bringt Wohlstand für alle.
- Wenn ein Unternehmen viel Gewinn macht, sind die Mitarbeiter stolz.
- Wenn eine Fernsehsendung eine große Quote hat, muss sie hochqualitativ sein.
- Wer viele Facebook-Freunde hat, ist ein toller Mensch.
- Unternehmen mit Methode $$$ haben Erfolg.
- Nutella verbessert die Hirnleistung.
- Nutella schadet dem Körper.
- Leute mit höherem Salatkonsum sind zufriedener.
- Mitarbeiter arbeiten besser, wenn sie ihre Arbeit lieben.
- Mitarbeiter legen die Füße auf den Tisch, wenn der Chef nicht da ist.
- Ohne Beratung kann kein Unternehmen Erfolg haben.

Diese Aussagen bezeichnen die Zusammenhänge schon in der suggestiven Headline-Form der Journalisten, Motivationstrainer und Lobbyisten. Sie erklären in Studien festgestellte (und nicht erklärte!) Zusammenhänge einfach dumm kausal und scheren sich überhaupt nicht um die Wahrheiten in der Tiefe. Hauptsache, Sie werden mit einer simplen Botschaft dahin manipuliert, wo man Sie haben will. Das feste Behaupten oder Suggerieren von (falschen) Kausalzusammenhängen ist ein fabelhaftes Mittel zur Verdummung, zum Verkaufen, zum politischen Agitieren und Manipulieren und zum Erzeugen vorschneller Vorurteile.

Was sagen die Book Smarts dazu? Jedem Wirtschafts-, Psychologie-, Jura- oder Soziologiestudenten wird wieder und wieder eingetrichtert, dass er niemals aus Zusammenhängen (Korrelationen) Kausalitäten machen soll. Jedem! Immer wieder! Und die Street Smarts: Irgendetwas wird schon dran sein. Wir probieren es einmal.

> Die Tendenz, aus Studien über bloße Zusammenhänge heraus einen Wirk- oder Kausalzusammenhang quasi zu erfinden und danach zu handeln, ist wohl die größte Quelle der Schwarmdummheit.

Wenn nur jeweils ein Teil der Menschen in Meetings, Parteien oder Versammlungen durch solche objektiv dumm einfachen Kausalitätsidiotien verseucht ist, sind die Wissenden im Meeting verloren, auch wenn sie die Zusammenhänge tiefschürfend erklären könnten. Man hört ihnen nicht zu.

So, jetzt ist es eigentlich an der Zeit, Sie mit realen Beispielen von dummen Kausalannahmen zu beunruhigen. Ich muss aber noch ein wenig ausholen und ein oft vorkommendes typisches Zusammenhangsgefüge darstellen. Dann kommen reale Beispiele!

Erklärungen von Zusammenhängen über Hintergrundvariable

Oft ist es möglich, dass die Zusammenhänge zwischen einem Merkmal X und einem anderen Merkmal Y durch einen dritte Variable Z (»Hintergrundvariable«) besser oder ganz erklärt oder mindestens erhellt werden können. Ich gebe Ihnen jetzt die üblichen Beispiele aus den Vorlesungen an der Universität. Betrachten wir folgende Zusammenhänge

- Zwischen der Schuhgröße und dem Einkommen der Menschen: Es stellt sich heraus: Mit steigender Schuhgröße verdienen Menschen mehr.
- Zwischen dem Verzehr von Magnum-Eis und dem Vorkommen von Sonnenbrand: Beide Zahlen hängen eng zusammen.
- Zwischen der Geburtenrate in Deutschland und der Anzahl der Störche in Deutschland: Diese Zahlen zeigen einen positiven Zusammenhang.

Die Presse argumentiert gleich wieder:

- Große Füße bringen Vorteile - mehr Geld!
- Verzehr von Magnum-Eis schadet der Haut!
- Kinder werden doch vom Storch gebracht!

Die Auflösung der »Rätsel« fällt leicht:

- Kinder haben kleine Füße und verdienen sehr wenig, Frauen verdienen weniger als Männer, die größere Füße haben.
- Magnum-Eis-Verzehr und Sonnenbrand sind beide bei Sonnenschein maximal und bei Frost beide minimal.
- Die meisten Kinder werden in Monaten geboren, in denen die Störche hier sind, im Frühjahr und Sommer.

Der Zusammenhang zwischen Einkommen und Schuhgröße ist also kein direkter Zusammenhang, sondern einer über das Geschlecht und das Alter. Wenn man zum Beispiel nur Männer über 40 betrachtet, gibt es keinen Zusammenhang zwischen Schuhgröße und Einkommen. Eisverzehr und Sonnenbrand hängen beide vom Wetter ab. Wenn man Eis und Sonnenbrand nur im Sommer betrachtet, gibt es keinen Zusammenhang. Kindersegen und Störche hängen ebenfalls über das Wetter zusammen. Im Winter gibt es weniger Kinder und wenige Störche, im Sommer vom beidem mehr!

Wetter bzw. Geschlecht sind in diesen Fällen Hintergrundvariable (intervenierende Variable oder Mediatoren), die zwei Größen in gleicher Weise beeinflussen. Der beobachtete Zusammenhang ist nur scheinbar, er besteht nicht direkt. Wir können über die Hintergrundvariable erklären, dass es keinen Zusammenhang gibt. In den drei Beispielen spricht man von einer Scheinkorrelation oder von einem Scheinzusammenhang.

Mathematisch formal betrachten wir also zwei Größen X und Y, zwischen denen wir einen Zusammenhang sehen. Es gibt aber in diesen speziell von mir gewählten Fällen eine Größe Z (Geschlecht, Wetter), die den Zusammenhang zwischen den Größen einigermaßen bis vollständig erklärt. X und Y bewegen sich in gleicher Weise, wenn sich die Größe Z ändert. Wenn also Z den Wert »Sommerwetter« annimmt, dann steigen X wie Eisverzehr und Y wie Sonnenbrand, bei Winterwetter sinken beide. Es sieht also von außen so aus, als würden sie gemeinsam nach oben und unten schwanken. Es ist aber nicht so, dass eine Ursache-Wirkung-Kausalität zwischen ihnen besteht. Wer Sonnenbrand hat, isst nicht mehr Eis, weil er Sonnenbrand hat. Und wer Eis isst, bekommt keinen Sonnenbrand davon.

Die Hintergrundvariable Z ist in diesen Fällen so etwas wie »des Pudels Kern« oder ein Nukleus des Problems. Der Kern wirkt auf die Einzelvariablen und bestimmt sie. Mit diesem Begriff der Hintergrundvariablen oder des Nukleus können Beispiele aus dem Leben besser verstanden und analysiert werden. Es ist oft möglich, Zusammenhänge der Variablen X und Y durch einen Kern Z zu erklären.

Es gibt eine ganz herausragend wichtige Hintergrundvariable der »Vitalität des Ganzen«, mit der sich vieles erhellen lässt. Dieser widme ich jetzt einen eigenen Abschnitt.

Die Super-Hintergrundvariablen der Vitalität oder Problemlosigkeit

Lassen Sie uns also diesen Nukleus oder diese Hintergrundvariable betrachten (dazu gibt es noch keine Studien, glaube ich, ich wünsche mir viele davon!):

- »problemloser« Mensch oder »vitaler Mensch«,
- »problemloses« Unternehmen oder »vitales Unternehmen«.

Ein problemloser oder vitaler Mensch hat etliche, viele oder gar alle der folgenden Merkmale:

- Er ist munter, frisch, mobil, aktiv, rege, agil und dynamisch,
- gut gebildet,
- hat gute Freunde,
- oft eine gute Familie,
- meist gute Arbeit und angemessenen Lohn,
- ein gutes Beziehungsnetzwerk,
- ein einigermaßen glückliches Leben,

- eine ganz gute Gesundheit und Fitness,
- betreibt nichts unmäßig, genießt »alles in Maßen«,
- hat Pflichtbewusstsein, zeigt Fairness, hält Ordnung.

Solche Merkmale haben Menschen, wie wir sie uns wünschen. Die »problematischen« Menschen haben oft mehrere Probleme, sie sind zum Beispiel weniger gebildet, verdienen nicht so viel, haben Ärger, leiden, schaffen ihre Hausaufgaben nicht, müssen um ihren Job bangen et cetera. Ich habe sinnigerweise kein Gegensatzwort/Antonym für »vital« im Internet gefunden, das gibt es auch im Amerikanischen nicht. Ich weiche daher auf »problematisch« aus. Eigentlich hätte ich lieber alles mit »vital« und »nicht (so) vital« besprochen.

Ein problemloses oder vitales Unternehmen ist durch etliche solcher Merkmale gekennzeichnet:

- Es ist munter, frisch, mobil, aktiv, rege, agil und dynamisch,
- es hat Umsatz und Kosten im Griff, mach guten Gewinn,
- es hat ein gutes Betriebsklima und einen guten Ausbildungsgrad,
- es ist vernünftig innovativ,
- die Mitarbeiter mögen ihren Arbeitsplatz und setzen sich ein,
- das Management leistet gute Arbeit und wird von den Mitarbeitern geschätzt,
- die Ziele sind erreichbar und werden auch erreicht,
- das Unternehmen ist ethisch und nachhaltig,
- et cetera et cetera et cetera.

Ein problematisches Unternehmen befindet sich mehr oder weniger in einer Schieflage, das Klima ist mau oder rau, Mitarbeiter und Management liegen im Clinch, Innovationen hören auf et cetera et cetera et cetera ...

Ich habe schon beim Fußballbeispiel so argumentiert: Wenn eine Mannschaft gut und freudig spielt, hat sie beides - Ballbesitz und Torerfolge. Und hier: Unproblematische oder vitale Menschen haben viele positive Merkmale, problematische haben viele negative Merkmale. Bei den Unternehmen ist es ebenso. Es liegt daran, dass die vitalen Menschen genug Kraft und Lebenslust haben, so etwa alles in ihrem Leben einigermaßen gut bis bestens einzurichten - die

Menschen mit Problemen aber fühlen sich überfordert und überlastet und trudeln in eine Akerlof-Abwärtsspirale.

Unternehmen sind entweder vital und verbessern sich freudig, oder Unternehmen sind kraftlos und versinken langsam im Sumpf, ohne sich selbst herausziehen zu können.

Man sagt heute, die Scheren öffnen sich. Die Schere zwischen Armen und Reichen, zwischen Gebildeten und Bildungsfernen, Gesunden und Überstressten, zwischen Menschen, die in ihrer Arbeit eine Berufung sehen, und solchen, die sich dauerhaft überfordert sehen und siechen. Gibt es vielleicht zwei Akerlof-Spiralen, eine nach oben, eine nach unten?

- Die Erfolgreichen verbessern sich und werden noch erfolgreicher, sie verbessern sich wieder und werden noch erfolgreicher. Erfolg nährt den Erfolg. Erfolgreiche schrauben sich in einer Spirale nach oben. »Ich suche neue Herausforderungen.«
- Menschen mit Misserfolg versuchen unter Stress, sich wenigstens einigermaßen zu retten. Unter Stress kommt ein Unglück selten allein. Wieder passiert etwas, sie sind immer wieder mit ihrer nackten Rettung befasst, lernen für die nächste Prüfung, arbeiten für die nächste Deadline, die Aufgaben türmen sich wie ein Berg vor ihnen. Sie vernachlässigen darüber immer wieder einiges mehr und bekommen postwendend immer größere Probleme. Sie sinken und sinken. »Ich stehe vor einem Berg von Problemen.«

In dieser Weise, wenn sich Spiralen nach oben und unten drehen, ist im Guten so ziemlich alles ganz gut und im Schlechten liegt vieles im Argen. Der Unproblematische weiß zu jeder Zeit, was er anpacken muss, um sich noch zu verbessern, der Überforderte weiß gar nicht, wo er überhaupt anfangen soll.

Wie kann man von der Abwärtsspirale in eine Aufwärtsspirale kommen? Das ist die entscheidende Frage. Die Antwort liegt fast auf der Hand: radikale Umkehr. Das aber wollen die Politiker, Manager, Lobbyisten, Beratungsfirmen, Einzelmenschen absolut nicht. Sie suchen die einfache Erfolgsformel für die schnelle Lösung - »Quick Fix«. Die aber gibt es nicht.

Monomane und monokausale Rettungsringe für Problematische

Die problematischen Menschen und Unternehmen suchen Allheilmittel. Sie schauen auf ihre vielen Probleme und suchen sich eines heraus: »Das gehen wir jetzt an.« Am besten wird das Nächstliegende versucht: Eltern schimpfen auf Kinder mit schlechten Noten, der Chef herrscht den Vertrieb an und motiviert ihn durch Drohungen. Problematischen Menschen und Unternehmen fehlt die Fähigkeit, ihre Problematik im Ganzen zu sehen. Sie wollen das auch gar nicht. Wenn ihnen eine dumm einfache Lösung in Gestalt eines vermeintlichen Rettungsrings zugeworfen wird, ergreifen sie sie. Keine Zeit für großes Überlegen. Die Not rechtfertigt den Tunnelblick.

Aus der Perspektive des Tunnelblicks von Menschen oder Unternehmen, die sich aus dem Sumpf ziehen wollen, ist die Forderung nach einer kompletten und radikalen Umkehr in der Abwärtsspirale einfach nur monströs und geradezu unverschämt dumm (!): »So etwas kann mir nur ein abstruser Besserwisser oder Book Smart sagen!« Der Problematische hält damit das einzig Intelligente in seiner Situation für dumm. Er sucht nur nach einer Lösung und beginnt »irgendwo«:

- Er nimmt Kurse in Selbstbewusstsein, Motivation, Mode, Klavierspielen.
- Er liest Ratgeber für schnelle Hilfe und ist im Grunde fast schon zufrieden, dass ihn jemand versteht (»du brauchst Freunde«).
- Er nimmt »Nachhilfe« oder sucht nach einer anderen Arbeitsstelle.
- Er kauft Naturheilmittel, probiert eine Psychotherapie, einen Selbsthilfekurs ...

Unternehmen, die nicht vital sind und denen es schlecht geht, suchen in analoger Weise Rat und Hilfe. Sie springen auf alle neuen gehypten Methoden an, die den großen Erfolg versprechen, holen die Studien hervor. Es gibt zu jeder Zeit ganze Haufen solcher Studien, die vermeintliche Lösungen versprechen:

- Alles muss outgesourct werden, damit alle Arbeit von dem durchgeführt werden kann, der sie am besten (offizielles Wording) und am billigsten (läuft darauf hinaus) liefert.
- Wir müssen das Unternehmen am Kunden ausrichten.
- Wir müssen das Unternehmen konsequent an der Effizienz ausrichten.
- Wir wollen alles an der Profitabilität ausrichten. Jeder Handgriff muss Gewinn bringen.
- Wir müssen nur die Besten eines Jahrgangs einstellen.
- Wir müssen die Mitarbeiter dezentral »empowern«, sie sollen alles selbst entscheiden; wir vertrauen ihnen jetzt einmal kurz zur Probe.
- Wir sollten alles zentral entscheiden, das gibt mehr Schlagkraft, weil die lokalen Mitarbeiter nicht vertrauenswürdig sind.
- Wir müssen unsere Produkte besser durch Marketing herausstellen (in der Politik: Wir müssen unsere Leistungen besser kommunizieren).
- Marketing nur, wenn bewiesen werden kann, was es bringt. Dadurch sparen wir so viel, dass es wieder bergauf geht.

Unproblematische Unternehmen kommen mit den Kunden klar, haben gute Produkte, sind effizient. Manche von ihnen agieren zentral, das geht. Andere dezentral, das geht auch. Manche betreiben viel Marketing, manche glänzen über die Produktqualität allein. Unproblematische Unternehmen zeichnen sich durch eine vernünftige Balance aus und wirtschaften insgesamt gut. Problematische Unternehmen oder problematische Personen haben diese Balance nicht gefunden oder in einer Akerlof-Spirale verloren.

Eine im Ganzen verlorene Balance kann fast niemals durch den »Fokus« auf nur eine einzige Erlösungsrichtung wiedergefunden werden. Der Wechsel von »nicht vital« zu »vital« ist sehr grundsätzlich und absolut umfassend. Er bedeutet einen Wandel im Ganzen.

Dennoch nehmen sich Problematische (Menschen wie Unternehmen) fast immer nur einen Punkt aus dem Geflecht heraus und machen sich an eine lokale Verbesserung. »Wenn ich meine Brust schönoperiert habe, dann werden mich alle lieben und ich werde am Arbeitsplatz befördert.« Sie interpretieren die Zusammenhänge aus den Studien in dummer (!) Weise unbedingt als Kausalität, und sie lesen sie deshalb immer als »Wenn ich X schaffe, dann geht es mir gut.« X (wie zum Beispiel eine Brust-OP) ist dabei eine einzige Ursache, die alles andere auch zum Guten führt. X ist für viele Unternehmen der Shareholder-Value gewesen. »Wenn Shareholder-Value, dann alles gut.«

X ist die Monocausa, die einzige Ursache, die, wenn sie eintritt, vermeintlich alles gutmacht. Nun muss nur noch dafür gesorgt werden, dass X eintritt. Darauf »fokussiert« man sich »mit Passion und Leidenschaft«. Die falsche Monocausa wird damit zur fixen Idee erhoben, was oft neurotische Formen annimmt. Die fixe Idee wird dann mit dieser großen Energie und Sturheit verfolgt, die fast alle Neurotiker so kraftvoll-nervig macht und die Normalen kapitulieren lässt. Es wird leicht Irrsinn aus dem Ganzen.

Das vielleicht wichtigste Allheilmittel in Unternehmen ist das Beseitigen der angenommen Faulheit der Mitarbeiter - immer noch, auch nach vielen Jahrzehnten des Scientific Management. »Wenn sich die Mitarbeiter mehr reinhängen würden, wären alle Probleme gelöst.« Mangelndes Engagement ist die Monocausa für den Erfolg. Ist die Faulheit besiegt, wird alles gut.

Dieser fatalerweise angenommenen Monocausa der Faulheit widme ich einen eigenen Abschnitt. Vorher aber möchte ich noch die ganze Problematik der Zusammenhänge und ihrer dummen Erklärung an ein paar Beispielen aus Ihrem Alltag erhellen - damit Sie ein bisschen Übung im Erklären von Zusammenhängen bekommen. Wenn Sie die schon haben, überschlagen Sie einfach diesen Abschnitt.

Abschweifung – schwarmdumme Kausalannahmen aus dem Leben

In diesem Abschnitt möchte ich Ihnen ein paar Beispiele aus Ihrem Leben präsentieren, bei denen Korrelationen »kausal« interpretiert werden und zu falschen Handlungsweisen führen.

Journalistenhirnschnellschüsse mit »Wenn-dann-Logik erster Ordnung«: Am 9.9.2009 titelt das *Handelsblatt* einen Artikel der Serie Wissenschaft & Debatte mit *Abschreckende Wirkung*, Untertitel: *Entrepreneurship-Kurse sollen Lust auf Selbstständigkeit machen. Doch sie bewirken womöglich das Gegenteil.* Was ist passiert?

Es wird viel Geld ausgegeben, Entrepreneurship an Hochschulen und anderswo zu lehren. Wir wollen ja viele Jungunternehmer für das neue Land. Zig Millionen Euro fließen in Kurse und über zwei Dutzend neue Lehrstühle. Alles richtig so weit, aber jetzt kommt wieder so eine Studie mit einem »spektakulären Ergebnis«: Die Teilnahme an den Kursen, so wurde bei Befragungen festgestellt, *senkt* die Lust, sich selbstständig zu machen. Über dieses Ergebnis sind die niederländischen Autoren der Studie selbst überrascht - sie wollten ja herausfinden, wie sehr die Lust steigt und nicht sinkt. Das niederländische Ministerium zeigte sich »geschockt« angesichts der beträchtlichen staatlichen Förderung. Und das *Handelsblatt* traut dieser Studie das Potenzial zu, die gesamte »Entrepreneurship-Education« in ihren Grundfesten zu erschüttern. Und dann werden etliche Fachleute mit Vorschlägen zitiert, solche Lehrgänge vielleicht erst für die Zeit nach der Uni anzubieten. Andere Experten versuchen die Ergebnisse zu relativieren, weil ja nur die Gründungsabsicht vor und nach dem Kurs abgefragt wurde - und man weiß ja nie, was später passiert, wofür man aber keine Daten hat! Noch andere finden, dass so etwas wie Bilanzanalysen sowieso verschrecken, und wieder andere, der Unterricht müsste verbessert werden - dann werde alles gut. Zudem gibt es auch die Meinung, dass die Fragen zum falschen Zeitpunkt gestellt wurden. Nur die Wuppertaler Professorin Christine Volkmann vermutet, dass die Studenten einfach durch die Kurse realistischer werden und Risiken der Selbstständigkeit besser verstehen. Ich lehne mich jetzt einmal weit aus dem Fenster: Sind diese schnell urteilenden Leute nicht einfach verrückt geworden? Zu den Kursen kommen doch Studenten, die teilweise schon eine Business-Idee haben - und nach meiner Beratungserfahrung sind allenfalls 10 Prozent aller Ideen auch nur einigermaßen durchdacht. Mit Sicherheit haben sich viele Möchtegern-Unternehmer die finanziellen Risiken nicht bewusst gemacht und träumen, dass sie von Investoren gleich euphorisch mit Geld beglückt werden und so weiter. Wenn der Kurs gut ist, werden hoffentlich viele bloß naiv enthusiastische Köpfe zurechtgerückt. So ein Kurs verhindert dann doch auch unüberlegte Gründungen, die allen Beteiligten ziemliche Verluste bescheren können. Alle diese Reaktionen (außer der von C. Volkmann) zeugen also von bemerkenswerter Unkenntnis der Sache. Aber der Artikel im *Handelsblatt* mit den Wörtern »geschockt« und »in den Grundfesten erschüttert« hält sicherlich den nächsten Minister davon ab, solche Kurse weiter zu fördern.

Glauben Sie mir: Ich könnte ein ganzes Buch nur mit solchen Beispielen füllen. Stellen Sie sich vor, man würde angehenden Studenten der harten Fächer Mathematik, Physik, Maschinenbau einmal Kurse geben, was von ihnen im Studium wirklich verlangt wird. Dann würden bestimmt deutlich weniger Studenten ein Studium dieser Fächer angehen - aber die heutige Abbrecherquote von gut 50 Prozent wäre viel niedriger. Da könnte man immens Geld und Frust sparen - aber nein, die Unis müssen mit klotzigen Neustudentenzahlen protzen und dafür laut mehr Geldmittel fordern. Hinterher sind sie »ratlos«, warum so viele Studenten abbrechen. »Es ist kein Einzelphänomen unserer Uni, es ist überall so.« Stimmt - Schwarmdummheit!

Kommunikation mit Kunden: Wenn sich ein Vertriebsmitarbeiter mit Kunden gut versteht, redet er öfter mit ihnen vertrauensvoll über nützlichen Rat und natürlich über neue Käufe. Die Kommunikation ist dann gut und konstruktiv.

Stellen Sie sich vor, die Umsätze einer Firma sinken. Wer trägt die Schuld daran? Das habe ich schon erörtert: »Natürlich« der Vertrieb, wer sonst? Das Management schaut dann meistens in Datenbanken nach, »was da los ist«. Man stellt fest, dass die Kunden nicht mehr so gerne Termine mit dem Vertrieb machen. Die Anzahl der Termine ist aber wichtig für den Umsatz, das weiß jeder! Also wird der Vertrieb brachial gezwungen, bei allen Kunden Termine zu machen, damit der Umsatz wieder steigt.

In diesem Beispiel ist X = Kontakthäufigkeit und Y = Umsatz. Man weiß, dass X und Y positiv korreliert sind. Man nimmt jetzt aber schwarmdumm beziehungsweise einfach mathematisch kreuzdumm kausal an, dass man X erhöhen muss, damit Y steigt. Man vergisst wieder, den tieferen Zusammenhang zu sehen.

Der Zusammenhang ist oft einfach zu verstehen: Die Beziehung des Unternehmens zum Kunden ist problematisch geworden. Das ist sehr schlimm! Diese Beziehung muss wieder unproblematisch werden, das ist eigentlich klar. Aber diese Problematik nimmt das Management nicht wahr oder will es nicht wahrhaben. Man zwingt einfach nur den Vertrieb, »öfter« mit dem Kunden zu reden. Dadurch entspannt sich die Problematik überhaupt nicht. In der Regel reagieren Kunden böse, wenn ein Unternehmen ein Mehr an Beziehung zu ihm erzwingen will - und zwar mit dem ganz durchsichtigen Versuch, mehr Umsatz zu machen. Das erzürnt den Kunden, der ja aus bestimmten Gründen die Beziehung jetzt schon problematisch und angespannt findet, nur noch mehr.

Die Kausalinterpretation »wenn mehr X, dann mehr Y« initiiert eine Akerlof-Spirale nach unten. Die Kunden werden auf mehr Anrufe noch weniger Termine machen und das Unternehmen in eine immer stärkere Schieflage bringen.

Häufige Beratung bringt Neugeschäft: Die Banken haben uns mit der Zeit Geldautomaten und Überweisungsmaschinen in kleine Vorräume der Bankfilialen gestellt, damit wir die vormalige Arbeit der Bankangestellten nun selbst erledigen. Das erspart der Bank viel Geld, sie spürt aber eine ungeplante Nebenwirkung: Die Kunden kommen nun nicht mehr in die Filiale selbst hinein. Sie können nun nicht mehr unverfänglich angesprochen werden. Früher, als wir noch Kontoauszüge abholten, konnte der Bankangestellte mit kurzem Blick auf den Auszug sagen: »Hey, Sie haben eigentlich zu viel Geld auf dem Girokonto, wollen wir das nicht einmal zinsbringend anlegen?« Heute bekommt der Filialleiter eine Computerliste mit Kunden, die gerade viel Geld auf ihrem Konto haben. Die aber kommen nie mehr in die Filiale, nur noch in den Vorraum. Was tun? Die Bank ruft diese Kunden aktiv an. »Wir möchten Sie beraten.« - »Warum?« - »Sie haben viel Geld auf dem Konto.« - »Ach, schnüffeln Sie mich aus?« Noch schlimmer: Der Filialleiter hat keine Zeit, die Kunden selbst anzurufen, weil die Kunden ja über Tag meist arbeiten. Die Bank hat nur zu ganz bestimmten Zeiten geöffnet, zu denen (diese Kritik haben die Banken schon immer ignoriert) normale Menschen arbeiten und keine Zeit für die Bank haben. Da also der Filialleiter nicht nach 16 Uhr arbeiten will/kann, weil das noch nie so war, und weil er bei seiner angesehenen hohen Stellung nicht dauernd anrufen will, bis jemand mal ans Telefon geht, gibt er den ganzen Vorgang an ein Call-Center, damit dieses einen Beratungstermin mit den Kunden macht. »Hallo, hier ist das Call-Center, der Filialleiter möchte Sie sprechen.« - »Warum?« - »Weiß ich nicht. Ich soll Sie nur zur Bank einbestellen.«

In diesem Beispiel hat die Bank durch die Aufstellung der Automaten draußen vor der eigentlichen Filiale den Kontakt zum Kunden ruiniert. Der Kunde kommt nun nicht mehr von selbst, um sich beraten zu lassen. X = Kontakthäufigkeit sinkt, Y = Umsatz auch. Im Kern ist es so, dass der Kunde bisher »unverfänglich« beim Kontoauszugholen angesprochen werden konnte. Nun aber ist diese Möglichkeit abgeschnitten, es geht nur noch »verfänglich« - das aber schmeckt dem Kunden gar nicht. Die Beziehung ist irgendwie abgerissen und schlechter geworden. Will die Bank nun Y = Umsatz wieder erhöhen, dringt sie auf mehr X = Kontakthäufigkeit. Das löst natürlich das Problem nicht. Denn sie muss die Beziehung zum Kunden verbessern, das ist der Kern! Dazu muss sie ihn ab und zu wieder einmal sprechen - und zwar am besten, ohne ihm etwas zu verkaufen, oder eben unverfänglich. Sie muss dadurch die ganze Beziehung zum Kunden, die über die Jahre problematisch geworden ist, wieder unproblematisch gestalten.

Das kostet viel Energie, Zeit und Geld - die Bank hat ja viel Geld in den Vorjahren dadurch verdient, weil sie die Beziehungen hat schleifen lassen. Die Bank hat die Beziehungen zum Teil ruiniert, weil der Einsatz von schnell wechselnden Zeitarbeitskräften zu einer Entfremdung vom Kunden führte. Der Wiederaufbau unproblematischer Beziehungen kostet jetzt viel Geld. Wird sie ihn versuchen? Nein, sie versucht dumm einfach, per Call-Center Beratungstermine zu machen. Das verärgert viele Kunden und die Akerlof-Spirale dreht sich nach unten.

Mehr Produkte – mehr Geschäft: Vorweg: Dieses Beispiel ist nicht erfunden! Eine Bank hat Analysen bei Beratern bestellt. Nun liegt ein Ergebnis vor. Ein spezielles Teilergebnis scheint ihr äußerst instruktiv. Eine Statistik zeigt nämlich, dass Bankkunden, die mehr Produkte bei der Bank nutzen, auch mehr Geld bei der Bank haben. Im Detail:

- Kunden, die nur ein Girokonto bei der Bank unterhalten, haben im Durchschnitt 4 000 Euro bei der Bank.
- Kunden, die ein Girokonto und ein Sparkonto bei der Bank unterhalten, kommen im Durchschnitt auf ein Gesamtguthaben von 8 200 Euro bei der Bank.
- Kunden, die drei Produkte nutzen, also Girokonto, Sparkonto und Wertpapierdepot, kommen insgesamt im Durchschnitt auf 12 300 Euro.

Wir schauen uns die Zahlen in einem Meeting in der Bank an. Der Vorstand sieht sofort: »Aha, die Kunden haben also fast genau 4 000 Euro pro Produkt bei uns liegen. Die Zahlen sind etwa einmal 4 000, zweimal 4 000, dreimal 4 000.« Ich dachte bei mir - ja, okay! Verstehe ich! Aber dann meinte eine Gruppe von Managern im Meeting: »Das wussten wir auch so. Wir wiederholen deshalb unseren Vorschlag, der hier schon mehrfach abgeschmettert worden ist. Wir wollen, dass wir jedem Kunden kostenlos ein Sparkonto und ein Wertpapierdepot einrichten, dann haben alle 12 300 Euro bei uns und wir stehen vor grenzenlosem Wachstum.« Ich fragte böse, woher denn das Geld kommen soll. Wird ein Kunde denn plötzlich reich, wenn man für ihn ein kostenloses Depot führt? »Das wird dann schon von allein kommen.« - Ich war verzweifelt: »Es ist doch eher andersherum: Wenn der Kunde mehr Geld hat, DANN greift er zu anderen Geldanlageformen.« - »Aber wir fördern doch durch die Konten, dass er mehr Geld hat?« Ohne Worte. Man eröffnete kostenlose Tagesgeld- und Depotkonten und wartete. Und warte.

Die Kommunikation ist schlecht! In vielen Meetings wird gestritten. Die Abteilungen haben gegensätzliche Interessen. Die Fetzen fliegen ganz regelmäßig. Die Teilnehmer leiden körperlich an der unsinnigen Zeitverschwendung. Sie stöhnen innerlich: »Bloß nach Hause«, oder: »Dabei wartet gerade so viel Arbeit im Büro auf mich«. In einem solchen Moment habe ich es schon oft erlebt, dass insbesondere sehr hohe Manager vorschlagen: »Ich sehe, hier ist viel Klärungsbedarf. Wir treffen uns zu selten. Wir sollten viel mehr Meetings haben, damit wir uns besser vertragen. Wir sollten uns regelmäßig in Telefon-Konferenzen abstimmen, am besten wöchentlich am Abend.« Bei einer solchen Äußerung brechen fast alle innerlich zusammen, aber nicht die Hochgestellten, die stimmen zu. Dann gibt es noch mehr Meetings! Immer noch mehr!

Die Logik ist: In Meetings wird gut diskutiert und entschieden. Man schafft sogar Arbeit gemeinsam weg, Präsentationen werden gebastelt. Wenn man mehr Meetings veranstaltet, wird mehr weggeschafft!

X = »häufige Kommunikation« ist korreliert zu Y = »gute Kommunikation«, so dachte die Bank in den vorigen Beispielen auch. Dieser Zusammenhang besteht ohne Zweifel. Menschen, die sich freiwillig oft treffen, sind eher Freunde als Leute, die sich freiwillig nicht treffen. Im normalen Leben gibt es also einen positiven Zusammenhang zwischen häufiger und guter Kommunikation. Wieder aber wirkt eine Nukleus-Variable Z = »problematische Beziehung« im Hintergrund. Wenn die Beziehung problematisch ist, ist es besser, sich lieber nicht so oft zu treffen!

Der Manager, der eine höhere Frequenz bei den Meetings verlangt, ist dumm. Er will durch das Erhöhen von X = »häufige Kommunikation« die Nukleus-Variable Z in »unproblematische Beziehung« verändern. Das aber geht nicht so einfach! Er müsste nach den Gründen der schlechten Kommunikation forschen, nach den Problemzonen, die es ja geben muss! Nein, es gibt einfach mehr Meetings, weil er es vorschlägt. Niemand protestiert. Der dumme Schwarm akzeptiert ohnmächtig den Weitermarsch ins Verhängnis.

Vielleicht ist es jetzt von mir zu sarkastisch auf die Spitze getrieben, aber der Manager macht in etwa Folgendes: Er schmiert sich mit Sonnencreme ein und isst gleichzeitig Eis, damit der Sommer kommt.

Die Maslow-Pyramide und das bedingungslose Grundeinkommen: Maslow hat uns seine berühmte Pyramide beschert. Sie hat verschiedene Stufen:

1. Der Mensch ringt um sein Überleben, er muss seine Grundbedürfnisse erfüllen (Nahrung, Wohnung et cetera).
2. Der Mensch sucht Sicherheit, Geborgenheit, Heimat und die nachhaltige Aussicht auf ein auskömmliches Leben.
3. Der Mensch findet Freunde und gründet eine Familie.

4. Der Mensch strebt nach Anerkennung und Selbstbewusstsein, Ruhm und Ehre.
5. Der Mensch verwirklicht sich selbst.

Es ist sinnvoll, die Selbstverwirklichung in diesen Stufen anzugehen. Wenn man Essen und Wohnung hat, sichert man sein Leben ab. Dann bildet man einen Freundeskreis und eine Familie und beginnt aus diesem ersten Glück heraus, nach immer Höherem zu streben. Die Logik ist doch: Wenn man auf die fünfte Stufe will, ist es ein guter Plan, erst die Stufen eins bis vier zu beschreiten. Die reine Lehre wäre, gleich nach Stufe eins die fünf anzustreben, wozu etwas dazwischen? Muss der Einsiedler, der Asket oder der Heilige alle Stufen gehen? Offensichtlich nicht.

Sei es, wie es sei. Maslows Pyramide gibt einen vernünftigen Lebensplan. Er unterstellt aber - und das stimmt nicht zwingend -, dass jeder Mensch solch einen Plan hat oder einen entwickelt. Er unterstellt, dass alle Menschen, die genug zu essen haben, sofort ihr Leben absichern et cetera. Das tun sie aber nicht! Bilden sich zum Beispiel alle Menschen so weit, dass sie ihre Begabungen voll nutzen? Lernen sie, wenn sie Zeit haben? Nein, die meisten Menschen haben gar keinen Plan bis zur fünften Stufe! Vielleicht führen unproblematische oder vitale Menschen ein Leben, das implizit diesen Stufen folgt. Vielleicht! Problematische Menschen hingegen folgen ihnen nicht oder nicht erfolgreich. Es kommt also wieder im Kern darauf an, ein vitaler Mensch zu sein. Maslow nimmt bei seiner Pyramide implizit an, dass Menschen vital sind. Das ist falsch!

Maslow irrt nicht allein: Seit geraumer Zeit geistert nun der Vorschlag des »bedingungslosen Grundeinkommens« durch Deutschland, wie er besonders von ihrem Herold Götz Werner (Inhaber der großen und sehr erfolgreichen Drogeriekette dm) propagiert wird. Der Vorschlag lautet: Der Staat beziehungsweise die Gemeinschaft gibt jedem Menschen so viel Geld, dass er die Stufe eins der Pyramide nicht selbst nehmen muss, er kann gleich auf Stufe zwei oder gar drei weitermachen.

Die große Gretchenfrage lautet: Steigt ein Mensch automatisch auf den Stufen zwei bis fünf weiter, wenn man ihm das Erklimmen der ersten Stufe schenkt? Verhilft ihm das Schenken von Stufe eins automatisch dazu, ein vitaler und unproblematischer Mensch zu werden? Das nehmen die Befürworter des bedingungslosen Grundeinkommens fast streng kausal an.

Vitale und unproblematische Menschen entstehen durch Liebe, Erziehung, Betreuung, Hingabe, geschenkte Aufmerksamkeit und und und ... Es hilft doch nicht allein, ihnen die Grundgeldsorgen zu nehmen. Und mit ein bisschen Nachdenken werden wir feststellen, dass die Erziehung und Bildung vitaler Menschen die große Nukleus-Baustelle ist. Da hilft Geld zwar, aber es ist kein Erfolgsgarant, wie nun viele behaupten.

Wieder sehen wir, dass an allen möglichen Teilvariablen herumgedoktert wird, aber das Kernproblem im Ganzen nicht im Blick ist. Die dumm einfache Kausalerfindung X = Grundeinkommen führt zwingend kausal zu Y = »Vitaler Mensch, der sich bildet und selbstverwirklicht arbeitet und später viel für die Gemeinschaft tut, die damit das Grundeinkommen an die Jüngeren zahlen kann« ist glatt falsch.

»Wer genug zu essen hat, hört sofort auf zu arbeiten.« Diesen Satz habe ich schon ein paar Mal an der Bar von Managern gehört. Deren Grundüberzeugung ist es, dass Menschen schon in der zweiten Maslow-Stufe die Arbeit schleifen lassen. Sie sind dann »satt und behäbig«. Besser ist es nach dieser Ansicht, sie in dauernder Angst zu halten, dass sie ihre Grundbedürfnisse nur mit Mühe decken können. Deshalb heißt es in den Reden solcher Manager oft: »Es geht um das Überleben unseres Unternehmens und damit automatisch um das Überleben jedes Einzelnen.« Nach dieser Ansicht würden die meisten Menschen sofort viel weniger arbeiten (wenn überhaupt), wenn man ihnen ein bedingungsloses Grundeinkommen zahlen würde. X = Grundeinkommen führt kausal zu Y = »laschere Arbeit«. Es gibt keinen Versuch dieser Partei und der Gegenüberstehenden, den Zusammenhang wirklich im Ganzen zu verstehen!

Wer arbeitet am besten? Tom DeMarco und Timothy Lister beschreiben unter anderem in ihrem wunderbaren Buch *Peopleware*, wie sie in sehr vielen Firmen die Produktivität von Programmierern gemessen haben. Aus vielen Firmen wurden jeweils einige wenige Mitarbeiter mit einer Aufgabe betraut, ein bestimmtes Programmierproblem zu lösen. Diese Aufgabe sollte neben der normalen Arbeit bearbeitet werden. Die Mitarbeiter notierten jeweils, wann sie wie lange daransaßen. Nach der Abgabe der Ergebnisse wurden diese auf Fehler hin bewertet. Was kam heraus? Etwas, was wir alle irgendwie wissen und was wir in verschiedenen Formen mit gering unterschiedlichen Prozentsätzen immer wieder lesen:

- Die besten Programmierer sind etwa zehnmal schneller als die schlechtesten.
- Je schneller sie programmieren, umso weniger Fehler machen sie.
- Die bessere Hälfte arbeitet mehr als doppelt so schnell wie die schlechtere und macht nur etwa halb so viel Programmierfehler.

Und jetzt kommt der Clou: Man überlegte, welche Merkmale wohl die allerbesten Programmierer kennzeichnen würden. Sind die besten Programmierer die mit dem höchsten Gehalt? Nein. Benutzen die Besten eine besondere Programmiersprache? Nein. Hängt es vom Alter ab? Vom Geschlecht? Von der Dauer der Erfahrung beim Programmieren? Nein, nein, nein. Keine messbaren Zusammenhänge! Und dann fand man doch noch einen Zusammenhang, und zwar einen sehr starken: Die Leistung hängt stark von der Firma ab, in der man arbeitet. Hätten Sie das gedacht?

Es gibt eben First-Class-Unternehmen, die ein ausgezeichnetes »Leistungsklima« haben, sie sind vital! Die Second-Class-Unternehmen versuchen aber, die Programmierleistungen durch Leistungsanreize, Beförderungen oder die Einführung neuer Programmiersprachen zu erhöhen. Sie operieren im lokalen Wenn-dann-Gebiet der angenommenen oder erfundenen Kausalitäten und verfehlen den eigentlichen Punkt der Exzellenz des Ganzen.

Bessere Bezahlung im Kindergarten, für Programmierer, Professoren oder Ärzte! Wenn man Leute einfach nur besser bezahlt, arbeiten sie nicht besser. Die Forderung nach Geld ist Unsinn. Man muss den Stress senken und die Leute auf First-Class-Niveau heben. Natürlich ist die Bezahlung in vielen Bereichen schlecht, aber wenn man diese Baustelle beseitigt, ist ja die Arbeit noch immer dieselbe. Das höhere Gehalt erzwingt keine besseren Leistungen. Geld lindert das Problem, dass die besten Leute dahin abwandern, wo sie mehr Geld bekommen. Angenommen aber, das Geldproblem wäre gar nicht da - dann wäre trotzdem die Arbeit dieselbe und immer noch nicht erstklassig. Eine Schule muss dann immer noch eine tolle Schule werden, ein Kindergarten die Kinder magisch anziehen und so weiter. Das Hauptproblem liegt wieder im Ganzen. Es wird aber nur im Geld gesehen, nicht in der Exzellenz. Man denkt, die Exzellenz würde sich im Ganzen von selbst einstellen, wenn es satt viel Geld gäbe.

Ich habe einmal von einer Studie gelesen, die in einem Unternehmen den Auftrag hatte, statistisch die Merkmale der besten Projekte zu analysieren. Die Wissenschaftler nahmen die besten zehn, zwanzig Projekte und fraßen alle Zahlen. Lag es am Geld, am Projektleiter? Sie konnten keine Gesetzmäßigkeit finden. Dann nudelten sie alle Daten durch, durchsuchten alles auch nach den witzigsten und unwichtigsten Merkmalen und fanden absolut nichts, was alle erfolgreichsten Projekte gemeinsam hatten. Nichts. Nur dies: Eine Frau namens Jane hatte in allen Projekten zeitweise mitgearbeitet. Aha? Die Initiatoren der Studie fanden in keinem Datensatz, wer denn nun Jane war und was sie tat, sie hatte anscheinend keine explizite Rolle in den Projekten. Die Wissenschaftler machten sich auf die Suche nach Jane. Die Projektleiter kannten sie nicht, die Controller auch nicht. Man fragte die Mitarbeiter. Da sagte einer: »Ach, Jane! Ja, die war hier oft. Wir haben sie gefragt, was sie macht. Sie lachte aber nur mit uns. Es war wundervoll, wenn sie da war. Weißt du, einmal war ich vollkommen down, ich hatte einen ernsten Programmfehler und fand ihn nicht, eine Katastrophe drohte, es war schon zwei Uhr in der Nacht. Ich war allein und weinte fast. Da schob sich plötzlich ein Pott Kaffee seitlich neben meine Hand. Es war Jane. Sie sagte, sie würde nebenan warten, bis ich den Fehler gefunden hätte. Ich hörte sie nebenan beim Lesen lachen. Ich weiß heute nicht einmal, ob ich den Fehler noch in dieser Nacht gefunden habe, aber es ist mir leicht ums Herz geworden, verstehst du? Wenn Jane da war, klappte alles besser.«

Bei Projekten spricht man von seltenen Persönlichkeiten, die ein Talent als Katalysator haben. Wenn sie im Raum sind, klappt alles. Weiter nichts. Sie können das Ganze beeinflussen und erstklassig machen. Stellen Sie sich vor, ein Projekt ist schon auf der schiefen Ebene, die Leute versuchen das Projekt und sich selbst mit Trickserei zu retten, und dann kommt Jane, lacht herum und sagt plötzlich mitten in eine Pause hinein: »Das Projekt sieht ziemlich mies aus, finde ich. Das macht ihr doch sicher besser, oder?« Alle schweigen und kratzen sich am Kopf. Das wussten sie, aber sie hatten es zu verdrängen versucht. Es musste einfach nur einmal gesagt werden. Von Jane. Wenn Jane es sagt, trifft es alle ins Herz. Aber es hilft nichts, wenn ein Boss im schwarzen Anzug schimpft.

Jemand muss das Ganze zum Gelingen bringen. Ich habe diese Geschichte öfter in Diskussionen erwähnt. Oft gab es ein bisschen Gänsehaut bei Managern. »Ja, eine Jane müsste man haben.« Ich meinte bei Kundenbesuchen, angenommen, ich hätte sie bei IBM und würde Ihnen Jane für Ihre Projekte für 4000 Euro pro Tag geben - würden Sie das bezahlen? Antwort: »Und was soll sie arbeiten?« Ich: »Nichts, sie ist da. Zahlen Sie jetzt oder nicht?« - »Hmmh, wir müssten aber eine Rolle für sie definieren, sie muss auch genehmigt werden. Formal macht sie ja nichts, sie hängt nur, äh - nicht faul - aber doch so herum - oder was macht sie genau?« So reden Manager, die das Ganze noch nie gesehen haben. Sie fühlen im Herzen, sie müssten Jane engagieren, sie fühlen, dass das Ganze ein Herz haben müsste, sie fühlen, dass Jane das Herz wäre, aber der scharfe Verstand des Managers findet Jane faul.

Die Super-Monocausa »Beseitigung von Faulheit«

Zum Schluss dieses Kapitels möchte ich Ihnen die größte Sorge der Manager vorstellen. Manager sehen überall Faulheit oder mangelndes Engagement, so, wie ein Besserwisser überall Fehler sieht, ein Putzteufel überall Schmutz, ein religiöser Fundamentalist überall Sünde. In allen Fällen geht es um »Abweichungen«. Für die meisten Manager ist die am heftigsten gehasste Abweichung die Faulheit oder das fehlende Engagement. Natürlich mögen Manager auch das Lasche, Weiche, Schüchterne, Ängstliche, Abwartende, Harmoniesüchtige oder Hilflose nicht und sind argwöhnisch im Beisein des

Unbesorgten und unbedarft Fröhlichen. Nur wenn sie alle diese Attitüden nicht haben, werden sie Manager.

Eine der am häufigsten gestellten Fragen in Bewerbungsgesprächen ist die nach der größten Schwäche des Bewerbers. Was soll man darauf antworten? Im Internet kursiert die beste Antwort auf diese Frage. Die lautet in manchen Versionen: »Ungeduld mit nur normal Arbeitenden und Schokolade.« Man will damit schoko-überzogen selbstironisch sagen, dass man eigentlich keine Schwäche hat. Auf die eigene Ungeduld sind Manager so stolz!

Oh, da fällt mir meine eigene Antwort darauf ein. Ich war beim Management Assessment auf diese Frage nicht vorbereitet, ich hatte mir nie überlegt, was meine Schwäche ist. Schüchternheit des Mathematikers? Sie fragten mich: »Was ist Ihre größte Schwäche?« Und ich antwortete zu meiner eigenen Überraschung innerhalb einer Millisekunde: »Ungeduld mit Dummheit.« Huuih, das wurde ein heftiges Stressinterview! Sie fragten sofort, was das bedeuten würde. »Ich werde in Meetings krank«, antwortete ich. »Ich weiß immer schon nach fünf Minuten, was beschlossen werden wird, und mir wird bis zum Schluss des Meetings nur unnütz Lebenszeit gestohlen.« Und darauf nagelten sie mich fest, Ende 1989, es ist 25 Jahre her! Die letzte Frage nach 90 Minuten lautete: »Wenn Sie doch schon immer alles nach fünf Minuten wissen, was ist der Beschluss dieses Meetings?« - »Sie ernennen mich zum Manager.« Sie zogen die Augenbrauen hoch und ließen mich noch einige Wochen schmoren. Ich schreibe das jetzt nur, weil mir auffällt, dass ich damals dieses Buch vielleicht schon als Keim in mir trug. Ich hatte damals wahrscheinlich ganz spontan Recht. Ich bin bis zum Schluss in Meetings krank geworden.

Ich habe ja schon von meinem Assessment berichtet. Ich wurde nicht als typischer Manager angesehen. Ich habe auch Ungeduld mit der Faulheit meiner Mitarbeiter, aber ich kann nachdenkliche Muße von Faulheit unterscheiden, weil ich selbst viel Muße brauche, um produktiv zu sein, und weil ich selbst darunter gelitten habe, dass diese Arbeitsweise als Faulheit interpretiert wird. Warum wird das verwechselt? Warum müssen tief Nachdenkende unter dem Vorwurf der Untätigkeit leiden? Dem gehe ich jetzt auf den Grund.

Das normale Management drängelt stets ungeduldig und ist darauf stolz. Die Manager sind nämlich immer diejenigen, die vorangehen! Auf der anderen Seite wird von den Mitarbeitern nichts so gehasst am Management wie diese Ungeduld. Schrecklich, dieses ewig misstrauische »Wie weit sind Sie damit? Wo stehen wir? Geht es schneller?« Dieser Hang des Managements zu Ungeduld zieht sich durch das ganze Buch. Zu hohe Ziele, misstrauisches Messen und Prüfen, Überlastung und Überforderung der Mitarbeiter und der im Management überdurchschnittlich verbreitete Opportunismus sprechen eine eindeutige Sprache. Die Idee der mehrfachen Extrameile und der Beschleunigung ist im Management die Große Fixe Idee. Sie ist die große Super-Monocausa. »Wenn genug Druck auf dem Kessel ist, dann gibt es maximale Leistung.«

Praktisch jeder Mitarbeiter hält diese Idee für eine Eingebung des Bösen schlechthin. Naiv gesehen könnte man sagen: Das ist doch ganz natürlich, weil die Mitarbeiter nach ihrer Urnatur als Tier biologisch »faul« geboren werden und daher jede Art von Druck nicht mögen. So sieht es das Management selbst. Die Mitarbeiter spüren aber, dass sie unter Ungeduld zum Pfuschen gezwungen werden und den Kunden übervorteilen. Sie spüren, dass sie nicht mehr stolz auf das qualitative Ergebnis ihrer Arbeit sein können.

Ich will jetzt mit Ihnen einen Blick auf diese beiden entgegengesetzten Sichten werfen.

In der Abbildung »Stresskurve« habe ich eine solche in ihrer bekannten Form gezeichnet, wie man sie sich in allen Führungslehrgängen vorstellt.

Die Kurve soll uns sagen: Es gibt einen optimalen Stresslevel, bei dem wir gut arbeiten. Wir sollten uns voller Energie fühlen und richtig tüchtig arbeiten. Wenn der Stress geringer ist, sind wir nicht so tüchtig und leisten weniger. Wenn der Stress noch weiter absinkt, wird es langweilig. Wenn unsere Arbeit durchweg langweilig ist, bekommen wir womöglich einen Bore-out. Wenn wir aber mehr Stress haben, als optimal ist, dann spüren wir die unangenehme Hetze bei der Arbeit. Unter Hektik begehen wir Unachtsamkeiten, wir vergessen etwas, müssen noch einmal zurück oder einen Vorgang wiederholen - die Qualität leidet. In Eile arbeiten wir schneller, aber im Endergebnis schlechter. Sie merken das am »Dauerpech«.

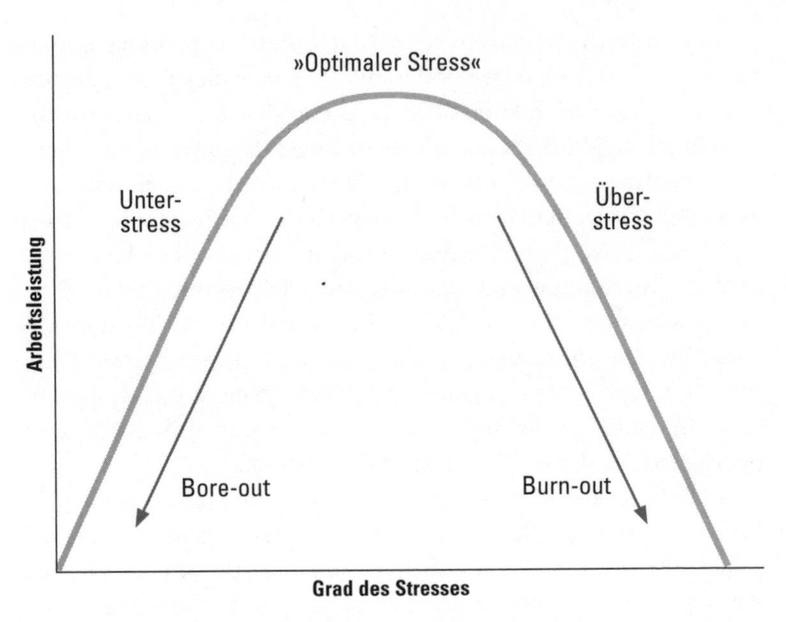

Stresskurve, übliche Form

Ein Unglück kommt selten allein - das wissen wir alle. Es liegt daran, dass uns die erste Panne meist deshalb passiert, weil wir etwas in Eile übersehen. Die Panne erhöht dann den Stresslevel erheblich (»gerade jetzt muss das passieren, es ist nicht auszuhalten«), und deshalb verlieren wir den Kopf, wir werden noch unaufmerksamer - patsch, es folgt das nächste Unglück. »Eile mit Weile!«, sagt der Volksmund.

Warum aber herrscht heute fast immer Überstress bei der Arbeit? Warum hetzen uns alle? Warum kommen wir nie mehr zu ruhiger Arbeit? Es liegt daran, dass verschiedene Menschen mit verschiedenen Arbeiten verschieden optimale Stresslevel haben. Ingenieure, Mathematiker, Informatiker, Schriftsteller und auch Finanzleute im Unternehmen müssen sich absolut tief auf die Arbeit konzentrieren. Viele solcher Arbeiten gelingen sehr viel besser, wenn sie bei guter Laune erledigt werden können. Schlechte Laune, Telefonanrufe, Ärger mit dem Chef oder in der Familie lenken kolossal ab. Ich selbst kann oft erst schreiben oder mathematische Probleme lösen, wenn ich mich zwanzig Minuten »beruhige«, also kurz etwas auf dem Computer spiele, zeremoniell Tee oder Kaffee trinke, einmal um das Haus laufe oder etwas im Garten arbeite - Jäten ist richtig gut, um die Gedanken zu sammeln, alle Konzentration zu bündeln und dann los: tiefe Aufmerksamkeit. Die erreiche ich nur, wenn das Gehirn ganz frei von Ärger, Problemen und Hektik ist.

Sie kennen das von Computern. Wenn Sie eine sehr große Anwendung darauf laufen lassen (zum Beispiel Videobearbeitung), die sehr viel Hauptspeicherplatz braucht, dann wird der Computer langsam. »Bitte schließen Sie alle anderen Anwendungen, ich brauche den ganzen Speicher«, befiehlt die Anwendung - sie mag nicht, wenn noch die Mailprogramme und der Browser nebenbei arbeiten. Genau so ist das bei tiefer geistiger Arbeit. Die muss den ganzen Kopf für sich haben, sonst wird es nichts.

Die Arbeit eines Managers ist da ganz anders. Er steckt in vielen Vorgängen gleichzeitig. Es geht dabei nicht um eine lang dauernde Konzentration auf ein einziges tiefes Problem, sondern um eine sehr kurze punktuelle Konzentration auf den jeweils nächsten Vorgang. Viele Entscheidungen stehen an! Jedes Mal muss der Manager umschalten und im neuen Vorgang voll bei der Sache sein. Er ist wie ein Computer, der zwischen vielen verschiedenen Anwendungen hin und her springt.

Ingenieursarbeit oder Schreiben ist mehr wie Schachspielen, wobei Sie lange »brüten«. Das Brüten erfordert Ruhe in der Konzentration. Schachspieler werden sehr böse, wenn man sie aus dem konzentrierten Gleichgewicht bringt. Ich kenne jemanden, der ostentativ mit einer Maß Bier neben dem Brett Schach spielte, was eigentlich ohne Minderung der Gehirnleistung nicht geht und »eine Schande beim Schach ist«. Er trank ja auch nicht viel, aber das Bier empörte seinen jeweiligen Gegner so sehr, dass dieser immer wieder irritiert auf den Maßkrug schaute. Das Bier provozierte den gegnerischen Schachspieler, sodass es ihn aus seinem mentalen Gleichgewicht brachte und er verlor. Der Spieler mit dem Bier grinste die ganze Zeit dabei, was den anderen schier wahnsinnig machte.

Managerarbeit ist nicht wie Schach. Sie sieht mehr wie das Spielen von komplexen Computerspielen aus, bei denen man ganze Heerscharen dirigieren muss (die man auf verschiedenen Bildschirmfenstern überblicken kann). Bei Strategiespielen wie StarCraft geht es absolut hektisch zu! Es ist von Vorteil, irre viele Aktionen gleichzeitig durchzuführen. Beim StarCraft-Spiel misst man die »actions per minute« (APM) eines Spielers. Richtig gute Spieler schaffen etwa 50 APM, halbprofessionelle sollten 100 APM schaffen. Die professionellen Spieler (»E-Athletes«) aus Südkorea (da spielen die Besten) schaffen 300 APM und oft 400 APM während der hitzigen Phasen eines Spiels. Den Rekord soll der legendäre Park Sung-Joon halten, der als »July« spielt. Er ist »God of War« und wurde in der Spitze mit 818 APM gemessen. Können Sie sich das überhaupt vorstellen? Mehr als 10 Tastenkombinationsaktionen (nicht nur eine einzige Taste pro Aktion!) pro Sekunde über das ganze Spiel hinweg? Mein Sohn spielt sehr gut, aber wohl um die 70 APM, und das sieht für mich beim Zuschauen schon ziemlich wüst aus.

Und nun vergleichen Sie in der Fantasie 400 APM bei StarCraft mit den üblichen 3 Minuten pro Zug, die man im Durchschnitt beim Schachspiel hat (jeder hat zwei Stunden für 40 Züge, dann geht es in die Verlängerungen).

Diesen Sachverhalt habe ich in der zweiten Stresskurvenabbildung zu verdeutlichen versucht. Der optimale Stresslevel eines Managers (wo er am meisten leistet) ist viel höher als der eines bestmöglich arbeitenden Ingenieurs. Da, wo sich die beiden Stresskurven schneiden, habe ich einen Punkt in die Abbildung gesetzt. Angenommen, beide befinden sich an diesem Punkt. Dann denken sich diese so sehr verschiedenen Menschen dies dabei:

- **Ingenieur:** »Es besteht eine klare Korrelation zwischen Stress und Arbeitsleistung. Im Augenblick arbeite ich unter zu hohem Stress. Ich bin sehr unzufrieden. Es ist klar, dass ich mehr leisten würde, wenn ich mehr Ruhe hätte. Aber sie lassen mich nicht und unterbrechen mich dauernd. Ich muss wieder am Sonntagabend nacharbeiten, wenn meine Frau den »Tatort« sieht. Dann ist endlich einmal Ruhe. Der »Tatort« trägt sehr dazu bei, dass in diesem Land überhaupt noch effektiv gearbeitet werden kann. Leider bekam ich am letzten Wochenende während der Sendung eine E-Mail vom Chef, das hat mich so sehr aufgeregt, dass ich in meinen gewohnten »Tatort«-Mußestunden nicht ruhig arbeiten konnte. Wenn der seine Mails schickt, bin ich aus der Arbeit raus und kann's knicken. Das macht mich so böse.«

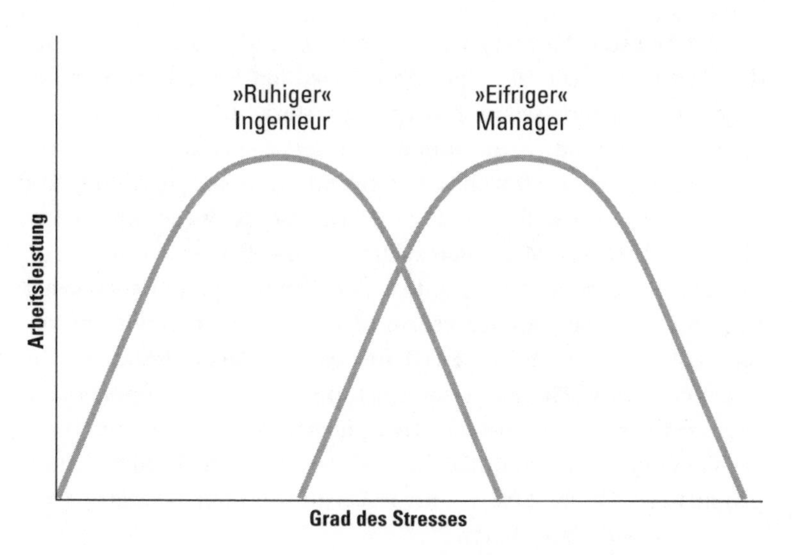

Stresskurve, Ingenieur vs. Manager

- **Manager:** »Ich laufe herum und mahne, dass die Arbeiten schneller gehen müssen. Die sitzen da aber alle seelenruhig herum und gehen mit gesenktem Kopf zum Kaffeeautomaten. Ich bin wie Luft für sie. Sie denken angeblich absolut tief nach, sagen sie, wenn sie überhaupt etwas sagen. Aha, man darf sie nicht stören, die Damen und Herren Doktoren. Dabei sind sie einfach nur unsozial. Autisten! Ich drängele sie, dann werden sie sofort wütend. Das ist ihre Methode, mich abzuwimmeln. Sei's drum, ich muss ja drängeln, wenn sie so ganz ruhig und offensichtlich nur schwach engagiert arbeiten. Ich zittere manchmal vor Ungeduld, es ist so ätzend langweilig, denen zuschauen zu müssen - und ich weiß aus Sachunkenntnis absolut nicht, ob sie gerade große Fortschritte machen oder gar nichts tun. Sie sagen immer, es dauert - und sie brauchen Ruhe. Ich kann diese Faulheit nicht ausstehen. Wie könnte ich es schaffen, mehr Stress zu machen? Es ist klar, dass sie mehr leisten würden, wenn ich Unruhe schaffe. Und das tue ich! Da bin ich gut! Ich versetze sie so sehr in Unruhe, dass ich die maximale Leistung aus ihnen herauspresse!«

Den meisten Menschen ist nicht explizit klar, dass es verschiedene beste Stresslevels gibt. Deshalb kommt es zu gigantischen Ergebnisverlusten, wenn Manager zu stark drängeln. Die Ingenieure sind irgendwie zu dumm, es ihren Chefs zu erklären. Der Chef wird ja bei der üblichen Wortwendung »man muss Ruhe und Freiraum haben« sofort sehr giftig. Die Chefs wiederum sind zu dumm, sich andere Menschen auch nur vorstellen zu können, in die sie sich hineinversetzen könnten. Der Ingenieur sieht sein Leben lang nur die abfallende Kurve. An dem Punkt, an den wir uns versetzt haben, sieht die Kurve fast aus wie eine fallende Gerade. Der Ingenieur sieht: »Stress ist zur Leistung umgekehrt proportional«, oder: »Stress ist mit Leistung streng negativ korreliert«. Der Manager sieht eine ansteigende Gerade und denkt: »Stress ist mit Leistung proportional, mehr Stress - mehr Leistung«, oder: »Stress ist mit Leistung positiv korreliert.«

Da das Management als Schwarm gesehen sehr ungeduldig ist und da es die Macht hat, steckt es die ganze Umgebung mit dem eigenen Stress unentwegt an und findet sich total gut dabei. Das wirkt auf alle Mitarbeiter desaströs, die geistig arbeiten sollen/wollen oder entspannt mit Kunden reden müssen. Sie bitten immer wieder um mehr Ruhe. Und das Management findet, sie sind nicht begeistert genug. Ich habe schon Saint-Exupéry zitiert. Er sagt »wecke die Sehnsucht in den Mitarbeitern«. Auf dem niedrigen Stresslevel der Ingenieure und Informatiker ist Sehnsucht die Kraft, die sie bewegen kann, eine leise, aber sehr starke Kraft. Auf dem Stresslevel der Manager ist Begeisterung die beseelende Kraft, eine starke und laute! Und wie bewegen die Manager deshalb die Ingenieure? Sie versuchen, in ihnen Begeisterung zu wecken und eben nicht Sehnsucht. Das geht immer schief und ist wieder dumm. Es ist einfach ein groteskes Missverständnis über die verschiedenen »Arbeitstemperaturen«. Dieses Spezialthema habe ich schon ausführlich in anderen Büchern behandelt. Ingenieure, Informatiker und Mathematiker sind mehr »intuitiv« konzentriert, Manager sind mehr »instinktiv« aus dem Körper heraus agierend. Das sind vollkommen verschiedene Seinsweisen, die man äußerlich am besten an »der Lebenslautstärke« erkennen kann. Die einen sind still, nachdenklich und leise, oft introvertiert, oft schüchtern - die anderen aktiv, laut, durchsetzungsstark und voller Energie. Und weil ich selbst zu der Niederspannungsseite der Menschen gehöre, bin ich sehr ungeduldig mit der Dummheit, die diese Verschiedenheit nicht versteht.

Ich sage nicht, dass die eine oder die andere Seite besser oder schlechter ist. Es ist aber dumm, nur eine zu kennen und zum Maßstab zu machen. Ich war damals dumm, weil ich die ruhige Seite für den Maßstab hielt. Aber ich bin ja Manager geworden und habe auch die andere Seite schätzen gelernt - die treibende Kraft! Beide Auffassungen haben ihre Berechtigung. Aber das Management erklärt die eigene Auffassung zum Standard und versucht, alle anderen Menschen zu seiner Seinsauffassung zu zwingen. Sie zwingen die Fachleute, unter leistungsschwächendem Stress zu arbeiten und schlechte Ergebnisse zu erzielen. Dann gibt es noch mehr Stress, wenn die Ergebnisse schlecht sind! Es ist aber eine Art globaler Wahnsinn der Manager, alles müsste unter Stress stehen!

Ratgeber – meine Binsenweisheiten

Was soll ich sagen? Misstrauen Sie bitte eine Zeit lang allen simplen Allheilmitteln und Erfolgsformeln. Versuchen Sie tiefer zu verstehen, ob da nicht wieder unabsichtliche oder absichtliche Scharlatane tiefere Zusammenhänge ignoriert haben.

Misstrauen Sie allen Aussagen der Form »X bewirkt Y«, so wie »Eine schicke neue Frisur bringt frische Liebe«. Vermuten Sie am besten dahinter eine ganz simple Datenerhebung. Da hat ein Journalist zehn Frauen mit neuer Frisur und zehn weitere mit unveränderter Frisur gefragt, ob sie kürzlich neue Freundschaften eingegangen wären. Obwohl es mathematisch Unsinn ist, aus einer so kleinen Zahl etwas zu schließen, erkennt der Journalist trotzdem einen Zusammenhang, macht daraus eine falsche Kausalbehauptung und bekommt ein gutes Zeilenhonorar für seinen Artikel darüber.

Denken Sie über Zusammenhänge so oft nach, wie Sie können. Hier im Beispiel kann es sein, dass der Zeitpunkt der neuen Frisur absichtlich im Zusammenhang mit einem neuen Leben stand. Das kann man verstehen! Aber wenn ich Leute zufällig von der Straße hole und ihnen einen anderen Haarschnitt verpasse, dann kommt bestimmt keine neue Liebe! Ein Zusammenhang ist daher verständlich, die dumm-einfache Kausalität sicher falsch.

Versuchen Sie, jede solche behauptete Wirkung »X führt zu Y« in dieser Weise auseinanderzunehmen. Sie werden eine spannende Zeit haben und merken, dass die Welt vor erfundenen (falschen) Kausalbeziehungen nur so wimmelt.

Versuchen Sie zu erkennen, welches Interesse hinter der erfundenen Kausalbeziehung steht: Politik, Lobby, Zeilenhonorar, Marketing, Kriegspropaganda? Fragen Sie: Auf welchen Fakten und Zusammenhängen beruht die Behauptung? Wie kann man die Zusammenhänge erklären? Warum wurde der Zusammenhang jetzt so erklärt, wie er in der Zeitung steht?

Das falsche Interpretieren von Zusammenhängen ist manipulativ oder dumm. Entdecken Sie, in welchem Meer von Falschem und Dummem wir schwimmen und fast untergehen.

Wenn Sie im Besitz der vollen Erkenntnis sind, werden Sie feststellen: Sie sind so ziemlich allein. Während Sie die Finsternis sehen, scheint den anderen die Sonne. Sie können nun versuchen, die anderen aufzuklären, so wie Voltaire - das gelingt bei Einzelnen, aber auf einer Party ist die Wahrheit wieder sehr miesepetrig. Versuchen Sie, der Wahrheit und dem tiefen Verständnis ein Forum in Ihrer ganzen Umgebung zu geben. Sie werden scheitern - nicht bei den Einzelnen, aber im Schwarm. Die Schwarmdummheit sagt: »Ach, komm, sei nicht so. Natürlich ist es dick aufgetragen, so simpel, wie es behautet wird, aber wir leben in dieser Welt, in der man öffentliche Urteile cum grano salis nehmen muss. Wir sind nicht dumm. Wir haben gelernt, dass man bei jeder Aussage 10 oder 20 Prozent abziehen muss, dann stimmt es schon. Zumindest ist etwas dran.« - »Was stimmt denn am Erfolg durch Design-Fußnägel?« - »Ach komm, verdirb mir nicht die Freude daran. Es macht Freude, das zu glauben. Du findest es vielleicht blöd, aber diese Lüge ist schön. Ohne diese Lüge würde ich mir die Fußnägel nicht designen lassen und auf keinen Fall so viel dafür bezahlen. Du glaubst doch auch, dass deine Firma toll ist, obwohl es nicht stimmt und du zu wenig verdienst. Ohne diese Lüge könntest du doch nicht arbeiten.«

Die Schwarmdummheit hat es sich gemütlich gemacht.

Fazit

»Eine Korrelation bedeutet nicht, dass eine Kausalbeziehung besteht.« Das wird uns immer und immer wieder eingebläut. Ich habe hier einen erneuten Versuch unternommen, um vor simplen Heilsbotschaften und Erfolgsformeln zu warnen. Hilft das in Meetings? Ich fürchte, wir müssen Korrelationen, Kausalitäten und Zusammenhänge in der Schule lehren, damit das Wissen um Zusammenhänge in kritischer Masse vorhanden ist.

Sie sollten aus diesem Kapitel den ungeheuer großen Abstand zwischen dem Vital-Unproblematischen und dem Problematischen mitnehmen, der nicht durch »Lackieren der Fußnägel« oder durch irgendeine andere Einzelmaßnahme überbrückt werden kann. Ja - und Ungeduld hilft auch nicht.

7

Wie die Verantwortlichen tricksen, mogeln und ihre Fehler anderen ankreiden – sie gestalten ihre Zahlen

Sie erfahren einiges aus der Trickkiste derer, die gute Zahlen vorweisen müssen, aber ohne kreativen Umgang mit Zahlen nicht können.

Kurzinhalt: Unter Stress und Opportunismus gelingt es einfach nicht, neue ganzheitliche Führungssysteme wie zum Beispiel das Managen nach der sogenannten Balanced Scorecard im Sinne der Erfinder zu etablieren. Neue Managementmethoden mutieren bei der Einführung immer wieder nur zu dumm einfachen Leistungsbeurteilungssystemen, die immer härter drücken und die Zahl der Berichtsmeetings inflationär in die Höhe treiben. Die Zahlen werden noch wichtiger als bisher, weil immer mehr Leistungskennziffern gemessen werden. Da beginnen alle ihre Haut zu retten und zu tricksen …

Die Balanced Scorecard als intelligenter Versuch, doch noch zu managen

Warum kümmern sich Manager so vorrangig um die Motivation? Es ist doch klar, dass die obersten Manager und Politiker eigentlich dafür voll verantwortlich sind, das Ganze zu steuern. Dazu müssen sie das Ganze doch wohl in der vollen Komplexität und in allen Zusammenhängen verstehen (und nicht in dumm einfachen Scheinkorrelationen). Das geht eigentlich nur unter langer Erfahrung mit den Wirkungen eigener Aktionen als Chef. Ein Unternehmer kann viele Maßnahmen treffen:

- Preise erhöhen,
- Kundentreue belohnen,
- Produkte verbessern,
- Mitarbeiter ausbilden,
- Prozesse outsourcen et cetera.

Mit solchen Maßnahmen steuert er die Firma wie ein Segelschiff über das Meer. Welche Maßnahmen aber wirken wie? Bewirken sie das, was der Kapitän beabsichtigt? Es ist doch absolut wichtig, die Wirkung (!) der getroffenen Maßnahmen qualitativ zu verstehen und quantitativ einschätzen zu können.

Wie aber kann die Führung eines großen Unternehmens solche Wirkungen abschätzen lernen, wenn sie nur zu hohe Ziele setzt, Zahlen einfordert und Begeisterung ohne jede weitere Substanz als eine hinreichende Bedingung für Erfolg betrachtet?

Seit den Neunzigerjahren überlegte man sich systematisch, welche Kennzahlen ein Unternehmen im Laufe der Zeit erheben und verfolgen sollte, um »das große Schiff effektiv kontrollieren und lenken zu können«. Maßgeblichen Einfluss hatten die beiden Amerikaner Robert S. Kaplan und David P. Norton, die nach zwei wegweisenden Aufsätzen in der *Harvard Business Review* (1992 und 1993) bald darauf ihr Konzept in einem Bestseller mit dem Titel *Balanced Scorecard* vorstellten. Sie schlugen vor, das Unternehmen aus

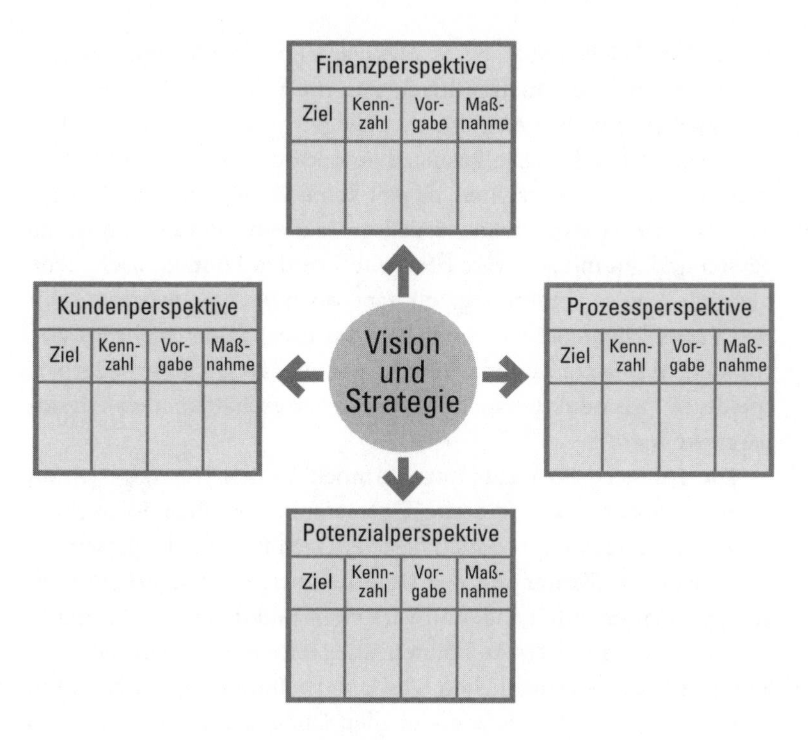

Typische Balanced Scorecard (Abbildung nach Wikipedia)

verschiedenen Perspektiven zu beurteilen und dafür aus Sicht der verschiedenen Perspektiven einige wichtige Kennzahlen zu messen.

Im abgebildeten Beispiel wird das Unternehmen aus vier Perspektiven angeschaut:

- Finanzen (zum Beispiel Umsatz, Kosten, Umsatz pro Mitarbeiter, pro Mitarbeiter im Vertrieb, pro Produkt und so weiter),
- Kunde (Umsatz, Zufriedenheit und Profitabilität pro Kunde, Marktanteil),
- Prozess (Qualität und Effizienz der Abläufe und Ablaufdauer),
- Potenzial (Umsatzanteil an neuen Produkten, Kündigungen von Leistungsträgern, Mitarbeiterstimmung beziehungsweise »Employee Morale«).

Anhand von vielleicht 20 bis 25 Messzahlen wird das Unternehmen *balanciert* gesteuert, nicht einfach nur nach den wenigen Finanzkennzahlen, die den Aktionären genügen, um die Kurse steigen oder fallen zu lassen. Die Balanced Scorecard kann auch mehr Perspektiven als vier betrachten, es gibt keine Einschränkungen außer der, dass vier Perspektiven visuell gut auf eine Präsentationsfolie passen und gut mit Software bearbeitet werden können. Lachen Sie nicht über diese Bemerkung, ich habe noch nie eine Scorecard mit drei Perspektiven (»Echt? Sie haben nur drei?«) oder mehr als vier gesehen. Wie wäre es mit »Zukunftsperspektive«, »Mitarbeiterperspektive«, »Produktperspektive« oder »Geschäftsmodell-/Marktperspektive«?

Die Balanced Scorecard machte noch in den Neunzigerjahren förmlich Furore. Die deutsche Übersetzung des Buches erschien 1997. Danach elektrisierte auch hier der Gedanke, mit den Daten aus verschiedenen Sichten auf das Unternehmen die Wechselwirkungen der Sichten aufeinander zu verstehen und dann das Unternehmen wirksamer steuern zu können. Die Steuerung mit der Balanced Scorecard soll es ermöglichen, das Unternehmen unproblematisch zu führen und vital zu halten - in allen Dimensionen und aus allen Perspektiven.

Ich stelle mir eine Balanced Scorecard wie die Instrumente auf der Kapitänsbrücke eines großen Schiffes vor. Diese Instrumente zeigen mir wie im Auto auch, in welchem Zustand das Schiff ist. Wie viel Treibstoff gibt es noch, wie weit ist es zum Hafen, wie ist das Wetter? Wenn ich das Schiff steuere, dann zeigen mir die Daten auf den Instrumenten an, wie das Schiff reagiert. Ich lerne, es zu steuern, wie ich will. Ich bereite mich langsam vor, das Schiff auch in schweren Wassern sicher zu navigieren, indem ich über die Steuerung und die Reaktionen der Messinstrumente langsam ein Gefühl für die See bekomme.

Das wäre meine Interpretation einer Balanced Scorecard. So eine sollte man vielleicht auch als Person haben. Ich schaue mich an: Wie sehe ich aus Sicht der Familie, der Karriere, der Gesundheit, meiner Ausbildung, meines Glücks aus? Ich kenne für mich die Fährnisse des Lebens, mal läuft es im Job gut, mal steht die Familie im Vordergrund. Manches klappt gut, anderes muss wieder in Ordnung gebracht werden. Aber wenn ich die verschiedenen Sichten auf mich immer im Blick behalte, bekomme ich ein gutes Gefühl für die Balance in meinem Leben. Ich lerne, mein Leben zu steuern, weil ich ein Gefühl für die Wechselwirkungen und die Zusammenhänge in meinem Leben bekomme.

> Mit einer Balanced Scorecard kann man lernen, sich auf das Management oder das Leben zu verstehen.

Und jetzt fällt den mächtigen Unternehmensplanern und Controllern so eine Balanced Scorecard in die Hände. Die wollen nicht im wilden Meer steuern lernen, sie wollen die Fahrt theoretisch sauber planen.

Jedem Manager seine Monocausa

Die Controller haben die Scorecard nicht zum Lernen genutzt. Sie haben ein großes Planungssystem daraus gemacht. Während sie vorher eben Umsätze, Kosten, Gewinne, Abschreibungen und Investitionen für das Jahr planten, nahmen sie alle Kennzahlen aus der Scorecard mit in den Planungsprozess hinein. In der Folge planten sie auch die Kundenzufriedenheit, die Zahl der neuen Produkte und die Mitarbeiterzufriedenheit - alles. Seither hagelt es Kennzahlen über Kennzahlen.

Ich frage mich, wie man ein großes Unternehmen wirklich vorhersehbar planen kann. Weiß ich, wie sich die Kundenzufriedenheit entwickelt? Wie zufrieden die Mitarbeiter am nächsten Jahresende sind? Weiß ich, wie gut die neuen Produkte im Markt einschlagen werden? Wenn ich eine höhere Kundenzufriedenheit erreichen will oder einen schnelleren Kundenservice - kostet das nicht Geld? Wie viel? Merke ich das nicht im Laufe des Jahres, wie es mir gelingt, das Vertrauen der Kunden zu erringen? Fragen über Fragen, so ein Unternehmen ist schwer zu lenken. Es ist kompliziert - und nur

Genies können es wohl genial einfach!? Ach was, wir machen es am besten dumm einfach! Das geht so: Wir listen alle Kennzahlen aus der Balanced Scorecard nacheinander auf und denken uns für die jeweilige Kennzahl aus, wie sie am Jahresende sein könnte.

- »Kundenzufriedenheit ist 62 Prozent, machen wir 2 Prozent drauf, oder?«
- »Mitarbeiterzufriedenheit ist 73 Prozent, sagen wir - äh, 1 Prozent rauf!«
- »Umsatz? Der Markt wächst laut Zeitung um 3 Prozent, da müssen wir schon 5 machen. Okay? Ich weiß, das wird nicht leicht, das soll es ja nicht sein.«
- »Kosten? Die laufen uns leider fast immer weg, wir sagen mal, wir wollen 5 Prozent einsparen, das macht denen solchen Eindruck, dass sie mit dem Sparen gleich schon im Januar anfangen.«
- »Umsatz pro Mitarbeiter, tja der muss höher werden - wir können Leute entlassen, dann wächst der Umsatz pro Mitarbeiter, oder wir hauen auf die Anwesenden drauf. Was? Okay, beides.«

Ich zögere ein bisschen, ob ich diese Formulierungen so despektierlich stehen lassen soll. Doch, ich lasse sie so. Ich habe in den Unternehmen oft gefragt, wie groß die Zufriedenheit der Mitarbeiter oder Kunden eigentlich sein sollte. Null Prozent geht ja nicht und hundert Prozent wird unsinnig teuer, das ist klar. Aber wie hoch sollten diese Zahlen sein? Wenn sie zum Beispiel 80 Prozent sein sollten, dann muss doch Dampf gemacht werden - und wenn sie 60 Prozent sein sollten, sollte man sie nicht erhöhen? Darüber macht sich niemand Gedanken. Man setzt sich zusammen und bastelt (!) einen Plan, der für den Chef gut aussieht. Alle Kennzahlen sollen im nächsten Jahr irgendwie besser sein. Dann schaut man, was die Aktionäre erwarten, und plant das noch dazu. Findet da irgendwo unternehmerisches Denken statt?

Im nächsten Schritt ernennt man für jede Kennzahl einen Verantwortlichen, einen Manager, der für das Erreichen des Ziels in Bezug auf diese Kennzahl mit seinem Bonus und seiner Karriere geradestehen muss (*accountable*). Dieser Herrscher über eine Kennzahl wird bei jeder Planabweichung in die Geschäftsführung zitiert und muss sich verantworten. Kneifen gilt nicht! Aber die Verantwortlichen versuchen es natürlich mit Ausreden: »Da kam der Krieg in der Ukraine!« - »Da stiegen plötzlich die Gaspreise, das war in meinem Etat nicht vorgesehen.« - »Ihr habt doch hier ganz oben beschlossen, dass die Innovationen gestoppt werden, wieso bin ich jetzt schuld, wenn sich bei mir nichts tut?« - »Was kann ich für Fukushima?« - »Mein Kunde ist pleite, da kauft er eben nichts mehr!« Natürlich ist der Betreffende nicht wirklich daran schuld, aber er ist eben der Verantwortliche.

Ich verrate Ihnen etwas aus der Praxis: Es gibt kaum Abteilungen und kaum Jahre, in denen es keine Sonderfaktoren gibt, die sich gravierend auswirken. Man kann ja nicht vorher sagen, welche Risiken für das Folgejahr bestehen. Wer weiß schon vorher von Fukushima, von Finanzkrisen oder den Unruhen in der Ukraine? Wer von Nine-Eleven, wer von den Umstürzen im arabischen Raum? Es ist sehr, sehr schwierig, zu entscheiden, was »selbst zu verantworten ist« und was nicht.

Und weil das so schwer ist, verzichtet man auf eine solche Gerechtigkeitsfindung ganz und gar und verhaftet den zuständigen Manager einfach in Alleinschuld. Fertig und Schluss. Jeder Manager verantwortet voll und ganz das, was ihm untersteht, und hält auch den Kopf dafür hin. Keine Ausreden und Diskussionen über unvorhersehbare Schwierigkeiten, die einem nicht angelastet werden können! Sonst kommt man bei den dauernden Entschuldigungen von Pontius zu Pilatus. Es ist eben Pech oder Glück, je nachdem, ob etwas Unvorhergesehenes behindert oder begünstigt hat. Die naive Haltung des Top-Managements ist: Glück und Pech gleichen sich aus.

Jeder Manager einer Kennzahl bekommt also eine Monocausa, seine eigene, persönliche Monocausa. Er selbst beziehungsweise sein Engagement wird als alleinige Ursache für den Erfolg oder Misserfolg gesehen. Ist er zum Beispiel dafür verantwortlich, die Kundentreue zu verbessern, dann wird seine Arbeit zur alleinigen Erfolgsursache erklärt. Wenn ihm ein schlechtes neues Produkt sein Kundentreueziel in weite Ferne rückt - egal, er trägt die Verantwortung.

Das klingt eigentlich zu hart, aber ich wiederhole: Es gibt kaum ein Jahr und kaum einen Bereich, in dem es nicht von Zeit zu Zeit hagelt. Trotzdem entarten die Erfolgsberichtsmeetings oft zu unsäglichen Rechtfertigungsorgien, in denen jeder Manager jede Schuld weit von sich weist. In schlechten Jahren fühlen sich die meisten Manger zu Unrecht erfolglos, sie haben ja wie immer hart gearbeitet, sie haben sich gegen alle Unbill tapfer gewehrt, viel mehr Überstunden als sonst geleistet - und sollen doch ihren Bonus verlieren. Da argumentieren und räsonieren sie - egal, die Regeln sind unerbittlich. Jedenfalls gilt das offiziell, die Härtefälle werden natürlich im Geheimen unter der Hand geregelt.

»Mach deine Zahlen! Keine Ausreden!« Da gehen die Manager ans Werk und hoffen auf ihr Glück. Hoffentlich haben sie Glück und kein Pech! Hoffentlich gibt es keine Wirtschaftskrise, keinen Krieg und keine Zinserhöhung. In Wahrheit sind die Ziele immer so konzipiert, dass sie schon dann ehrgeizig sind, wenn das ganze Jahr über Schönwetter herrscht, wenn also absolut rein gar nichts dazwischenkommt. Der Bonus der Manager ist heutzutage so hoch gehängt, dass sie ihn nur mit gutem Glück ehrlich verdienen können. In der Regel erreichen sie ihr Ziel nicht wirklich. Sie müssen tricksen. Das tun sie auch. Wie, das ist Gegenstand der nächsten Abschnitte.

Die Balanced Scorecard war als intelligenter Versuch gedacht, ein Unternehmen und die Wirkweisen von Handlungen in ihm zu verstehen. Sie verkam zu einem Trend, das Unternehmen anhand der vielen neuen Kennzahlen stärker zu »motivieren«. Es wurden im Ergebnis eben nur viel mehr Kennzahlen mit viel mehr ungeduldigen Managern, die harsch gute Kennzahlen verlangen.

Trick, Cheat & Blame im höheren Management (genauso schlimm wie Arbeiter)

Das Top-Management hat die Aufgabe, das Unternehmen rundum fit zu halten, in eine gute Zukunft zu führen und es prosperieren zu lassen. Die Produkte werden immer besser, die Kunden zufriedener, die Mitarbeiter sind motiviert und arbeiten an ihrer persönlichen Weiterentwicklung. Das sind harte Aufgaben, besonders in einer Zeit, in der so viele Sonderfaktoren das Geschäft stören. Außerdem herrscht - so ist zu hören - überall mörderischer Wettbewerb. »Wir können nicht mehr wie früher ins Blaue hinein wachsen. Das war früher, als die Märkte noch nicht gesättigt waren. Heute hat jeder ein Auto und eine Waschmaschine. Es wird immer härter, Produkte zu verkaufen, die jeder eigentlich schon hat. Wenn wir also wachsen wollen, müssen wir in ungesättigte Märkte vorstoßen oder wir müssen den Wettbewerbern Marktanteile abluchsen. Wir müssen versuchen, das ganz ohne Preissenkungen zu schaffen, da wir sonst unsere ehrgeizigen Gewinnziele nicht erreichen werden. Wir müssen einfach besser verkaufen als die Wettbewerber. Es geht nur unter noch größerer Begeisterung. Alles andere kostet etwas und lässt uns noch weiter hinter die Ziele zurückfallen. Achten Sie im Management noch knallhärter darauf als sonst, dass die Mitarbeiter motiviert sind. Feuern Sie alle Low Performer - mitleidlos. Wir können nicht mehr wie früher jeden mitschleppen oder zum Jagen tragen. Ziehen Sie jeden Hebel! Aktivieren Sie alles! Messen Sie unerbittlich die Leistungen. Sie wissen: You get what you inspect. Sie bekommen nur dann etwas, wenn sie es nachkontrollieren. Sonst nicht. Deshalb ist die unnachsichtige Kontrolle fast schon das ganze Management.«

Unter solchem Druck von oben beginnt die Arbeit. Der Chef bekommt nicht einfach etwas, wenn er es bloß erwartet, er bekommt es erst, wenn er es unermüdlich kontrolliert und gnadenlos einfordert. Sprich: Es hilft nichts, den Mitarbeitern die Erledigung von Aufgaben einfach nur zu empfehlen, nahezulegen oder sogar zu befehlen. Sie fallen doch nur wieder in den alten Trott zurück, und die Aufgabe versandet im Tagesgeschäft. Deshalb, so die reine Lehre des zu ungeduldigen Managements, muss der Chef unerbittlich inspizieren (»tracken«), ob die Aufgaben auch wirklich erledigt werden.

Darf ich den so gemeinten Satz einfach einmal sarkastisch uminterpretieren? Ich verstehe ihn oft so: »Du bekommst ganz sicher die Zahlen, die du inspizierst, aber als Gesamtresultat leider nicht, was du erwartet hast.«

Alle Manager und Mitarbeiter werden von den Mess- oder Tracking-Systemen des Unternehmens zur Leistungsmessung so hart in die Mangel genommen, dass sie unter allen Umständen ihre Zahlen bringen wollen. Die Drohungen der Chefs bei zu schlechten Zahlen sind in den letzten Dekaden so massiv geworden, dass es schon fast um das persönliche »Überleben« zu gehen scheint. Es gilt daher unausgesprochen als legitim, die Zahlen aufzuhübschen, zu schönen oder ein bisschen daran zu drehen. »Alle drehen sie an den Zahlen, das tun die da oben ja auch. Letztlich sitzen wir in einem Boot und müssen gute Zahlen für die Börse vorzeigen können. Denen da oben ist es letztlich doch ganz recht, wenn es nicht so übel aussieht, wie es derzeit ist. Niemand in der Firma hat ein Interesse daran, die Wahrheit zu erfahren, als Letzte die Aktionäre. Was hilft ihnen eine traurige Wahrheit, wenn daraufhin die Kurse fallen? Dieses System zwingt uns doch, die geforderten Erfolge zu melden. Es ist aber schon zufrieden, wenn die Erfolge wenigstens auf dem Papier stehen, das ist die Hauptsache. Es ist also nicht unethisch, das System zu bescheißen, es will im Gegenteil sogar beschissen werden, weil dann die Zahlen besser sind und die Aktienkurse steigen. Und deshalb bescheißen wir ohne Skrupel, ohne Gewissensbisse und ohne Sorge vor Strafen. Wer nicht bescheißt, ist der Dumme. Er wird ja noch härter bestraft als der, der seine Ziele durch Bescheißen erfüllt und dabei erwischt wird.« (Ich bitte um Verzeihung für die authentische Original-Wortwahl.)

Das höhere Management »schummelt« ja selbst und weiß, dass alle ein bisschen schummeln. Ich glaube, es gibt einen noch nie ausgesprochenen Glauben im Management: »Wir stressen sie alle so sehr, dass sie ein Drittel mehr leisten als ohne Stress, und natürlich verlieren wir wieder einige Prozent, weil sie schummeln. Per Saldo aber lohnt sich das Draufhauen unbedingt.«

Damit Sie einen Eindruck bekommen, was so alles zur Aufbesserung der Zahlen getan werden kann, schildere ich Ihnen ein paar Maßnahmen, die nicht zu speziell sind.

Nicht genug Wachstum? »Strategische Übernahmen«! Heute unterscheidet man schon zwischen organischem Wachstum (solchem aus eigener Kraft) und zugekauftem Wachstum. Sie lesen dann in der Zeitung: »Wir können unsere ehrgeizigen Wachstumsziele natürlich nicht aus eigener Kraft stemmen, wir sehen uns im Markt nach Chancen zu strategischen Übernahmen um.« Wenn es ein Unternehmen also nicht schafft, schneller zu wachsen als der Markt, kauft es den Markt. Der Vorstand des Unternehmens hat seine Wachstumsziele formal erreicht. Bonus!

Nicht genug Eigenkapitalrendite? Eigenkapital senken! Die Eigenkapitalrendite ist eine der wichtigen Kennzahlen für den Erfolg eines Unternehmens. Sie misst, wie hoch der Gewinn bezogen auf das Eigenkapital ist. Wenn der Gewinn steigt, steigt die Rendite. Wenn sich der Gewinn verdoppelt, verdoppelt sich die Eigenkapitalrendite. Man kann aber auch das Eigenkapital senken, sagen wir, auf die Hälfte. Dann verdoppelt sich die Eigenkapitalrendite ja auch! Das Eigenkapital zu senken ist ein Kinderspiel - man schüttet einfach Dividenden aus und nimmt denselben Betrag als Kredit auf. Dann ist das gleiche Kapital im Unternehmen, aber nur ein Teil zählt als Eigenkapital. Sie haben ja im letzten Jahrzehnt immer davon gelesen, dass speziell die Banken die Eigenkapitalrendite steigern wollten. Besonders berühmt wurde das Streben der Deutschen Bank nach den magischen »25 Prozent Eigenkapitalrendite«, das ihr den Vorwurf der Gier einbrachte. Eine Bank kann die Eigenkapitalrendite steigern, indem sie so viele Kredite ausgibt, wie gerade noch gesetzlich erlaubt ist, und so risikoreich, dass sie gerade so eben nicht von der Bankenaufsicht geschlossen wird. Diese Sucht, alles bis an die Oberkante des gerade noch Legalen und oft etwas darüber hinaus auszureizen, war ein wesentlicher Auslöser der globalen Finanzkrise. Jetzt muss der Steuerzahler einstehen. Der Gesetzgeber hat als Reaktion die Eigenkapitalregeln verschärft und verlangt nun, dass die Banken gesund viel Eigenkapital haben, um die Kreditrisiken gedeckt zu halten. Es stellt sich heraus, dass im Sinne der neuen Regeln (»vernünftig viel Eigenkapital«) sehr viele Banken unterkapitalisiert sind (auch die Deutsche Bank, klar!). Die Banken können jetzt das Kapital erhöhen oder die Kreditvergabe einschränken ... Eine Vollkatastrophe wird derzeit durch eine Nullzinspolitik abgewendet oder aufgeschoben. Der Sparer bekommt eben nichts, bis es den Banken wieder gut geht. Ist das nicht wahrlich genug »Trick & Cheat« gewesen? War es sinnvoll im Sinne des Ganzen, das Eigenkapital unverantwortlich zu senken?

Immer noch nicht genug Rendite? Renditeschwache Unternehmensteile verkaufen und renditestarke Firmen aufkaufen! Die Rendite eines Unternehmens kann natürlich auch aufgehübscht werden, wenn es Unternehmensteile verkauft, die eine nur kleine Rendite abwerfen. Für das erhaltene Geld kann es im Gegenzug Unternehmen aufkaufen, die eine hohe Rendite abwerfen. Zum Beispiel könnten Banken das Privatkundengeschäft verkaufen (das bringt nicht so viel Gewinn) und in das Investment-Banking gehen (da wird manchmal viel verdient!). Es ist aber oft so, dass das Geschäft mit der geringen Rendite sehr sicher und stabil ist und dass das hochrentierliche sehr risikoreich ist. Das wird verschwiegen oder ganz ignoriert. Besonders Unternehmen mit einem einzigen Produkt sind renditestark, hängen aber mit Wohl und Wehe daran fest. Viele Großunternehmen haben solche renditestarken Risiko-Unternehmen aufgekauft und dabei oft Fantasiepreise bezahlt. Nach der Finanzkrise lecken sie sich die Wunden: verzockt.

Nicht genug Gewinn? »Extra One-Time Charge« oder »Einmalige Sonderbelastung«! Wenn sich ein Unternehmen nachhaltig entwickelt, sieht es zu, dass alles in Schuss bleibt. Es lässt nichts marode werden - nein, es modernisiert kontinuierlich. Es verhält sich nicht so verantwortungslos wie der deutsche Staat, der als Großaktionär der Bahn die Schienennetze verkommen lässt, dem Wachsen der Schlaglöcher auf den Straßen zusieht und wegschaut, obwohl die Autobahnbrücken bald einstürzen. Doch viele Unternehmen handeln genauso wie der Staat in Bezug auf die Infrastruktur. Sie lassen alles schleifen, bis irgendwann einmal der Erneuerungsbedarf absolut dringlich wird. Dann kündigen sie eine großartige »Neuaufstellung« oder »Reorganisation« an, die »leider auf das diesjährige Jahresergebnis mit einer Sonderbelastung von einer Milliarde Euro durchschlägt, wobei es sich aber um eine einmalige (!) Aktion handelt«. Damit wird dem Aktionär suggeriert, dass leider in diesem Jahr der Gewinn niedriger ausfällt - danach aber ist alles wieder gut. Ein nachhaltiges Unternehmen modernisiert kontinuierlich! Ein gieriges Unternehmen betreibt Raubbau, weist riesige Gewinne aus und beschert dem Management große Boni. Muss dann ab und zu einmal doch aufgeräumt werden, entschuldigt sich das Management mit einer »einmaligen« Sonderbelastung, die »ja nicht schlimm ist«. Schlechtes Management in der Zeit davor wird so oft verschleiert. Die Aktionäre lassen sich ja gerne verschaukeln. Würden sie die Wahrheit erkennen, fiele der Aktienkurs. Was also wäre gewonnen? Am besten für die Aktienkurse wäre eine totale allgemeine Schwarmdummheit, die einfach annimmt, dass Aktien grundsätzlich nie fallen können. Dann müssen sie ja, weil keiner der Schwarmdummen verkauft.

Immer noch nicht genug Gewinn? Outsourcen und wegschauen! Das Outsourcen hat seinen Sinn, man kann es aber auch überziehen. Viele Unternehmen gründen Unternehmensteile aus, um die Mitarbeiter dort einfach schlechter zu bezahlen (bei Paketdiensten, Zeitaushilfskräften in der Automobilindustrie, bei Fluglinien und IT-Ausgründungen nach Indien) und oft auch, um die Risiken einer Festanstellung zu vermeiden. »Nur die besten Mitarbeiter sollen bei uns direkt angestellt sein. Alle anderen sollen stundenweise nach Bedarf kommen, sie sind unsere ›atmende Reserve‹.« Die Unternehmen sagen sich: »Wir haben nun nicht mehr das Risiko, dass wir zu wenig Arbeit für die Leute haben. Wenn alle nur auf Stundenbasis kommen, tragen die ja das Risiko.« Viele Unternehmen beziehen Zeitarbeiter von Zeitarbeitsvermittlungsunternehmen, die ihre Zeitarbeiter schlecht behandeln. Da schaut niemand hin. Man lehrte mich in der Schule und im Studium der Betriebswirtschaft immer: »Der Unternehmer trägt das Beschäftigungsrisiko. Das ist nicht einfach. Es muss ihm daher zugestanden werden, dass er viel mehr verdient als die Mitarbeiter, für die er ja das Risiko trägt und für die er sorgt, weil er sie fest angestellt hat und ihnen oft nicht kündigen kann.« Gestehen wir Unternehmern auch so viel Profit zu, wenn sie gar kein Risiko mehr tragen, weil sie es auf billige Zeitarbeiter abgewälzt haben?

Immer noch nicht genug Gewinn? Aktien zurückkaufen und das eigene Gehalt steigern! An der Börse werden die Aktien hauptsächlich nach der Kennzahl »Gewinn pro Aktie« oder »Earnings per Share (EPS)« bewertet. Der Gewinn eines Unternehmens wird durch die Zahl der ausgegebenen Aktienanteile dividiert, das ergibt den Gewinn pro Aktie. Diese Kennzahl kann man erhöhen, wenn man den Gewinn steigert (das ist viel Arbeit) oder wenn man die Anzahl der Aktien senkt, indem das Unternehmen sie an der Börse selbst aufkauft – dann sinkt die Zahl der ausgegebenen Aktien, der Gewinn pro Aktie steigt auch. Das beeindruckt die Anleger, die Aktie steigt oft an. Damit steht nicht nur das Unternehmen börsentechnisch gut da, auch das

Management reibt sich die Hände. Das Management wird oft neben dem eigentlichen Gehalt mit Optionen bezahlt (mit dem Recht, eine Aktie des Unternehmens zu einem festgesetzten, meist niedrigen Preis kaufen zu dürfen). Wenn die Aktien infolge eines Rückkaufs steigen, sind die Optionen des Managements viel, viel mehr wert! Ein Aktienrückkauf eines Unternehmens bewirkt in diesem Sinne oft eine Zusatzgehaltserhöhung für das Management - ganz ohne Arbeit! Es heißt offiziell: »Wenn der Aktienkurs steigt, so ist das ja eine Art Resonanz auf die großartige Leistung des Unternehmens. Es ist daher nur gerecht, wenn das Management über die Optionen an der Leistung des Unternehmens partizipiert.«

Zu hohe Kosten? Totsparen! Das kennen Sie sicher selbst gut genug, oder? Weihnachtsgelder werden in »Leistungszulagen« umgewandelt, Dienstreisen verboten und verbilligt (kein Taxi mehr, bitte zu Fuß!), die Betriebsrenten werden »reformiert«, Computer und Möbel müssen länger benutzt werden, die Schreibtische in den Großraumbüros werden zusammengerückt, damit die »Kommunikation besser wird« (wobei jeder weiß, dass sich zu viele Ratten in einem Käfig unter Stress gesetzt fühlen, aggressiv werden und sich im Extrem gegenseitig umbringen) und alle ein Team sind et cetera, et cetera.

Kunde will Rabatt? Na, gut, das gibt Überstunden und Extrameilen! Oft gibt es heute - weil ja alle opportunistisch sind, auch die Käufer - »mörderische Rabattverhandlungen« bei Projekten. Jeder Kunde will noch seine 10 Prozent herausholen. Irgendwann, oft kurz vor dem Quartalsende, verliert das Unternehmen die Nerven und willigt in einen Rabatt ein. Damit ist oft klar, dass das Projekt nicht mehr profitabel ausgeführt werden kann. Aber es wird versucht! Man übergibt das Projekt dem Projektleiter und fordert ihn auf, es bitte trotzdem profitabel durchzuführen, obwohl es eigentlich nicht gehen kann. »Hängen Sie sich rein!« Das bedeutet, dass das Projekt unter dem Leiden aller irgendwie in Nachtarbeit ohne Überstundenbezahlung durchgeführt wird und die Qualität des Ganzen hart an den Grenzen der Vertragskonditionen segelt. Das bedeutet wieder einmal Mehrarbeit unter Stress, jetzt kommen bald auch noch Rechtsanwälte hinzu.

Kunde will immer noch Rabatt? Strategische Innovationskooperation einbetten! Bei ganz großen Projekten wollen Kunden noch mehr

Rabatt, da glaubt man nicht einmal an möglicherweise rettende Überstunden. Dann wird das Projekt zu einem strategischen oder hochinnovativen sogenannten »Leuchtturmprojekt« erklärt, in das das Unternehmen »wegen der dabei zu erwartenden reichen Ernte an Know-how vorinvestieren müsse, damit es danach ganz neue Märkte erschließen könne«. Im Klartext: Man nimmt das Geld, das eigentlich für Innovationen vorgesehen ist, und steckt es zum Verluststopfen in das damit gewonnene Riesenprojekt. Damit ist der Umsatz gesichert, der Gewinn auch - aber das Geld für Investitionen ist nun weg. Auf diese Weise verschwindet ganz viel Geld für Innovationen! Malen Sie sich das in Ihren Farben aus!

Kunde will mörderischen Rabatt? Preisabsprachen! Seit langer Zeit drücken die Autohersteller, die Flugzeugbauer und Discounter auf die Preise der Zulieferer. Die Zulieferer können nach Jahren rabiater Behandlung kaum noch leben. Nun beginnen die Herrscher-Unternehmen, auch die Innovationen von den Zulieferern einzufordern, wo sie früher die teuren Neuentwicklungen selbst bezahlt haben. »Die Zulieferer müssen die Innovationen selbst finanzieren und auch bereit sein, die Risiken der Neuentwicklungen zu tragen, damit wir als Gesamtverantwortlicher den ganzen Gewinn ohne Stress einstreichen können.« Da beginnen viele kleinere Firmen bald miteinander zu reden, wie sie gegen die Großkonzerne bestehen. Sie manipulieren die Angebote, retten sich kurzfristig und werden irgendwann später vom Kartellamt hingerichtet.

Keine Innovation? Produkte schwach abändern und »NEU« draufschreiben! Da das Geld für Innovationen auch aus den genannten Gründen so knapp ist, wird oft bald klar, dass es mit den Innovationen im Unternehmen nicht gut bestellt ist. Das sieht man in der Balanced Scorecard aus der Potenzialperspektive, wenn man möchte. Hier wird der Umsatzanteil gemessen, den die neuen Produkte am Gesamtumsatz haben. Dann werden ganz schnell kleine Verbesserungen an den Produkten angebracht und die Bestellnummern dieser Produkte verändert. NEU! Jetzt gibt es Scheibenwischer am Auto in drei wählbaren Farben - eine Revolution für die mobile Welt! Und schon ist der Umsatzanteil der neuen Produkte hochgeschnellt. Die Balanced Scorecard ist's zufrieden, die Zahlen stimmen.

Immer noch keine Innovation? Innovative Firmen aufkaufen! Immer noch nicht genug Innovation? Dann werden welche gekauft. Das ist oft sehr, sehr teuer! Aber es geht schnell und braucht keine Vorlaufzeiten und Lernphasen (von Jahren). Es ist heute klar bewiesen, dass die meisten Käufe von Unternehmen (aus innovativen Gründen oder auch allen anderen) keine gute Investition sind, weil es meistens nicht wirklich gelingt, die neuen beziehungsweise fremden Strukturen in die bisherigen zu integrieren. Tut nichts, man kauft, damit die Zahlen stimmen! Wenn man wenigstens das Integrieren aufgekaufter Firmen lernen würde (was Google zum Beispiel zu beherrschen scheint)!

Irgendein Problem? Allen Mitarbeitern die Problemlösung als Ziel und Extrameile verpassen! Wenn noch irgendetwas im Argen liegt, wird die entsprechende Korrektur den Mitarbeitern als »Teamziel« oder »Sonderziel« mit auf den Weg gegeben. Ich habe noch meine erste Zielvereinbarung bei IBM aufbewahrt. Sie stammt aus dem Jahre 1987. Da steht in sehr großer Handschrift über ein DIN-A4-Blatt: »Arbeiten Sie sich ein, lernen Sie die Firma kennen, Mitarbeit in Projekt XY« - na, nicht viel mehr. Ich wurde drei Jahre später als IBM-Manager ausgebildet und lernte, dass ein Mitarbeiter nicht mehr als drei bis fünf Ziele haben sollte ... Das ist die reine Lehre, und ich habe mich im Andenken an meinen ersten Chef bei IBM auch immer dran gehalten. Es ist aber seitdem immer und in allen Unternehmen schwieriger geworden, den Mitarbeitern klare, verständliche Ziele zu geben. Jeder CxO verlangt, seine Ziele in allen Zielen aller Mitarbeiter »zu verankern«. Dann bekommt also jeder Mitarbeiter ein Sparziel, ein paar Kundenziele, ein Innovationsziel, ein Extrameilenziel, ein Qualitätsziel, und schwupps!, sind drei Seiten eng damit vollgetippt. Ein Mitarbeiter arbeitet letztlich doch in einer einzigen Abteilung oder an einem Projekt! Was soll das dann, ihm dreißig Ziele zu geben, damit »die da oben« alles nur rechtssicher verankert haben?

Die Zielvergabe, dass der Mitarbeiter »alles richten« soll, ist eine unglaubliche Rücksichtslosigkeit des Managements, das nur einfach seine ureigene Aufgabe nach unten wegdrücken will: Der Mitarbeiter wird gezwungen, die vollkommen widersprüchlichen und wirren Ziele irgendwie gegenüber dem Kunden in Einklang zu bringen.

Das kann er gar nicht leisten. Die Widerspruchsfreiheit ist eine der vornehmsten Aufgaben des Managements. »Man vergebe die Ziele so, dass eine nahtlose Teamarbeit zum Gesamtziel möglich wird. Die Ziele dürfen sich nicht widersprechen. Alle müssen an einem Strang ziehen, alle Energie muss in die gleiche Richtung zielen.« Diese Zielvergabe wird heute sorglos, unfähig, schwarmdumm oder rücksichtslos betrieben, auf jeden Fall unprofessionell. Ziele saugt sich das Management oft in wenigen Stunden oder gar Minuten im Meeting aus den Fingern. Oft werden die Mitarbeiter gezwungen, die Ziele vorzuformulieren. Die geben sich Mühe, der Manager übernimmt einfach die vorgeschlagenen Ziele des Mitarbeiters, natürlich erst, nachdem er sie adäquat erhöht hat. Die Mitarbeitervorschläge können gar nicht widerspruchsfrei sein. Kann es sein, dass Hunderte von Mitarbeitern sich selbst unabhängig voneinander eigene Ziele vorstellen - und zufällig so, dass alle diese Ziele perfekt im Ganzen zusammenpassen?

Die Firma wird von außen beschuldigt etwas falsch gemacht zu haben (Produktqualität, Umweltschäden, Gifte im Produkt, Bestechung, Betrug, Datenklau, Datenmissbrauch): Das Top-Management gibt nicht nur massenhaft Ziele aus, es erzeugt auch eine Sintflut von Sicherheitsregeln und Vorschriften, die die Mitarbeiter oft nicht gut kennen und die sie insgesamt gar nicht einhalten können, wenn sie ihre Arbeit machen. Oft arbeitet jeder Mitarbeiter jenseits der Gesetze. Es gibt zum Beispiel ein Arbeitszeitgesetz (ein echtes Gesetz!), das bestimmt unter anderem: An Werktagen (Montag bis Samstag) dürfen ArbeitnehmerInnen nicht länger als acht Stunden arbeiten. Unter bestimmten Voraussetzungen kann die Arbeitszeit auf bis zu zehn Stunden verlängert werden. Innerhalb von sechs Monaten muss dann allerdings zum Ausgleich so viel weniger gearbeitet werden, dass die durchschnittliche werktägliche Arbeitszeit wieder acht Stunden beträgt. Das ist Gesetz! Es wird aber mit Füßen getreten, dieses Gesetz. Wenn irgendetwas ruchbar wird, wenn ein Fehler öffentlich entdeckt wird, kann man leicht sagen, welcher Mitarbeiter ungesetzlich handelte. Man entlässt diesen einen, der Rest arbeitet weiter mit Vorschriften, die man nicht erfüllen kann, wenn man seine Ziele erreichen muss. Hat da etwa eine Bank die Zinssätze manipuliert? Oh, das waren zwei zu eifrige Mitarbeiter in der

Londoner Filiale. Sind illegal Pferde in der Lasagne? Oh, ein sehbehinderter Mitarbeiter hat beim Fühlen das Kuhfell mit einem Pferd verwechselt. Am besten entlässt man auch noch alle Mitarbeiter, die gesetzeswidrig ab und zu einmal länger als zehn Stunden gearbeitet haben - wenn es rauskommt.

Blame! Blame! Blame! Die faulen »Spieler«! Wenn dann aber etwas schiefgeht, dann sind die Mitarbeiter schuld, weil es ja in ihren Zielen stand, dass sie Erfolg haben müssten. Wären alle Mitarbeiter in all ihren Teilzielen erfolgreich gewesen, dann gäbe es nur noch eitel Sonnenschein im Unternehmen! Leider können sich die Mitarbeiter schon eine Woche nach der Zielvergabe gar nicht mehr an alles erinnern, was ihnen aufgegeben wurde. Daran liegt es! Die faulen Mitarbeiter sind es gewesen! In einem schwarmdummen Unternehmen ist es wichtig, den Schwarzen Peter loszuwerden. Man macht also immer die anderen verantwortlich, im Amerikanischen: to blame. Da sagt man schon einmal sarkastisch: »Place your blame, please!«, was im Deutschen etwa heißen würde: »Wohin sollen die Vorwürfe heute gehen?« Das sagt man aber nicht so. Alle großen Unternehmen »blamen« natürlich. »Das wirtschaftliche Umfeld ist schwierig, es herrscht mörderischer Wettbewerb. Der Preisdruck nimmt zu. Die Kunden wollen immer mehr für das gleiche Geld, sie lassen uns kaum noch leben. Wir finden kaum noch Mitarbeiter, die alles können und für wenig Geld arbeiten wollen. Die Politik setzt sich nicht für uns ein, obwohl wir den regierenden Parteien viel spenden. Das globale Umfeld ist seit Jahren ungünstig. Wir leiden unter der Finanzkrise, die uns unverschuldet trifft ...« Das ist »Blame!«, wie Sie es alle kennen: »Ich bin zehn Minuten zu spät zur Schule gekommen, weil ... weil der Bahnübergang gerade blockiert war und gleichzeitig, äh ...«

Fazit: Es heißt immerfort: »Bringen Sie Ihre Zahlen und nicht Ihre Ausreden!« Aber das ganze Business wird vom Ausredensuchen geradezu beherrscht. Sie wissen ja, warum: weil die Ziele utopisch und wirr sind und weil alles überlastet und kopflos geworden ist.

Trick, Cheat & Blame im unteren Management (Lähmschicht)

Weiter unten im Management hat man ja mit den Mitarbeitern zu tun. Das untere Management hat eine unglückliche Sandwichposition inne. Von oben wird es angeherrscht, die Zahlen zu bringen, von unten wird es von den Mitarbeitern mit der dort sogenannten Realität konfrontiert.

Die offizielle Aufgabe des unteren und mittleren Managements ist es, die Zielvorgaben der Leitung nach unten zu delegieren und ihre Realisierung zu überwachen. Es nimmt Probleme der Mitarbeiter auf und löst sie, oder es sucht dabei Hilfe von oben. Es verbindet Oben mit Unten. Das mittlere Management agiert damit an der Schnittstelle der Stresskurven »ruhiger Ingenieur« und »eifriger Top-Manager«. Es hört von oben: »Schneller! Sparen! Tschakka! Tschakka!«, und von unten: »Langsamer, wir brauchen Zeit für gute Arbeit!« Und beide haben irgendwie Recht. Versucht das mittlere und untere Management zu vermitteln, muss es scheitern - dazu sind die Sichten zu verschieden. Daher verlegt es sich zumeist auf das reine Beschwichtigen. Es signalisiert nach oben, dass die Leute unter Hochdruck arbeiten - alles in Ordnung! Es beruhigt die Gemüter da unten. »Ihr müsst die da oben auch ein bisschen verstehen, der Firma geht es nicht so besonders. Sie will den Gewinn verdreifachen und schafft nach Lage der Dinge nur das Doppelte. Da sind unsere Chefs natürlich sehr enttäuscht und ungeduldig. Ich versuche jetzt, für die Besten von euch trotzdem noch Gehaltserhöhungen durchzusetzen, das kostet aber wieder Gewinn. Meine Bosse werden mir wütend entgegenschleudern, dass Gehaltserhöhungen derzeit nicht in die Landschaft passen. Ich versuche es trotzdem, ich opfere mich für euch auf. Ich habe auch schon mutig gesagt, dass es nicht sinnvoll ist, dass sie wegen der prekären Gewinnlage die Betriebsfeste und die Ausbildungsseminare gestrichen haben. Dabei geht es euch noch gut, weil die Ausbilder, die die Seminare ja immer geben, nun nichts zu tun haben und wahrscheinlich erst einmal entlassen werden. Ich finde das ja auch nicht gut ...«

Diese hilflose Beschwichtigungstaktik, zu der sich das untere und mittlere Management gezwungen sieht, wird von beiden Seiten glasklar durchschaut. Unten sagen sie: »Er spielt seine Rolle. Ihm geht es wahrscheinlich schlechter als uns. Armer Kerl. Bei den Gehaltserhöhungen lügt er natürlich. Ist schon okay. Würden wir auch machen.« Oben sagen sie: »Er bewirkt nichts. Er spielt keine Rolle. Er wirkt wie eine Lähmschicht (manche sagen Lehmschicht) für unseren Willen. Er setzt unseren Willen nicht durch. Sie lassen alles versanden.« Und die Mittelmanager selbst? Sie werden defätistisch: »Wir zerreiben uns zwischen den Fronten.«

Trick, Cheat & Blame bei den Mitarbeitern

Die Mitarbeiter müssen sich irgendwie retten. Sie sollen die zu stark rabattierten Projekte in die Profitabilität retten, aber so viele ungedankte und für selbstverständlich hingenommene Extrameilen gibt es gar nicht. Sie buchen schon Rechnungen in Projekte, die noch gar nicht begonnen haben. Sie suchen den leichtesten Weg. Sie riechen Projekte, die mit guten Margen verkauft werden konnten. Versuchen, den Kunden profitable Produkte anzupreisen, die sie eigentlich nicht brauchen. Insbesondere hören sie den Kunden immer weniger zu - sie unterlassen, was eigentlich das Beste wäre ...

Als wir bei der IBM mit unseren Optimierungsalgorithmen ganze Werke bestmöglich takteten, stießen wir einige Male auf Fälle, in denen der Plan eines Werks oder einer Logistik besser war als das mathematische Optimum! Das geht natürlich nicht. Trotzdem konnte man uns zeigen und beweisen, dass der reale Plan besser lief als der von uns als bestmöglich berechnete. Es kam dann immer heraus, dass die Mitarbeiter tricksten. Beim Verteilen von Zeitungen darf man zum Beispiel die Lastwagen keinesfalls voll beladen, weil Papier so irre schwer ist, dass das zulässige Gesamtgewicht des Lkws schnell überschritten wird. Im Klartext: Man darf sie nach Recht und Gesetz nur etwa halb voll laden. Das vergessen die Mitarbeiter dann lieber ... Oder: Man interviewte in einem großen Werk die drei besten Einplaner, die die Aufträge von Kunden auf das Fabrikationsband einplanten. Ihre Pläne waren besser als das errechnete Optimum. Die drei anderen Einplaner, drei ältere Mitarbeiter, waren dagegen ziemlich schlecht. Es gab bei ihnen (und nur bei ihnen) immer wieder Teilstillstände, man wollte diese schlechten Mitarbeiter loswerden und dachte daran, aus den Planideen der drei guten Mitarbeiter ein Computersystem zu bauen. Dann wäre das Chaos weg! Für dieses neue Computersystem wurden die drei guten Mitarbeiter ausgequetscht, wie sie es machten. Es kam heraus, dass sie die Aufträge vorher genau daraufhin durchsuchten, ob Kunden ganz große Mengen gleichartiger Produkte bestellt hatten. Diese Großaufträge planten sie in ihrer eigenen Arbeitszeit ein. Dann lief die Fertigung stundenlang mit diesen einfachen Produkten wie geölt, und sie selbst konnten praktisch Däumchen drehen. Die älteren Mitarbeiter fanden dann regelmäßig viele schwierige Produkte in kleinen Serienbestellungen vor, die sie unter aufwändigster Planungsarbeit auf dem Band zu koordinieren versuchten. Für ganz kleine Aufträge mussten sie oft das Band anhalten, die Maschinen extra umrüsten und dann wenige Teile herstellen. Keiner von ihnen hatte je unter regulären Bedingungen gearbeitet! Die drei »Besten« tricksten eben, die anderen arbeiteten immer unter viel zu schwierigen Bedingungen und bekamen dafür keine Gehaltserhöhungen.

Oder: Bei der Optimierung von Maschinenabläufen wird uns gesagt, dass man manche Maschinen niemals umrüsten darf oder kann. Schade, sagt unsere Mathematik! Wenn wir diese Maschinen umrüsten könnten, liefe das Werk viel besser. Wir fragen Arbeiter. Sie blocken. Wir fragen wieder und wieder. Schließlich heißt es: »Hör zu, wir WOLLEN diese Maschinen da nicht umrüsten, weil es eine echte Drecksarbeit ist. Verstehst du das?«

Die Mitarbeiter tricksen an solchen Stellen, die dem höheren Management ganz unzugänglich sind. Sie retten sich, wo sie können. Sie helfen sich allerdings nicht mehr gegenseitig, jeder rettet sich selbst. Einer anderen Abteilung helfen - warum sollte man das? »Zahlen die etwas dafür?« Alles Gemeinsame stirbt - der Teamgedanke und das Arbeiten für ein großes Ganzes. Der Kampf im Tagesgeschäft frisst alle auf, nicht nur die Manager. Manche Mitarbeiter nehmen kaum noch Urlaub, viele trauen sich nicht, sich krank zu melden ...

Fast alle Arbeiten werden nur noch unter Kontrolldruck durchgeführt. Die Arbeit wird *event-driven* oder situationsgetrieben. Jeder arbeitet nur noch auf Deadlines hin. Manche warten routiniert auf die zweite oder dritte Mahnung oder Kundenbeschwerde, bevor sie einen Handschlag tun. Die Erfahrenen sagen, dass sich »das meiste von selbst erledigt«, man solle nur arbeiten, wenn es dem Chef, dem Auftraggeber oder Kunden wirklich ernst sei. »Wenn du unter Druck auf den letzten Drücker schließlich doch noch etwas tust, dann sind die Drängler so sehr erleichtert, dass du überhaupt etwas tust, dass sie nicht mehr genau auf die Qualität deiner Arbeit achten. Du ersparst dir damit eine Menge Arbeit, wenn du erst nach Gewaltandrohung arbeitest.« - »Am besten verlangst du, dass das höhere Management dir noch Informationen gibt, bevor du zu arbeiten anfangen kannst. Dazu haben die ja nie Zeit, dann gewinnst du viel Zeit. Besser noch, verlange Entscheidungen, was du genau tun sollst. Das dauert!«

Das dauert - und vor allem ist dem Management die Schuld zugeschoben, wenn sich nichts tut, denn ohne zügige Entscheidungen kann man ja leider nichts tun. Wenn das Management dann doch einmal entscheidet, passt die Entscheidung meist leider nicht! »So lässt sich das nicht umsetzen!« Mir hat einmal jemand aus einem Ministerium das alles so erklärt: »Die Mitarbeiter finden, dass ihre Probleme auf einer höheren Ebene gelöst werden müssen. Sie selbst fühlen sich nicht mächtig genug oder nicht in der Lage, ihre Probleme ohne Hilfe von oben zu lösen. Das höhere Management solle das Problem auf seiner höheren Ebene allgemein für alle Mitarbeiter lösen, die vor demselben Problem stünden. Dann kommt es manchmal vor, dass das höhere Management dieses Problem wirklich allgemein löst und entsprechende neue Geschäftsprozesse einführt. In diesem Augenblick aber entrüsten sich die Mitarbeiter, dass die neuen Abläufe die spezifischen Gegebenheiten ihrer kleinen spezifischen Abteilung nicht berücksichtigt haben. Sie toben nun, dass niemand sie gefragt hat. Und sie stellen fest, dass man das Problem im Grunde gar nicht allgemein lösen kann. Man hätte es ihnen doch selbst überlassen können, das Problem zu lösen. Früher ging das doch, sagen sie.«

Und das schwarmdumme Imperium schlägt fast nie zurück

Wenn Mitarbeiter nicht spuren, werden sie bestraft. Wenn sie nicht schnell genug arbeiten, bekommen sie Stress. Wenn Vorschriften nicht beachtet wurden, hagelt es Überprüfungen. Alle werden brutal in das Tagesgeschäft hineingezwungen. Es gibt aber zwei verschiedene Arten von Sünden in einem System:

- Sünden »gegen« das System, die sehr hart bestraft werden,
- Sünden im System, die im Namen oder im Sinne des Systems begangen werden.

Diese müssen klar unterschieden werden. Wenn zum Beispiel ein Mitarbeiter bei einer Reiseabrechnung geschummelt und sich ein bisschen bereichert hat, dann wird er entlassen. Er hat das System oder sein Unternehmen betrogen. Wenn derselbe Mitarbeiter seinem Kunden etwas Sinnloses verkauft, hat er zwar gegen offizielle Ethikvorschriften im System verstoßen, aber das Unternehmen hat ja dadurch bessere Zahlen erwirtschaftet - wenigstens aus kurzfristiger Sicht. In diesem Falle droht keine Entlassung, meist nicht einmal eine Strafe. Was der Steigerung des jetzigen Quartalsgewinns und damit dem »Endziel« Gewinnmaximierung dient, geschieht quasi im Namen des Systems und ist sanktioniert, auch wenn es aus anderer Perspektive ein Vergehen darstellt. Wer also seine »Zahlen macht«, wie auch immer, wird unausgesprochen vom System gedeckt und nur dann »exemplarisch« als »bedauerlicher Einzelfall« in der Öffentlichkeit »hart und entschlossen« bestraft, wenn jemand die Sünden von außen aufdeckt. Solange nichts ans Licht kommt, bleiben Sünden im Namen des Systems geduldet. Dadurch höhlt sich das System von selbst aus. Es wird innen morsch, hohl und fault. Ist das noch Schwarmdummheit? Oder schon Schwarmirrsinn? Oder bloß die allgemeine Tragik zu großer Organisationen?

Es ist so, als ob ein Ameisenhaufen die Ameisen plötzlich umprogrammiert, sodass diese fortan nur noch dafür arbeiten, den Ameisenhaufen in protzige Dimensionen zu vergrößern, aber keine Nachkommen mehr aufziehen, weil dazu keine Zeit ist ...

Ein reales Beispiel dazu: Ein großer Ersatzteilhändler hat Probleme, sein Gewinnziel zum Jahresende zu erreichen, es fehlen ein paar Hunderttausend oder Millionen Dollar. Da kommt das Management auf die Idee, große Ersatzteilkunden zu überreden, große »mögliche« Defekte zu melden. Da werden die Ersatzteile also am Silvestertag auf Lastwagen geladen und über Mitternacht zu Kunden herausgefahren. Da sie noch im alten Jahr verladen wurden, werden sie in der Bilanz des alten Jahres schon als »verkauft« gebucht. Am nächsten Tag kommen die Lastwagen mit den Ersatzteilen wieder, weil es nun doch »glücklicherweise« keine Defekte bei dem Kunden gab - »es war leider ein Fehlalarm«. Nun werden die Ersatzteile wieder zurückgebucht.

Durch diesen Trick wird noch im alten Jahr Gewinn gemacht, der nun aber im neuen Jahr als entsprechender Anfangsverlust auftaucht. Für das alte Jahr sind die Ziele erreicht worden und alle bekommen einen Bonus und werden gelobt. Die Anteilseigner oder Gesellschafter freuen sich über eine gute Dividende. Leider ist der Gewinn ja nur verschoben worden. Das neue Geschäftsjahr beginnt nun mit einem entsprechend hohen Verlust. Den hofft das schwarmdumme Management wieder aufholen zu können. Es vergisst leider zum Jahresbeginn gerne, dass es ja für dieses Jahr nicht nur den Verlust aufholen muss, sondern sogar eine Gewinnsteigerung (wie jedes Jahr) erzielen soll.

Was kommt heraus? Ich sage es Ihnen: Nun werden alle weiteren Silvestertage die Ersatzteile erneut und immer wieder spazieren gefahren. Dazu werden andere Tricks oder noch mehr Potemkinsche Dörfer erfunden. Zudem entsteht dadurch auch noch viel Arbeit (zum Beispiel alle Teile ausbuchen, verladen, wieder einlagern, zurückbuchen - und alles dem Finanzamt erklären). Es wird also Jahr für Jahr schlimmer. Und ich muss eigentlich gar nicht mehr viel sagen: Es ist wieder eine Todesspirale à la Akerlof, die sich da dreht.

Manchmal hält ein System oder Unternehmen die Todesspirale dadurch kurz an, indem es die Führung auswechselt, die einmal groß aufräumt und dann frei genug sein kann, einen Verlust im ersten Jahr einzuräumen. Das sieht man oft bei mutigen Großunternehmen oder neulich einmal bei der Wahl des letzten Papstes.

Manchmal kann damit der Teufelskreis unterbrochen werden. Doch die neue Führung muss dann das ganze System und das »Betriebsklima« auf Schwarmintelligenz umdrehen. Kann sie das?

Der Intelligente soll seine Zahlen bringen – keine Ausreden!

Was kann ein intelligenter Mensch in einem solchen System, der dies alles durchschaut - dass eben auch er selbst in der Todesspirale abwärts trudelt -, tun?

Er kann versuchen, den Schwarm umzudrehen - von Saulus zu Paulus. Dann müsste er aber dem ganzen System oder zumindest einem ganzen Bereich die Finger in die Wunde legen und deutlich machen, wie weit der Schwarmirrsinn schon gediehen ist. Da werden ihm einige andere Aufgeklärte oder Offene beistimmen, aber der Mehrheit wird in fast allen Meetings der Atem stocken, wenn die Schwarmdummheit zur Sprache gebracht wird. Dann sagen sie:

- »Lass das, wir wissen es doch.«
- »Nicht schon wieder diese alte Litanei, hilft doch nichts.«
- »Du änderst hier gar nichts, du ätzt nur wieder.«
- »Komm, lass uns keine Zeit damit verschwenden, wir müssen weiter.«
- »Spiel dich nicht schon wieder als Besserwisser auf. Bring deine Zahlen wie wir alle, verlang keine Extrawurst.«

In der Gruppendynamik wird zwischen verschiedenen Typen in Meetings unterschieden. Ich habe diese Typen schon in meinem Buch *Das Neue und seine Feinde* beschrieben und erklärt, dass jeder Innovator, weil er ja etwas Neues will, oft gleich als gefährlicher Umstürzler gesehen wird. Genauso aber wirkt der normale Mensch mit gesundem Menschenverstand im dummen Schwarm, er muss noch nicht einmal intelligent sein! Ich übernehme die folgenden Typenbeschreibungen leicht verändert aus meinem Buch über Innovation:

- Alphatiere sind wie Leittiere.
- Betatiere sind wie »Berater« oder »Wesire neben dem Kalifen«.
- Gammatiere stellen die arbeitsame Masse dar (die »Ameisen«).
- Omegas (von Alpha bis Omega) bilden das revolutionäre Gegenelement.

Alphatiere (stabile Macht) sind Anführer. Sie stehen im Mittelpunkt und haben die »Power«. Sie geben Ziele, verteilen die Arbeit, machen Mut und haben im Idealfall Charisma. Es gibt verschiedene Versionen, mehr technokratische oder auch beschützende. Es gibt Caesaren und Macher. Alphatiere repräsentieren die Werte und die Kultur des Ganzen nach innen und außen, man denke an Chefs politischer Parteien, die ihre Macht verlieren, wenn sie hierbei versagen.

Betatiere (grundsolide Vernunft) sind mehr auf Erreichen der Ziele aus (»Achievement« statt »Power«). Sie beraten als Experten, bleiben der (und ihrer) Sache treu, wollen ihre Erkenntnisse einbringen und sind im Idealfall weise. Sie schlichten den Streit, beruhigen hinter dem Alphatier alle anderen und suchen Lösungen, für die sie lange nachdenken. Eine Bundeskanzlerin ist typischerweise Alphatier, ein Bundespräsident im Normalfall ein Betatier (die derzeitige Kanzlerin Angela Merkel benimmt sich oft wie ein Betatier, was dann übel genommen wird; der derzeitige Präsident Joachim Gauck hat Alphatierseiten, die man fürchtet und dann ebenfalls übel nimmt).

Gammatiere (gedeihliches Miteinander) sind normale Mitarbeiter, die genau die Rolle ausfüllen, die ihnen aufgetragen worden ist. Sie halten Ordnung, sind fröhlicher Stimmung, helfen aus und sind »Kumpel«. Das heißt nicht, dass sie ganz unscheinbar sein müssen. Bud Spencer ist in den Filmen eher so ein gutmütiges Gammatier, das allen gebeutelten Schwachen durch Verprügeln von Unmengen von Bösewichten hilft. Er ist der Allerstärkste, aber kein Anführer. Und die beste Mutter von allen ist oft Gammatier ...

Das *Omegatier* (Veränderung) hat eine eigene Meinung, kritisiert offen und scheut keine Konfrontation. Es würde am liebsten alles revolutionär verändern und kann darüber natürlich eigentlich nur mit dem Alphatier persönlich vernünftig reden. Dieser notwendige Anspruch, ausschließlich mit dem Chef selbst sprechen zu wollen, wird als Anmaßung verstanden. Die Umgebung des Chefs fürchtet

Verwicklungen, weil das Omega den offenen Widerspruch ganz da oben wagt. Ein konstruktives Omega, das trotz aller Meinungsverschiedenheit mit dem Alphatier klarkommt, kann segensreich wirken. Ein Omega, das auf zu viel (zu harten oder sehr berechtigten) Widerstand trifft, ist versucht »zu toben«. Dann kann es leicht auf alle anderen destruktiv wirken und seine Position wird schwierig. Omegas können viel bewegen, sie können das Richtige ansprechen, sie können als »Hofnarr« beliebt sein oder auch als zu starke Querdenker kritisch beäugt werden. Im Gegensatz zum Alphatier repräsentieren die Omegas eben nicht genau die Werte des Ganzen, sondern sie wollen ganz andere Werte - sie stellen vieles in Frage. Das ist ein Drahtseilakt, der immer nur eine feine Trennlinie zwischen Fruchtbarkeit der Veränderung oder echtem Krach kennt.

Soweit die idealtypischen Beschreibungen. In einem schwarmdummen System sieht das Ganze dann so aus: Der Anführer fordert nur Zahlen, Zahlen und nochmals gute Zahlen. Die Betatiere resignieren und tun stumm verdrossen ihre Arbeit, sie werden langsam zu fraglos arbeitenden Gammatieren. Die Omegas bekommen Schaum vor dem Mund, wüten sehr stark und werden dann von den anderen als destruktiv ausgegrenzt.

Wie kann sich nun die Vernunft im Zahlenwahn behaupten? Die traurige Wahrheit: Vernunft wird im dummen Schwarm als extrem nörglerisches Omega wahrgenommen. Die Vernunft sieht ja die ganze Akerlof-Spirale, sie sieht, dass restlos alles gegen die Wand fährt, sie kritisiert das Ganze radikal - weit über die jeweilige Abteilung hinaus, in der sie Kritik übt. Und eben deshalb sagen alle zur Vernunft: »Bring einfach deine Zahlen, halte nicht alles durch sinnloses Predigen auf. Wir wissen, was eigentlich und theoretisch vernünftig wäre, aber wir leben in der Realität.«

Auf diese resignierte Ignoranz hin kann die Vernunft sehr böse werden und vor Zorn außer sich geraten. Dann aber überschreitet sie eine ernsthafte Grenze: Sie wird damit für die Alphas, Betas und Gammas zum gehassten destruktiven Omega. Nun wird sie als allgemeiner Systemfeind bekämpft. Die Vernunft kritisiert ja die Sünden *innerhalb* des Systems, die im Namen des Systems begangen werden (alle Wünsche, endlich ohne Ausreden die Zahlen zu machen, sind

Sünden im Namen des Systems). Deshalb ist die Vernunft in einem schwarmdummen System ein Nestbeschmutzer. Sie erzeugt ab und zu Eruptionen, so wie im Drama von Sartre. Dann schreien sich alle einmal die zornigen Lungen aus dem Leib, verstummen bald wieder in Ausweglosigkeit, um dann in einem »also - machen wir weiter« zu resignieren.

Warum ist die Vernunft so schrecklich machtlos? Wie können die Manager nur versuchen, ohne sie auszukommen? Der Grundglaubenssatz des schwarmdummen Managements ist - wie schon gesagt: »Wir stressen sie alle so sehr, dass sie ein Drittel mehr leisten als ohne Stress, und natürlich verlieren wir wieder einige Prozent, weil sie schummeln. Per Saldo aber lohnt sich das Draufhauen unbedingt.« Vernunft würde es ohne Stress und ohne Schummeln versuchen. Die Frage ist, welche Grundidee *besser* ist: die der Vernunft oder die des Stresses? Die der Vernunft natürlich. Aber nein, so einfach ist es nicht: Die wahre Gretchenfrage ist, welche Idee *leichter zum sofortigen Erfolg führt*. Oder anders besehen: Die Klugen und die Dummen stellen sich andere Fragen. Die Klugen glauben aber (und das macht sie dumm), dass *ihre* Fragen beantwortet werden müssten.

Ratgeber – meine Binsenweisheiten

Nach meiner Erfahrung ist es schon möglich, sich eben nicht durch das Tagesgeschäft auffressen zu lassen. Mir selbst ist es nie wirklich passiert. Ich habe es mit normaler Vernunft in meinem jeweiligen Verantwortungsbereich probiert, wir hatten auch immer relativ langfristige (selbst gesteckte) Ziele, die wir dann schlussendlich erreichten. Wenn man nicht quartalsgetrieben arbeiten will, muss man eine Menge in die Zukunft investieren, gleich von Anfang an. Das bedeutet aber, zu Anfang eines Projektes oder der Verantwortungsübernahme im Management nicht so wirklich gute oder richtig schlechte Zahlen zu haben. Das ist ja klar, wenn man zu Anfang nicht alle Ressourcen ins Tagesgeschäft steckt. Man muss dann mit dem Problem leben, immer zu Anfang als »Low Performer« dazustehen, als einer, der es nicht so richtig bringt.

Wenn man das (auch psychologisch) durchhält und wenn die langfristigen Investitionen greifen, dann kann man später die Zahlen fast mühelos liefern, weil man ja in einem besseren Modus als die anderen arbeitet und deshalb auch dauerhaft leistungsfähiger ist. Dann aber muss man sehr vorsichtig sein und alle Versuche abwehren, die einen zwingen wollen, noch bessere Zahlen zu bringen - das würde wieder auf die Stressspur des Tagesgeschäftes zwingen. Dieses Ablehnen noch höherer Leistungen macht wieder unbeliebt und angreifbar ... Ich wurde natürlich in meinem Managerleben sehr oft gefragt, wann beziehungsweise zu welcher Tageszeit ich denn so meine vielen Bücher geschrieben hätte? Ich habe immer stramm geantwortet, ich würde das alles während der Dienstzeit tun. Ich wartete das Staunen ab - kurze Kunstpause - und sagte immer wieder: »Ich habe kein Privatleben. Ich muss also in der Dienstzeit schreiben.« Damit kam ich im Gespräch davon, aber nicht wirklich psychologisch positiv. Ich fühlte mich oft wie Frederick im gleichnamigen berühmten Kinderbuch von Leo Lionni. Während alle anderen Feldmäuse fleißig Vorräte für den Winter sammeln, scheint Frederick nur faul herumzusitzen; die anderen Mäuse sind natürlich wenig begeistert von seiner »Ausrede«, er würde Sonnenstrahlen und Farben für den Winter sammeln. Im langen, dunklen Winter aber ist die Mäusefamilie heilfroh, als Frederick ihre tristen grauen Tage mit »seinen Vorräten« erhellt.

So sammelte ich denn oft Zukunft, Innovation und Kundenresonanz - und ich wurde sehr oft gefragt, was ich so tue ... Letztlich kann man arbeiten, wie man will, aber es ist immer problematisch, anders als die anderen zu arbeiten. Mit diesen Problemen muss man fertig werden - es hat keinen Sinn, diese Probleme grundsätzlich nicht haben zu wollen. Denn das wäre wieder eine Generalkritik am System selbst und würde einen zum gehassten Omega machen, das alle nur destruktiv nervt. Und man muss ziemlich gut sein, wenn man anders arbeiten will - sichtbarer Erfolg wird ja nie wirklich bekämpft ...

Fazit

Dem Management der alten Garde war bewusst, dass man nicht nur die Börsenkennzahlen managen darf, sondern auch andere wichtige Faktoren beachten muss: Innovation, Kundenzufriedenheit et cetera. Es wurde klar, dass Unternehmen besser im Ganzen gesteuert werden müssten. Daraus entwickelte sich die Idee der Balanced Scorecard, die eigentlich als ganzheitliches Steuerpult gedacht war. Man hat aber - ganz im Stil des alten Managements - daraus wieder einmal ein noch schärferes Planungsinstrument gemacht, sodass nun viel mehr Kennzahlen in Tabellen verfolgt werden als jemals zuvor. Die einzelnen Verantwortlichen für diese Kennzahlen werden unnachsichtig zur Verantwortung gezogen, worauf sie beginnen, immer opportunistischer zu werden. Sie tricksen, mogeln und schieben die Schuld von sich. Trick, Cheat & Blame wird zur eigentlichen Tätigkeit, die wirkliche Arbeit fällt immer weiter dahinter zurück. Die Akerlof-Spirale dreht sich weiter nach unten.

8

Wir erlauben nichts außerhalb der etablierten Effizienz-Methodik

Jahrelang war das Abspecken der Unternehmen sehr lohnend. Dafür gibt es in jedem Unternehmen etablierte Veränderungsprozesse, die nun dominieren. Nun aber lassen die Prozesse nur noch Effizienzsteigerungen und Kosteneinsparungen zu. Alles andere wird abgewehrt, bis das Unternehmen die Innovationskraft eingebüßt hat und stirbt.

Kurzinhalt: Hohe Ziele planen, Stress machen, Leistungen ständig messen und Zahlen über Plan fordern – das ist der Alltag. Was geschieht, wenn etwas Neues probiert werden soll? Wie geht das Zahlenszenario mit Innovationen, Verbesserungen für Kunden oder Vorschlägen für ein verändertes Geschäftsmodell um? Die Unternehmen wissen, dass es wichtig ist, die Fähigkeit zum Wandel zu haben und zu behalten. Leider findet das normale Tagesgeschäft im Modus des »Prozessdenkens« statt. Vor jeder Aktion wird nach Kosten und Nutzen gefragt. Immer und unnachgiebig! Leider kann bei wirklichen Innovationen oder beim Betreten neuer Geschäftsfelder keine Antwort auf diese Frage gegeben werden. Die Kosten wüsste man schon einzuschätzen, aber den erhofften Erfolg nicht. Das etablierte Prozessdenken kennt kein »erhofft«, es will konkrete Planungen, keine Träume, aus denen aber die Zukunft besteht. Ausschließliches Prozessdenken tötet die Zukunft.

Höherer Profit durch Veränderung!

Wer mehr Gewinn machen möchte, muss dafür etwas tun. Die Zeiten sind vorbei, in denen die Kunden zu viel Geld hatten und dazu noch begeistert ausgaben - und heute wäre alles noch schlimmer, wenn nicht die »reichen Russen/Chinesen« vorbeikämen und mit dem Geld um sich würfen. Diese Zeiten sind auch deshalb vorbei, weil wir uns in einer Spirale nach unten befinden - wie hier schon so oft gesagt. Wenn die Kunden als Mitarbeiter keine realen Gehaltserhöhungen bekommen, boomt es ja nicht.

Was kann ein Unternehmen tun? Ich zeige ein paar Möglichkeiten und diskutiere dann, welche davon die präferierten sind - das sind wieder die, die uns in der Akerlof-Spirale der sich vergrößernden Dummheit nach unten sinken lassen.

Mehr verkaufen durch Investition in Marketing und Vertrieb: Im Prinzip kann man die Werbetrommel rühren und damit Aufmerksamkeit erregen oder mehr Leute im Vertrieb beschäftigen. Das ist nur dann sinnvoll, wenn entsprechende Mehrumsätze erzielt werden. Oft ist das heute nicht mehr der Fall. Man versucht es mit Google-Anzeigen, bei denen man einigermaßen genau statistisch vorhersagen kann, wie viel gekauft wird, wenn so und so viele Tausend Leute ein Werbebanner zu sehen bekommen. Den Vertrieb durch (teure) Personen baut man eher ab oder gibt ihm zu hohe Leistungsziele, die er nicht erreicht - mit der Folge einer geringeren Bezahlung als bisher. In einer Zeit, als wir das Geld noch locker sitzen hatten, war Marketing und Vertriebsstärkung noch ein heißes Thema. Marketing war hohe Kunst, aber auch sie wird heute mehr und mehr so »effizient betrieben«, dass sie ebenfalls in die Abwärtsspirale gerät.

Expansion in noch unerschlossene Märkte – Economy of Scale: Lange Zeit galt es als beste Methode, weltweit zu expandieren und dann über höhere Stückzahlen Produktionskosten bei den nun entstandenen Massenprodukten zu sparen. Das geht heute noch bei Software gut: Ein großer weltweiter Konzern könnte eine erfolgreiche lokale Software aufkaufen und dann weltweit anbieten, was das lokale Unternehmen aus eigener Kraft nicht kann. Dadurch steigt der

Umsatz und damit der Gewinn der Software stark an, der Kauf war ein Schnäppchen. Oft unterschätzen jedoch die Unternehmen die Kulturunterschiede in Ländern und verschiedenen Unternehmen. Viele ziehen sich wieder zurück. Zum Beispiel dachten viele nationale Internet-Banken, sie könnten ihre Dienste einfach europaweit anbieten - aber das scheiterte oft an verschiedenen Kulturen, an jeweils anderen Kreditwesengesetzen und an zu wenig Vertrauen ins Internet. (Kennen Sie internationale Internet-Banken?) Zum Beispiel haben viele Datensicherheitsunternehmen nicht bedacht, dass es in jedem Land andere Datengesetze gibt. Weltweite Expansion funktioniert nicht dumm einfach!

Höhere Preise durch Verbesserungsinnovationen: Lange Zeit mussten wir alle paar Jahre ein neues Auto haben, weil unser jetziges sich einfach wie ein Steinzeitmodell neben dem neuen ausnahm. Auch Fernseher oder Computer verbessern sich so schnell, dass wir oft neue kaufen mussten und noch müssen. Es erscheint aber immer schwerer, wirklich neue Produkte zu erfinden. Autos, Häuser oder Arzneimittel sind jetzt vollkommen in Ordnung! Und dazu kommt, dass die Kunden eben nicht mehr unendlich höhere Preise für Verbesserungen zu zahlen bereit sind. Darf das Navi im Auto einige Hundert Euro Aufpreis kosten, wenn es auf dem Smartphone schon vollkommen gratis ist und es sogar die stets aktuellen Straßenkarten einfach so gibt (Open Street Map, OSM)? Produkte, die neue Sehnsüchte befriedigen, gibt es kaum noch. Starbucks-Kaffee, Nespresso-Kapseln, iPads von Apple sind solche Beispiele. Um Star-Produkte dieser Art ranken sich Träume und Kulturen! Damit lässt sich das wirklich ganz große Geld erzielen. Und wer schmiedet nun im Unternehmen diese neuen Träume der Kunden?

»Good-enough«-Qualität zu niedrigeren Preisen bei schlechteren Mitarbeitergehältern: Es wird versucht, Produkte und Services nicht nur effizienter herzustellen, sondern auch auf das Nötige herunterzustrippen. Viele Markenfirmen stellen ihre Produkte heimlich mit etwas schlechteren Zutaten oder Bauteilen als Billigprodukte her und vertreiben sie als Handelsware und Handelsmarken. Diese Handelsmarken (wie zum Beispiel JA! oder Gut & Günstig) bieten akzeptable Qualität zum niedrigen Preis, manchmal ist die Ware sogar mit einem Markenprodukt identisch. Es ist »Good enough Quality«, also Ware, die wir gut genug oder ganz okay finden. Die Bankberatung oder der Versicherungsvertrieb werden nur noch »gut genug« angeboten, es sind oft nur noch Zeitkräfte oder Freelancer, die uns bedienen und natürlich schlechter verdienen. Billigfluglinien mit Billigpersonal sind gut genug. Car Sharing tut es. Nicht Korrektur gelesene Bücher in billigen Pappbänden mit Umschlag (das heißt heute gebunden) sind okay, keine Leineneinbände mehr - Leder gibt es fast nicht mehr. Möbel von IKEA sind gut genug, Weine von ALDI und No-Name-Druckertinte auch. Diese Migration hin zu Handelsmarken und akzeptabler Qualität ruiniert alles früher »Genial-Schöne« und degradiert es.

Einsparen durch Prozessorientierung und Straffung der Abläufe: Heute sind die Abläufe in den Unternehmen ungeheuer viel effizienter als am Ende der großen Zeit der Prosperität in den Achtzigerjahren, als es noch richtige Gehaltserhöhungen gab und uns schon eine 35-Stunden-Woche als zu arbeitsträchtig erschien. Damaliger Witz: Sagt der Chef, er biete den Gewerkschaften an, dass die Arbeiter nur noch am Mittwoch schuften müssten. Antwortet der Gewerkschaftler: »Was denn, JEDEN Mittwoch?« In dieser Zeit war es sehr leicht, effizienter zu werden. Unter den Stichworten »Lean Management«, »Total Quality«, »Reengineering« et cetera wurden alle Arbeitsabläufe auf den Prüfstand gestellt. Jeder Handgriff wurde hinterfragt: »Trägt dieser Griff zur Gewinnsteigerung des Unternehmens bei?« Auf diese Weise wurden Unternehmen, die erheblich Fett angesetzt hatten, wie man damals sagte, verschlankt. Das ging zuerst ganz einfach. Berater kamen, befragten die Arbeiter, begradigten die Abläufe, sparten überflüssige Arbeiten ein und trugen damals fast mühelos zu einer erheblichen Gewinnsteigerung bei. Man musste gar nichts vom Unternehmen selbst verstehen. Die luxuriöse Verfettung war so groß, dass man nicht einmal Betriebswirt sein musste, um die Abläufe zu verbessern. Braucht jeder höhere Manager drei Sekretärinnen, einen Chauffeur und ein Privatflugzeug? Offensichtlich nicht wirklich. Die Berater wirkten Wunder, wurden beliebig gut bezahlt und feierten Triumphe. Mit den Jahren wurde das Einsparen und Begradigen immer schwieriger, nun aber durch den Einsatz von IT, vor allem durch Software wie SAP R3, sehr viel ergiebiger. Microsoft Excel und Lotus 1-2-3 begannen seit 1987 ihre Siegeszüge in den Unternehmensstäben. Können Sie sich heute die Unternehmensführung noch ohne Tabellenkalkulation vorstellen? Diese Schlüsselwerkzeuge für das Effizienzmanagement gibt es noch gar nicht so lange. Seit der Jahrtausendwende wurde das Einsparen und das Einführen neuer Geschäftsprozesse noch einmal besser möglich, weil das Internet auch das e-Business möglich machte, später kamen Laptop, iPads und jetzt das Cloud Computing dazu. Die technischen Hilfsmittel zum Aufspüren von »Optimierungsmöglichkeiten« verbessern sich noch immer. Um aber die Einsparungen wirklich zu ernten, müssen immer größere Anstrengungen unternommen werden. Bevor man also heute optimiert oder etwas Neues einsetzt, muss zunächst klar sein, wie lange der »Return on Investment« (RoI) dauert, also bis man das zum Optimieren eingesetzte Investment wieder in der Kasse hat. Alles wird haarklein geplant und berechnet. Die Manager werden ungeduldiger, sie wollen wieder satt einsparen, nicht nur noch Kleinvieh schlachten (das bekanntlich auch Mist macht). Da gehen sie oft »ans Eingemachte« und streichen Notwendiges, eben wieder viele Mitarbeiterstellen, Überstundenzuschläge, Weihnachtsgelder, die Ausbildung oder die Innovationsanstrengungen. Vor diesem dummen Totsparen wird schon lange gewarnt - natürlich anfänglich oft von den eingesparten Mitarbeitern und den gestrichenen Managern. Heute kommt langsam auch im Management die Einsicht auf, schon zu weit gegangen zu sein, was aber derzeit der allgemeinen Schwarmdummheit in dieser Frage noch keinen Abbruch tut.

Radikal neue Geschäftsmodelle oder Game Changer: Die bisher besprochenen Möglichkeiten, zu mehr Gewinn zu kommen, versuchen, die Spielregeln möglichst krass auszunutzen. Alles, was irgendwie erlaubt ist, wird gemacht, eventuell noch ein bisschen mehr. Man schaut nicht so genau hin, ob es immer noch Fett ist, was beim Optimieren abgeschnitten wird, oft ist schon Muskelfleisch des Unternehmens dabei und es blutet beim Schneiden. Statt solcher rigorosen Optimierung innerhalb der Spielregeln des Marktes kann man aber auch versuchen, die Regeln zu ändern. Amazon veränderte die Regeln des Handels, Google rüttelt an fast allen Regeln. Internet-Banken attackieren die Banken, Amazon beginnt wiederum mit seinem neuen Bezahldienst, auch den Internet-Banken das Wasser abzugraben. Cloud Computing bedroht die Computerhersteller, selbst fahrende Autos werden die Automobilhersteller in die Zange nehmen, das E-Book stellt Verlagsorganisationen auf den Kopf. Das alles ist *disruptive change*, oder neudeutsch »disruptiver Wandel«. Hier wird das ganz große Rad gedreht, hier werden Hunderte Milliarden gewonnen und verloren.

Da stellt sich heute die Frage: Wenn Unternehmen heute noch immer wachsen wollen (und das wollen sie alle - ohne jedes Hinterfragen), welche Wege wollen sie beschreiten? Die meisten tun dies so:

- Sie geben ihrem Vertrieb höhere Ziele und hoffen.
- Sie kaufen Unternehmen dazu und hoffen.
- Sie zögern bei Verbesserungsinnovationen, weil sie nicht sicher sind, dass der Kunde dafür auch wirklich höhere Preise akzeptiert.
- Sie senken die Qualität der Produkte und Services auf Good-enough-Niveau und versuchen die Mitarbeiter im Gehalt herunterzustufen (ebenfalls »just enough«) oder in Zeitarbeits-Billigtöchter auszugründen.
- Sie optimieren immer grimmiger weiter, obwohl es immer weniger bringt (wie beim Goldrausch werden die Nuggets immer kleiner und man muss immer mehr sieben).
- Sie haben Angst vor den großen Änderungen. Sie sind oft seit Jahrzehnten Meisterspieler in dem alten Spiel in ihrer Branche. Nun kommen die Googles und Samsungs und führen ein neues Spiel ein, das sie nicht beherrschen. Da verteidigen sie lieber ihre alte Welt, rufen nach dem Staat, schimpfen auf das Neue, ignorieren ihre Kunden ... Sie igeln sich ein, werden introvertiert, verlieren den Kontakt zu den Kunden und überlassen im Markt den lauten Extrovertierten die neue, ihnen unangenehme Welt der neuen Spielregeln. Sie versuchen sich im Durchhalten und glauben nicht daran, dass sich das Neue durchsetzt. Sie versuchen, immer exzessiver zu sparen und zu optimieren. Es scheint fast so, als könnten sie nichts anderes mehr. Aus den wunderbaren Unternehmen der letzten Jahrzehnte werden langsam biedere Good-enough-Organisationen.

Die Perversion des Denkens durch die Prozessoptimierung

Fast alle Veränderung in den Unternehmen ist folglich Einsparen und Optimieren. Für diese Maßnahmen hat sich aus den vielen Management-Methoden rund um Reengineering und Lean Management eine ausgeklügelte Prozessmethodik entwickelt. Berater gehen nach solchen Methoden vor und lehren sie in den Unternehmen. Überall haben sich diese Methoden nun schon zwei bis drei Jahrzehnte etabliert und angesichts der vormaligen Verfettung der Unternehmen auch bewährt. Diese Methoden sind aber zum Zwecke des Einsparens und der Optimierung entwickelt worden! Nur dafür!

Man beginnt immer mit der Frage: »Wenn ich dieses oder jenes verändere, was bringt es konkret zurück?« Aufwand für die Veränderung und der Nutzen werden gegeneinandergehalten und abgewogen. »Es muss konkret etwas bringen.« Alles wird wieder und wieder angeschaut: »Muss das noch sein? Könnten wir das auch weglassen? Ist nicht alles auch ohne das hier gut genug? Tut es das nicht auch so?«

Wenn ein Optimierungspotenzial festgestellt wurde, werden nach den vorgegebenen Methoden Business-Pläne erstellt, in denen Aufwand und Ertrag einer möglichen Optimierung berechnet werden. Wenn der Nutzen groß genug ist, bewilligt das Management in einer vorgeschriebenen Kaskade von Meetings die nötigen Gelder, um die Veränderungen einzuleiten, die dann den berechneten Nutzen ernten sollen.

Die Frage »Was bringt uns das in den nächsten Monaten, am besten noch in diesem Quartal?« steht absolut beherrschend über allen Optimierungsprozessen und -methoden. Das ist jetzt jahrzehntelang eingeübt und in Fleisch und Blut übergegangen. Aber - noch einmal: Diese Methoden sind für Effizienzsteigerungen entworfen worden und zielen auf Veränderungen, die einen im Vorhinein berechenbaren Nutzen einbringen.

Nun kommt das Problem: Bei vielen Veränderungen, zum Beispiel bei größeren Innovationen, lässt sich nicht vorher berechnen, wie viel Mehrgewinn eingefahren werden kann. Es geht einfach nicht! Da wird nach unternehmerischem Gefühl entschieden, nach

Bauchgefühl oder Marktinstinkt. Da wird gewagt - man ist schließlich Unternehmer oder Entrepreneur! Leider ist das Unternehmen durch seine jahrzehntelang geübten Effizienzprozesse vollkommen vernagelt und denkt nur noch in diesen Prozessen. Es kann also nichts mehr tun, was sich nicht mehr vorher berechnen lässt. Werden nun solche Innovationen, deren Nutzen nicht berechnet werden kann, in Prozessmühlen verarbeitet, deren Hauptprinzip ist, den Nutzen vorher zu berechnen, dann kann das Ergebnis nur Ablehnung sein! Diese lähmende Verkrustung ist mindestens schwarmdumm, wenn nicht tödlich.

Verbesserungsinnovationen erfordern ein Gefühl für die Kunden, denen man ja Besseres zu einem höheren Preis verkaufen möchte. Dazu muss in der Regel experimentiert werden. Man baut Prototypen, stellt Verbesserungen auf Messen oder bei Presseterminen vor, fragt Kunden, ob sie dafür einen Aufpreis zahlen würden. Der Aufwand einer Verbesserungsinnovation ist vielleicht noch gut zu berechnen, der Nutzen aber ist zunächst noch ungewiss. Der stellt sich erst nach Experimenten heraus, die allerdings erst nach einem gewissen Aufwand für die Vorzeigeprototypen angestellt werden können. Verbesserungsinnovationen kosten also etwas, bevor man weiß, ob sie einen Nutzen für den Kunden und dann auch für das Unternehmen erbringen werden. Die Frage »Was bringt mir das möglichst sofort?« behindert hier das Denken so sehr, dass Verbesserungsinnovationen nicht mehr so gerne in Angriff genommen werden. Oft aber sind Verbesserungsinnovationen sehr wichtig, um überhaupt am Markt zu überleben!

Wenn das Management zwingend für jede Veränderung Mehrgewinne erwartet, dann muss es die nur zum reinen Überleben nötigen Verbesserungsinnovationen innerlich »hassen«. Der »mörderische Wettbewerb« zwingt das Management dann zu solchen Verbesserungsinnovationen, die nur kosten und den Gewinn schmälern. Was man früher als selbstverständliche Modernisierung innerlich positiv gesehen hat (»Wir sind immer auf der Höhe der Zeit«), wird heute ein ärgerliches Zwangsinvestment, das den Quartalsgewinn mindert.

Good-enough-Veränderungen entsprechen dagegen ganz genau dem Geschmack eines Managements, das immerfort »Was bringt es jetzt sofort?« fragt. »Das tut's!« spart sofort Geld. Natürlich merken das die Kunden, die langfristig immer weniger begeistert sind. Natürlich schlägt es auf die Motivation der Mitarbeiter, die immer weniger stolz auf »ihr« Unternehmen sind. Die Mitarbeiter identifizieren sich immer weniger mit ihm und verlieren ihren Stolz. Sie schauen das Unternehmen dann bald selbst unter dem Motto »Das tut's!« an und arbeiten entsprechend »gut genug«.

Wirklich verändernde Innovationen oder Wechsel zu neuen Technologien oder Geschäftsmodellen sind inzwischen fast unmöglich geworden. Sie scheitern an den Denkgewohnheiten und den Genehmigungsprozessen, die an jeder Stelle nach einem exakt berechneten Nutzen in kurzer Zeit fragen. »Alles, was Geld kostet«, steht so sehr unter Tabu, dass es kaum noch gedacht wird, weil ein solches Denken fast schon ganz verdrängt worden ist.

Wenn Sie heute in einem Quartalsoptimierungs-Brainstorming eine tolle mittelfristig erfolgversprechende Idee äußern, die etwas Anschubfinanzierung erfordert, treffen Sie auf frustrierte Blicke. Die sagen Ihnen: »Störe nicht. Dieses Meeting dient der Rettung dieses jetzigen Quartals. Wir müssen das Ziel erreichen. Es hilft nichts, uns mit Ideen zu kommen, die erst später etwas bringen. Wir werden uns damit später befassen, wenn überhaupt jemals, weil wir jetzt schon seit vielen Jahren immer nur das laufende Quartal retten. Wir sind böse - ja, böse - über deine Idee, weil du die wertvolle Zeit dieses Meetings unnütz verplemperst, indem du Ideen äußerst, die uns vom Fokus auf dieses Quartal abbringen. Dafür hassen wir dich, wir finden, dass du nicht teamfähig denkst. Du bist ein destruktives Omega.«

> Der Normaldenkende wird zum Omega.

Im Gefängnis lokaler Optima

Wie ich schon sagte: Die Unternehmen hatten früher so viel Fett angesetzt, das es ein Leichtes war, sie zu verschlanken. Dann kamen die Optimierungstechniken dazu, die durch Tabellenkalkulation und kaufmännische Unternehmens-Software immer neue Einsatzfelder fanden. Jahr um Jahr wurde eingespart und eingespart.

In der letzten Zeit sind viele Unternehmen schon fast totgespart, wie man sagt. Aber das Management will immer weitere Einsparungen sehen, die eigentlich nur noch über das Einsparen von Mitarbeitern, deren geringere Bezahlung oder unbezahlte Überstunden realisiert werden können. Nach dem leichten Abschneiden von Fett ging es für einige Zeit an das »Eingemachte«, nun wird an der Substanz gespart.

Die Einsparungen werden immer lokaler und kleinteiliger. Die Stellschrauben, mit denen Einsparungen erzielt werden sollen, werden feiner. Wir stöhnen unter Mikromanagement. Unser Chef kümmert sich nun um die drei gestohlenen Kaffeetassen am Automaten und lässt sich die Notwendigkeit jeder Taxifahrt berechnen ... Diese kleinteilige Optimierung in jedem Einzelbereich ignoriert, dass Einsparungen jetzt mehr Arbeitsaufwand erfordern, als sie einbringen, oder dass sie an anderer Stelle zu Ausgaben führen. Einsparungen des einen sind Verluste des anderen. Arbeitseinsparung hier erzeugt Arbeit dort. Es kommt zum großen Verschieben von vielen Schwarzen Petern.

Ein Beispiel eines Beraters:

> »Ich komme oft von Stuttgart nach München mit dem Zug, ich arbeite für den Rest des Tages auf der Messe, übernachte in München und kehre am nächsten Tag nach Stuttgart zurück. Bisher ging das so: Ich steige am Münchner Bahnhof aus, springe schnell in das Hotel daneben (es kostete immer 90 Euro die Nacht), lasse dort meinen Koffer, gehe zum Bahnhof zurück und nehme die U-Bahn zur Messe. Diese Fahrt ist mit dem Bahnticket bereits bezahlt. Nach meiner Arbeit fahre ich mit der U-Bahn zum Bahnhof zurück, esse dort im Bahnhof etwas, gehe zum Hotel, übernachte und sause am Morgen ohne Zeitverzögerung heim, weil ich ja direkt am Bahnhof übernachte. Nun aber hat das Hotel den Preis auf 95 Euro erhöht. Dieser Preis wird von der internen Rechnungsprüfung nicht akzeptiert, ich soll ein Vertragshotel in München-Nord nehmen, das nur 85 Euro

kostet. Nun aber gestaltet sich der Ablauf so: Ich komme am Bahnhof an und nehme ein Taxi für 22 Euro zum Hotel, checke ein und nehme ein Taxi für 17 Euro zur Messe. Ich verliere dadurch etwa 20 Minuten gegenüber der früheren Lösung. Nach meiner Arbeit nehme ich ein Taxi für 17 Euro zum Hotel, verliere aber dort noch Zeit, um etwas zu essen zu bekommen. Am nächsten Morgen nehme ich für 22 Euro ein Taxi zum Bahnhof, das dauert 20 Minuten und erfordert weitere 15 Minuten Sicherheitspuffer, damit ich den Zug nicht verpasse. Ich habe damit 10 Euro Hotelkosten eingespart, aber 78 Euro für Taxis ausgegeben und mindestens eine Stunde Zeit vertan. Diese neue Lösung ist im Unternehmen zulässig, die alte nicht. Chef, was soll ich tun?«

Der Chef antwortet: »Tut mir leid, Hotels zu 95 Euro sind nicht erlaubt, weil wir sparen müssen. Ich verstehe, dass es in Ihrem Fall zu einer seltsamen Verkettung kommt, aber im Ganzen gesehen ist es für das Unternehmen besser, wenn sich alle an die Vorschriften halten. Sie können ja versuchen, mit Bussen zum Hotel zu kommen und etwas zu Fuß gehen. Es könnte sich einrichten lassen, dass Sie die Taxikosten vermeiden. Ich weiß, dass Sie dabei wahrscheinlich noch eine Stunde Zeit verlieren, aber diese Extrameile muss man heute in der angespannten Situation verlangen können.«

Der Berater schäumt: »Was spricht gegen die alte Lösung?«

Der Chef antwortet: »Die Hotelbegrenzung auf 90 Euro wird aus irgendwelchen Gründen, die uns im Management nicht klar sind, fast kriminell oft unterlaufen. Wir sind deshalb streng angewiesen worden, auf keinerlei weinerliche Ausreden mehr zu reagieren. Im Klartext: Ich bekomme Ärger, wenn ich Ihnen eine Ausnahme erlaube. Wir werden wohl im nächsten Schritt eine weitere Einsparoffensive starten, die auf die Taxikosten zielt. Wir haben im letzten Jahr bei den Hotelkosten gute Einsparungen erzielt, aber nun sind die Taxikosten gestiegen. Das hat uns im Ganzen einen Strich durch die Rechnung gemacht.«

Der Berater schreit auf: »Es liegt daran, dass die billigen Vertragshotels nicht an den U-Bahn-Haltestellen liegen, Hilfe, zu Hilfe! Deshalb wird es kriminell oft unterlaufen, weil die Kriminellen nur die Vernünftigen sind! Wenn Sie im Ganzen sparen wollen, müssen Sie das Ganze untersuchen!«

Der Chef: »Wir haben verschiedene Berater, einen für die Hotelkosten, einen für die Fahrtkosten.«

Todesschrei des Beraters: »Das ist das Problem!«

Der Chef: »Aber Sie sind doch auch Berater, wofür sind Sie denn zuständig?«

Der Berater: »Wir untersuchen, ob die Leute nicht auf Tablets per Funk arbeiten können, damit sie in Verkehrseinrichtungen keine Zeit ohne Arbeit vertrödeln ...«

Mathematisch gesehen geht es bei der Optimierung darum, ein Gesamtoptimum zu finden. In großen Unternehmen aber optimieren alle Einzelbereiche und per Mikromanagement bald alle einzelnen Abteilungen und Personen in ihrem eigenen kleinen Bereich. Wenn jedoch alle ohne Ansehen der anderen optimieren, so agieren sie oft gegeneinander. Wenn also ein Bereich (hier Hotelkostenwächter) Einsparungen erzielt, kommt es oft in anderen Bereichen (hier Taxikostenwächter) zu Mehrausgaben. Es entsteht eine quälende Situation, in der alle Einzelabteilungen Einsparungen vornehmen, die in anderen Bereichen zu Zusatzkosten führen.

Und das kann gar nicht anders sein! Wenn man alle vernünftigen Einsparmöglichkeiten abgeerntet hat, kann man am Ende nur noch auf Kosten anderer einsparen. Diese anderen sind in großen Unternehmen oft weit weg, deshalb wird so »erfolgreich« eingespart, weil man das Unheil an anderer Stelle nicht einmal wahrnimmt. Wenn das Einsparen übertrieben wird, kommt es im Ganzen zu einem extremen Chaos. Jeder beschuldigt die anderen, ihm Kuckuckseier ins Nest gelegt zu haben. Und wie bei den Vögeln bemerken manche nicht einmal, dass es Kuckuckseier sind.

> Normale Menschen verstehen: Wenn alle lokal optimieren, kann das im Ganzen schrecklich werden.

Jetzt muss ich noch einmal über die unsichtbare Hand von Adam Smith wettern, der ja sagt, dass etwas im Ganzen Gutes herauskommt, wenn sich jeder lokal um das Beste bemüht. Das stimmt nicht, wenn ein Unternehmen im Ganzen schon fast totgespart ist. Wenn dann lokal alle immer noch weitersparen, muss es zwingend logisch so sein, dass entweder das Unternehmen daran stirbt oder dass die Einsparungen der einen als Kosten der anderen wieder auftauchen. Das ist nicht nur gesunder Menschenverstand, es ist Mathematik: Irgendwann ist das lokale Optimieren »fertig«, und von diesem Zeitpunkt an werden die Kosten nur noch hin und her geschoben.

Noch einmal – die normale Vernunft ist jetzt ein Omega

Das Ganze ist in Schieflage, das zeige ich Abschnitt um Abschnitt. Die Ziele sind unmöglich hoch, die Auslastung soll höher sein, als es die Naturgesetze hergeben. Man hetzt die Mitarbeiter in opportunistische Verhaltensweisen, zwingt das System in monokausale Unlogik, die das Ganze aus dem Blick verlieren lässt, und verleitet durch Zahlenwahn zu Schummelei oder irrem lokalem »Sparen«.

Die Unternehmen haben sich durch diese vielen Quellen von Schwarmdummheit in eine gefährliche Situation hineinmanövriert. Sie sind im Ganzen von »unproblematischen Unternehmen« zu »problematischen« geworden. Die vorn im Buch besprochene Super-Hintergrundvariable ist von »unproblematisch« auf »problematisch« gesprungen. Wie kann die Umkehr erfolgen? Die reine Book-Smart-Vernunft sagt: »Von Grund auf sanieren.«

Aber ich sagte schon (ich muss das jetzt kurz wiederholen, es ist entscheidend wichtig): Wer sich als Street Smart selbst aus dem Sumpf ziehen will, findet die Forderung nach einer kompletten Umkehr in der Abwärtsspirale einfach nur monströs und geradezu unverschämt dumm (!): »So etwas kann mir nur ein abstruser Besserwisser oder Book Smart sagen!« Der Problematische hält damit das einzig Intelligente in seiner Situation für dumm.

Die Vernunft kommt in dieser problematischen Zone in die sehr unangenehme Lage, dass sie sich eigentlich nur noch als Radikalkritiker äußern kann. Es nützt keine lokale Vernunft mehr, kein lokales Optimieren. Die vielen Interessenvertreter (die CxOs) behindern einander in ihren lokalen Bemühungen gegenseitig. Die Managementmethoden der Veränderung gehen bis zum Mikromanagement ...

Das lokale Wiedereinführen von Vernunft ist jetzt nicht mehr möglich, weil jedes bisschen lokale Vernunft an vielen Mikrostellen mit der globalen Unvernunft kollidiert. Wer also in seiner kleinen Abteilung etwas Vernünftiges tun will, bricht hundert Regeln im System (ich habe ja schon versucht, meine persönlichen Probleme anzudeuten). Damit wird jeder lokale Versuch zur Vernunft zu einem Großkrieg gegen die Schwarmdummheit im Ganzen. So ein Großkrieg lohnt sich nicht für ein bisschen lokale Vernunft. Aufwand und Nutzen stehen in keinem Verhältnis.

Die Vernunft muss also lokal kapitulieren oder vom obersten Chef eine Radikalkur verlangen. Es hat keinen Sinn, die Unvernunft mit anderen unteren Managern zu diskutieren, die ja auch nur Opfer sind. Nein - höchstens der Oberboss könnte etwas bewirken. An den muss die Vernunft verzweifelt appellieren! Damit aber erfüllt die Vernunft alle Voraussetzungen, ein Omegatier gegenüber dem Alphatier zu sein. Wie soll das Alphatier auf die reine Vernunft reagieren? Kann der Oberboss überhaupt etwas verändern? Wenn er es könnte und sogar wollte, wäre es nicht ein titanischer Aufwand für ihn? Warum sollte er es wollen - mit seinem Fünf-Jahres-Vertrag? Und ist gegen Schwarmdummheit wirklich schon ein Kraut gewachsen?

Die Unvernunft hält uns in Platons Höhle gefangen. Es ist dunkel. Wenn nun einer käme und sagte, draußen sei es hell - wir würden ihm nicht glauben.

Ratgeber – meine Binsenweisheiten

Ich halte öfter Vorträge mit dem neckischen Titel »Der Prozess ist der Innovation ihr Tod«. Wenn Sie mir das so als Erfahrungsweisheit abnehmen, dann folgt daraus: Entweder scheitern die Innovationen an den Prozessen des Unternehmens, oder man ignoriert die Prozesse.

»Work underground as long as you can« heißt eine wichtige Regel für Innovatoren. »Arbeiten Sie heimlich im Keller, solange es geht.« Ich werde oft gefragt, wie das geht. »Geben Sie Beispiele, wie Sie das gemacht haben!« Hmmh, sollte ich das tun? Gibt es dann nicht böses Blut?

Die meisten Leute glauben, sie müssten für ein Projekt ein offizielles Einladungsschreiben und gleich das nötige Geld bekommen. Lassen Sie das. Die Genehmigungen dauern und dauern, Meetings um Meetings. Wenn Sie die Genehmigungen haben, bedeutet das so gut wie nie, dass das Geld gleich dabei ist. Das ist fast immer ein anderer Prozess. Durch den müssen Sie auch. Mit jedem Meeting mehr wird Ihre Idee zerredet und mit Sonderforderungen überfrachtet. Bei IBM zum Beispiel könnte sich das so anhören: »Können Sie diese kleine Android-App, die Sie geschrieben haben, nicht so programmieren, dass sie exklusiv nur auf den neuen teuren Großrechnern von IBM läuft? Dann muss jeder, der die App will, einen Großrechner kaufen, genial, was?« Etwas überspitzt, aber so läuft es: Alle anderen Firmenbereiche genehmigen nur, wenn sie auch etwas davon haben. Und deshalb wird man durch Diskussionen über mögliche »Zusatznutzen« für andere Bereiche vollkommen zerpflückt. Ich bin früher zuerst darauf reingefallen, Konzessionen zu machen. Das scheitert. Es ist, als wollte ich eine Wasserpflanze den anderen zuliebe in der Wüste anbauen.

Eine gute Idee ist es, die ganze Sache fast privat beim Kaffee mit dem Chef-Controller zu bereden und nur ihm persönlich die Idee zu kommunizieren. Wenn Sie den als Person begeistern können, schafft er es, Ihnen Geld zu geben, ohne dass irgendein Prozess gebraucht wird. Danach gehen Sie zum höchstmöglichen Boss, der Ihnen vertraut, und sagen ihm, dass etwas im Keller gebaut wird, er aber nicht wissen und nicht fragen soll, was es ist. Er soll nur wissen, dass alles okay ist und bestens wird, er soll sich nicht aufregen. Das muss man tun, weil es in Managermeetings oft vorkommt, dass einer den anderen fragt, ob er denn wüsste, was da in seinem Keller heimlich geschehe. Dann muss Ihr Boss erwidern können: »Ja, klar - lass das in Ruhe.« Bloß deswegen muss er ein bisschen eingeweiht sein. Wenn er nämlich auf die spitze Bemerkung mit eigener Überraschung reagieren muss, wird er sehr böse mit Ihnen sein. »No surprise!«, heißt ein wichtiger Ratschlag für Mitarbeiter. »Stelle deinen Chef nie vor Überraschungen!« Dann gibt es für ihn einen Gesichts- und für Sie einen Vertrauensverlust.

Im Untergrund arbeiten - das geht. Das sagen alle! Natürlich kann man auch gescheite Prozesse für Verbesserungsinnovation und auch für radikale Veränderungen »implementieren«, wie man sagt. Das wird fast durchgängig versucht und scheitert an der Schwarmdummheit. Ich meine, die Neuimplementierung des Prozesses gelingt natürlich bravurös, aber der Prozess wird wieder einer sein, der vorher nach dem exakt berechneten Nutzen fragt.

Fazit

Schwarmdumme Unternehmen ohne Keller haben keine Zukunft. Das könnte auch ein Fazit des ganzen Buches sein. Schwarmdumme Unternehmen richten den Blick aus der Pflichtbrille des Effizienzdenkens nur noch auf die Zahlen, Auslastungen und Kosten. Ihr Blick richtet sich nach innen, die Rettung finden sie nur noch hier. Ich sagte schon: Sie igeln sich ein, werden introvertiert, verlieren den Kontakt zu den Kunden und überlassen im Markt den lauten Extrovertierten die neue, ihnen unangenehme Welt der neuen Spielregeln.

Sie scheitern. Es sei denn, in ihrem Keller gibt es noch eine geschützte Zone für Schwarmintelligenz.

9

Wir heizen das Thermometer, damit der Chef weiß, dass es draußen warm ist

Die Zahlenziele, die auf den Mitarbeitern lasten, werden unter Druck manipuliert. Aber Indikatoren, die nicht verlässlich sind, erzeugen Blindheit – wir reden uns nur ein, wir würden etwas sehen.

Kurzinhalt: Unternehmen messen zum Beispiel den Umsatz, die Kosten und den Gewinn. Das sind »harte« Zahlen, die man messen kann. Die Beurteilung von Büchern mit Sternen bei Amazon ist dagegen keine harte Messzahl. Sie kann sogar manipuliert werden. Im Leben kennen wir viele solcher »weichen« Indikatoren, die wir zum Beurteilen von Menschen und allem anderen benutzen. »Er fährt Porsche. Er muss also reich sein.« Speziell unsere Chefs beurteilen Geschäftssituationen und unsere Leistungen nach bestimmten Indikatoren. »Wenn einer lange arbeitet, ist er wertvoll.« Dieser Abschnitt zeigt, wie Manager und Mitarbeiter unter Stress viele Indikatoren manipulieren, damit sie gut davonkommen.

Über Indikatoren und Messgrößen

Woran erkennt man, ob ein Unternehmen gut arbeitet oder gut wirtschaftet? Davon war in diesem Buch schon oft die Rede. Es ist nicht der Gewinn allein, der ein Unternehmen gut dastehen lässt, es geht auch um Nachhaltigkeit und Zukunftsfähigkeit, auch um die Robustheit gegenüber Marktkrisen. Man sagt das so leicht, dass Umsatz oder Gewinn sogenannte harte Zahlen sind, aber im Grunde lassen auch sie sich gestalten, und zwar durch kreative Buchführung.

Wir denken zu oft, dass Zahlen in Stein gemeißelt sind, und vergessen, wie sehr und wie oft dabei getürkt wird. Es ist für diese Betrachtungen nützlich, grob zwischen Messgrößen und Indikatoren zu unterscheiden. Eine Messgröße ist im idealen Sinn eine unbestechlich wahre Zahl. Ich gehe jetzt hinaus und schaue auf das Thermometer: 28 Grad. Das ist eine exakte Messung! Ich kann aber auch aus dem Fenster schauen. Die Sonne scheint, es ist Ende Juni, 13 Uhr 30. Das sieht nach 26 Grad aus. Bei dieser Methode habe ich nichts gemessen, ich habe nur mein Kontextwissen angewendet: Sonnenschein zeigt Wärme an, ich weiß um die Temperaturen im Sommer. Es gibt eine Korrelation oder einen Zusammenhang zwischen Sonne, Jahreszeit und Temperatur. Da ich diesen Zusammenhang kenne, kann ich mein Wissen ausnutzen, um eine Temperatur zu schätzen, ohne sie messen zu müssen. Ich will hier sagen: Sonnenschein ist ein Indikator für Wärme. Juni ist ein Indikator für Wärme, Mittagszeit auch. Es kann natürlich sein, dass es heute Morgen ein Gewitter gegeben hat und dass es trotz Sonne sehr kalt ist. Es kann ganz anders sein, aber trotzdem sind Sonne, Juni und Mittagszeit gute Indikatoren. Ich kann also Indikatoren benutzen, um etwas ungefähr zu wissen, ohne es genau messen oder recherchieren zu müssen.

In der Wirtschaft gibt es viele Indikatoren, wann es einem Unternehmen gut geht: Es hat einen Bekanntheitsgrad, es hat einen guten Ruf oder ein Image, die Produkte sehen sauber aus, Stiftung Warentest hat ein »gut« vergeben - es gibt viele, viele Indikatoren, anhand deren man ein Urteil abgeben kann. Dieses Urteil basiert dann nicht auf konkreten Messungen von »gutes Unternehmen«, sondern auf

Hilfsgrößen wie beim Wetterbeispiel. Ein Unternehmen muss nicht gut sein, nur weil es bekannt ist und ein gutes Image hat - es könnte trotzdem kurz vor der Pleite stehen. Wir wissen aber, dass im Allgemeinen die bekannten Unternehmen auch »gut« sind. X = Bekanntheitsgrad und Y = wertvolles Unternehmen sind korreliert. Es gibt aber wieder einmal keine Kausalbeziehung! Aus X = bekannt folgt nicht Y = wertvoll. Wir nehmen X = bekannt als Indiz für Y = wertvoll. Mehr ist es nicht. Wir sagen, wir haben ein Indiz. Ein blutiges Messer in einer Hand ist ein Indiz - aber kein Beweis, dass ein Mörder vor uns steht.

Wir alle wissen, dass es einen statistischen Zusammenhang zwischen Kleidung, Vertrauenswürdigkeit, Erziehung, Geschmack, Wohlstand und Angepasstheit gibt. Es ist aber absolut unzulässig, daraus einen Kausalzusammenhang zu machen.

Vorurteile sind erfahrene, erlernte oder befürchtete Zusammenhänge/Korrelationen. Wer das weiß, versteht immer, dass ein Vorurteil kein zwangsläufig wahres Urteil ist, allenfalls eine nützliche Schnelleinschätzung. Der Gebildete weiß zu jeder Zeit, dass ein Vorurteil die Funktion schneller Indizienbildung hat und eine »Arbeitshypothese« bildet, die ständig überprüft werden muss. Dumme Leute aber verwechseln immer wieder in völliger Unkenntnis der Problematik Zusammenhang mit Kausalität, sie halten das Vorurteil für ein Urteil. Wenn in einem Schwarm viele solcher Menschen die gleichen Vorurteile haben, dann kommt oft eine sofortige Urteilsfindung heraus. Dann intoniert der dumme Schwarm: »Alles raus, was wir nicht kennen!« Das können Ausländer sein oder in unserem Kontext Innovationen oder neue Ideen, gegen die es immer ärgerliche Vorurteile gibt.

Ich will sagen: Wir müssen im normalen Leben so irre viel ernsthaft beurteilen und Entscheidungen treffen, dass wir nicht alles ganz genau messen können, und deshalb sind wir auf Indikatoren angewiesen. Jeder dieser »weichen« Indikatoren ist keine wahre Messung. Wir wissen aber »aus Erfahrung«, dass der Indikator mit der Messgröße im Zusammenhang steht. Wenn also jemand in Lumpen erscheint, beurteilen wir ihn argwöhnisch. »Hör mal Kind, deine neue Freundin passt mir nicht, sie hat ein Tattoo und Löcher in den Socken.« Da bricht Krieg aus: »Du kannst Menschen nicht

DANACH beurteilen! Lerne sie doch erst einmal kennen, bevor du gleich Bescheid weißt!« Kennen Sie diese Situation? Da trifft der eine ein Urteil aufgrund seines Vorurteils in einer Lage, in der ein anderer sogar alle Information hat und exakt befragt werden kann. Das Kind im Beispiel kennt die Freundin genau und weiß Bescheid. Der Vater aber fällt ein Urteil aufgrund eines Vorurteils und hält ein Indiz für wahrer als das Wissen des Kindes.

Noch einmal: Messgrößen sind gut und exakt, aber es gibt leider gar nicht so viel Exaktes in unserem Leben. Das meiste, wonach wir urteilen, sind Indikatoren, die mal besser, mal schlechter zum Urteilen taugen. Die Kunst des Urteils ist es insbesondere, mit den vielen Indikatoren oder Kriterien gut umzugehen. Es hat keinen Sinn, über ihre Inexaktheit zu meckern. Es geht darum, kunstvollen Gebrauch von Indizien und Indikatoren zu machen - sodass eine gute Intuition und ein gutes Bauchgefühl entstehen.

Opportunistische Vorurteilsprostitution – »Was du willst – nur kaufe mich!«

Wer die Vorurteile des dummen Schwarms kennt, kann sie zu seinen Gunsten nutzen. Oft reicht es, alle Vorurteile des Schwarms zu bedienen - und schon wird man respektiert! Aus dieser simplen Erkenntnis heraus entstehen ganze Herausputzindustrien, Beratungsbranchen und Forschungsrichtungen, die sich die dummen Vorurteile zunutze machen. Man fragt: »Woran erkennen Dumme, dass ich gut bin? Woran erkennen sie, dass sie darauf Lust haben, es zu kaufen? Welche Vorurteile muss ich bedienen, dass ich gut ankomme? Welche Wörter müssen auf meiner Homepage benutzt werden, sodass sie bei mir klicken?«

Wer bei Bewerbungen Erfolg haben will, wer sein Unternehmen verkaufen möchte, wer mit Top-Zahlen glänzen möchte, betreibt dann Bilanzkosmetik, Lebenslaufoptimierung, Window Dressing oder er schmückt die Braut, putzt sie heraus und hübscht sie auf, wie man sagt. Zu allen Zeiten der Geschichte hat man sich geschminkt, retuschiert oder im Fassaden-Styling bemüht - das war nicht gut angesehen, wurde aber toleriert. Heute ist es zum allgemeinen Sport geworden, weil man es fast mit einem Gefühl der Notwehr betreibt. Heute muss man direkt seine Bewerbung aufhübschen, sonst fühlt man, wie sich die eigenen Chancen verflüchtigen. Jeder steht unter dem drakonischen Zwang, Erfolg zu haben, seine Zahlen zu machen, die Auslastung zu maximieren und dabei stets begeistert zu lächeln. Man hat keine Wahl, das spürt man. Nicht-Optimierung ist keine Option mehr.

Man versucht nun, die Vorurteile, die Indikatoren oder Wünsche von anderen Menschen, Unternehmen und Medien zu erforschen und zu bedienen. Man prostituiert sich für den Erfolg. Dabei sollte doch klar sein, welch großer Unterschied es ist, ob ich zufriedene Kunden haben möchte oder nur auf jeden Fall etwas verkaufen will.

Ein Beispiel: Von den politischen Parteien erwarten wir, dass sie uns aus deren Wertegefüge heraus (das differiert von Partei zu Partei) fundierte und authentische Vorschläge für unsere Zukunft machen. Dann wählen wir den für uns besten Vorschlag und erwarten dessen Umsetzung. Wir wollen aber nicht, dass uns die Politiker täglich aufs Maul schauen und daraus Tagescomputerberechnungen erstellen, welche Wertvorstellungen wir genau heute bei einer Wahl honorieren würden. Das aber tun die opportunistischen Politiker heute, und wir klagen. Die Politiker sind nicht mehr die ethischen Vorbilder-Rollenmodelle, denen wir die Führung übertragen. Sie prostituieren sich vor uns: »Ich habe heute alle Ansichten, die du willst, wenn du mich nur wählst.« Dieses Problem, Wahlaussagen so zu treffen, dass sie die meisten Stimmen bekommen, ist ein mathematisches Problem, das eine Lösung hat - klar. Nutzen unsinnigerweise alle Parteien diese eine beste opportunistische Lösung, werden sich die Parteien irgendwie gleich. Sie plappern, wie es uns gefällt. Es ist aber nicht ihre Aufgabe, uns Indizien zu liefern, nach denen wir sie wählen!

Die Unternehmen werden gleich, die Bewerbungen werden gespenstisch gleich und klingen, überspitzt gesagt, »kriecherisch«: »Ich bin bereit, mich in jeden gewünschten Zusammenhang einzuarbeiten - ich bin darin sehr geübt und tue es rasch. Ich bin bereit, den Arbeitsort zu wechseln und drei Monate als Praktikant kostenlos zu arbeiten. Ich bin bereit, familiären Aspekten nicht die höchste Priorität einzuräumen. Es geht nicht um mich, denn ich identifiziere mich absolut leidenschaftlich mit der jeweiligen Firma, in der ich später einmal arbeiten werde. Ich wünsche mir sehr, es würde Ihre sein.«

Man versucht dabei, in allen einzelnen Aspekten eine Position zu beziehen, die der Kunde, Personaler oder Wähler vermutlich am besten honoriert. Welche Position er wie honoriert, steht im Internet, wo man Tonnen von Umfragen und Studien findet, die angeblich wissen, was Kunden, Wähler und Personalabteilungen wollen. Wenn man das aber jetzt so tut, nämlich versucht, in allen einzelnen Aspekten die Vorurteile zu bedienen oder den publizierten Kriterien zu entsprechen, dann kommt ein unpersönliches, charakterloses, konturloses Glanzprodukt heraus, was es nach gesundem Menschenverstand eigentlich nicht sein kann. Es kann nicht sein, dass alle Unternehmen die freundlichsten Mitarbeiter und die besten Produkte zu bieten haben - außer, wenn sie alle gleich sind.

Wenn sie aber nun alle gleich sind, weil sie nach demselben optimierenden Gedanken vorgehen, wie differenzieren sie sich? Nach dem Logo?

- Die Banken bieten den Privatkunden alle das Gleiche.
- Die Smartphone-Tarife sind auf den ersten Blick sehr verschieden, aber auf den zweiten gleich ...
- Die Bewerber kommen im Business-Look - schwarz.
- Die Autos haben keinen Charakter mehr - ich habe einen Volvo S40, und ich habe ihn schon öfter beim Suchen im Parkhaus mit einem gleichfarbigen Dreier-BMW verwechselt ... was sagt das aus, außer über mich?
- Die Handelsware ist überall gleich.
- Die Volksparteien werden ununterscheidbar, die kleinen Parteien wollen Volksparteien werden.
- Die Anträge der Universitäten, die zur Elite gehören wollten, sahen nach Presseberichten verstörend gleich aus. Die Universitäten hatten sich vorher »schlau gemacht«, wann die Kommissionen etwas als »Elite« empfinden. Selbst die schlechteste Universität hatte gelernt, wie man Meister in »Antragslyrik« wird. Sie waren nicht Elite, aber sie konnten sich nun so darstellen.

Alles wird gleich, weil die Anbieter zum Massengeschmack optimieren und sich damit keinen Charakter leisten können. Gewinner ist, wer sich der großen Masse am besten anpasst. Das versuchen alle dadurch - sie sagen es exakt so -, dass sie sich differenzieren (!) oder ein eigenständiges Profil bilden (Volksparteien!). Sie zeigen dann, dass sie alle vom Kunden oder Volk geforderten Eigenschaften haben (wie die anderen auch), dass sie aber an einer Stelle doch viel besser sind. »Bei uns ist der Smartphone-Tarif so billig wie bei ALDI, aber Sie bekommen noch einen Klingelton gratis dazu.« - »Nur unsere Partei setzt sich zusätzlich zum Sozialen, Gerechten und Freien dafür ein, dass Menschen bei Bewerbungen nicht wegen mangelnder Qualifikation diskriminiert werden dürfen.«

Indikatorenbetrug der Leichtgewichte

Ich gebe Ihnen nun ein paar Beispiele, wie Unternehmen an den Zahlen drehen. Wenn Unternehmen einen Dummen finden, können sie ein Streichholz unter das Thermometer halten und dem Dummen weismachen, es sei gerade sehr heiß im Lande. Der Dumme denkt, die Temperatur werde durch das Thermometer gemessen, und fällt herein. So ist das auch bei Facebook: Man denkt, dass jemand, der viele Likes bekommt, auch die eigene Aufmerksamkeit verdient. Man denkt, dass etwas gut ist, wenn es fünf Sterne hat. Die Unternehmen, die in diesem Sinne wissen, wonach wir etwas bewerten, beginnen nun, die Messungen zu fälschen und Indikatoren zu manipulieren. Das geschieht zum Schaden aller. Niemand weiß mehr genau, was fünf Sterne eigentlich bedeuten, so, wie man die Außentemperatur nicht ablesen kann, wenn man ein brennendes Streichholz unter das Thermometer hält. Ich will sagen, dass die Tricks eine Weile funktionieren, aber leider die Messinstrumente diskreditieren. Zum Schluss können wir gar nichts mehr beurteilen, weil alles gefaked ist. Wieder eine Akerlof-Spirale hin zur Schwarmdummheit.

Facebook-Likes: Menschen und Unternehmen sollten einen guten professionellen Eindruck bei Facebook, Twitter und Google+ hinterlassen. Kinder finden angeblich, dass man erst mit 500 Freunden einen vernünftigen sozialen Status errungen hat. Viele Freunde muss man haben und Likes in Massen! Die meisten Unternehmen eröffnen also eine Facebook-Seite und stellen fest, dass kein Mensch »Fan wird«. Und nun? Sie kaufen Fans. In Indien gibt es Firmen mit Mitarbeitern, von denen jeder mit tausend erfundenen Namen bei Facebook gemeldet ist. Diese Mitarbeiter loggen sich den lieben langen Tag unter ihren verschiedenen Namen bei Facebook ein und »liken« alles gegen normale Bezahlung. Es gibt auch Methoden, das »Weiterlesen des Artikels« mit dem Wunsch nach einem »Like« zu unterbrechen. Oder man darf erst als Fan mit einem Like bei einem Preisausschreiben mitmachen. Es gibt da jede Menge Tricks! Eigentlich ist ja die Anzahl der Fans einer Facebook-Seite ein Indikator für die Großartigkeit der Seite oder ihres Inhabers. Wenn jemand viele Fans hat, so greift unser Vorurteil, dass »viele Fans = sehr gut« gilt. Aber mit diesen Tricks wird erreicht, dass die Seiten zwar viele Fans haben, dass man aber überhaupt nicht mehr weiß, ob es echte Fans gibt. Die Dummen im Internet blicken es nicht und fallen vielleicht drauf rein. Das Unternehmen selbst weiß aber nicht, ob es wirklich beliebt ist oder nur genug Fake-Likes geerntet hat.

Amazon-Sterne: Zunehmend erscheint es so, als würden neue Produkte an professionelle Rezensenten verschenkt, die dann gegen Bezahlung eine lange befürwortende Besprechung publizieren. Das macht man bei Büchern schon immer so: Man schenkt sie bekannten Kritikern mit der Bitte um ein fundiertes und natürlich auch gnädiges Urteil. Echte Kritiker versuchen, dem Produkt gerecht zu werden (»Messung der Qualität«), unechte lassen sich für ein dickes Lob bezahlen. Das Bewerten wird aber langsam undurchsichtig, auch bei Büchern. Es geht nicht mehr um die »Wahrheit« des wirklichen »Gemessen-Werdens« im Sinne einer ernsten Kritik, sondern nur noch um das Verkaufen. Was bedeutet denn das alles noch? Im Augenblick kann man noch ganz gut das Authentische vom Fake unterscheiden, auch bei Hotel- oder Restaurantbewertungen, bei Ärzten und so weiter, aber oft wird man für dumm verkauft. Wenn die Fakes professioneller werden, sind die ganzen Bewertungen natürlich sinnlos geworden.

Neue Indikatoren? Faken! Eine Studie stellt fest, dass es tatsächlich einen Zusammenhang (eine Korrelation) zwischen den Likes einer

Klinik-Facebook-Seite und der Überlebenswahrscheinlichkeit bei einer Krebstherapie an dieser Klinik gibt. Das kann verschiedene Gründe haben, wenn zum Beispiel nur die Überlebenden Liken oder nur die guten Kliniken gute Facebook-Seiten betreiben. Sobald aber die Studie erschienen ist, schaut jede Regionalzeitung nach, ob das Städtische Krankenhaus mehr Likes hat als das Evangelische. Was passiert? Klick, Klick, Like, Like, Like! Alle Krankenhausangestellten liken ihre Institution.

Der Chef eines Unternehmens stellt fest, dass der Erfolg eines Verkäufers mit seiner Telefonrechnung korreliert. Das habe ich selbst einmal nachgeprüft - kommt hin! Die Erfolgreichen pflegen ihr Netzwerk, sind kommunikativer, initiativer, finden immer wieder interessante Gesprächsstoffe für Kundenbesuche et cetera. Der Chef erwähnt diese Erkenntnis im Meeting. Die Folge: Seine Aussage verbreitet sich wie der Blitz im Unternehmen mit der Folge, dass alle Gering-Performer stundenlang bei der kongolesischen Zeitansage anrufen oder so. Am Ende haben die Besten im Unternehmen die geringsten Telefonkosten.

Der Chef sagt, er bewerte die Mitarbeiter nach der Zahl der Kundenbesuche. Diese Zahl sei leichter messbar als der eigentliche Umsatzbeitrag, sagt er. Sofort besuchen alle Verkäufer die Kunden. Die sind eher verärgert, es geschieht nicht viel. Etwas später im Quartal merken die Vertriebsleiter (also die Manager der Verkäufer), dass sie nicht genug Umsatz machen. Jetzt erinnern sie sich, dass der Chef die Anzahl der Besuche in Korrelation mit dem Umsatz sieht. Sie zwingen die Verkäufer, noch mehr Besuche zu machen. Die Kunden sind jetzt äußerst erbost: »Sollen wir nur eure Probleme lösen, oder was?«

Nun habe ich Ihnen in etlichen Beispielen ein immer gleiches Muster vorgeführt. Irgendwer kommt darauf, einen guten Indikator zu erfinden, anhand dessen man das, was man eigentlich wissen will, ganz schnell sehen kann. Man sieht die Zukunft, die Qualität von Produkten, das Image des Unternehmens, sogar den zukünftigen Umsatz und Gewinn aus den Indikatoren. Nun aber kommt die Katastrophe: Das Management ist so unendlich dumm, den gefundenen Indikator zu verraten und ihn (das ist entlassungsgrundkreuzdumm) dann auch noch zum Drohen von Konsequenzen zu verwenden. Was geschieht?

- Unternehmen mit Likes sind beliebt? Facebook-Likes faken!
- Produkte mit Sternen sind gut? Rezensionen faken.
- Kliniken mit Likes gut? Liken.
- Eigenkapitalrendite gefragt? Eigenkapital senken!
- Telefon ein Indikator für Erfolg? Telefonieren.
- Besuchshäufigkeit ein Indikator für Erfolg? Besuchen.
- Wahrscheinlichkeiten ein Indikator für Umsatz? Nach oben faken!

Ich ringe nach Worten, nach Steigerungsformen für das Wort »schwarmdumm«. In dem Augenblick, in dem das Management den Indikator verrät, sagt der Indikator gar nichts mehr aus. Es hat auch keinen Sinn mehr, das ganze System zu pflegen, wenn immer das gewünschte Ergebnis herauskommt. Vorher kam eine echte Zukunftsprognose heraus, hinterher nichts.

> Mit »Fassaden-Fakes« sticht sich ein Unternehmen die Augen aus.

Wer Facebook-Likes nur herbeizaubert, weiß nicht mehr, ob man sein Unternehmen liebt oder nicht. Wenn die Kliniken die Likes manipulieren, beurteilen die Patienten die Kliniken nach Internet-Blogs woanders, die Kliniken selbst wissen nicht mehr, was die Likes eigentlich bedeuten. Das Internet gibt also kein Feedback mehr, weil das Feedback ein Fake ist.

Wer sinnlos telefoniert oder sinnlos Kunden besucht, verschwendet seine Zeit und ruiniert das Geschäft durch genervte Kunden. Er verliert ganz das Gespür, ob Kunden ihn überhaupt noch sprechen wollen oder mögen. Die Aufgabe des Unternehmens ist eigentlich, zufriedene Kunden zu pflegen und zu bedienen. Es behauptet nun aber steif und fest, dass alle Kunden zufrieden seien, damit es alle beeindruckt, die dasselbe aus allen Ecken genau gleich hören.

Stellen Sie sich vor, Sie sind Bauer, wie es mein Vater war. Manchmal war es im Sommer grässlich kalt, es gab in meiner Jugend 1954, 1955 und 1956 (das glaube ich noch zu wissen) ziemliche Missernten. Es lag leider an der Temperatur. Mein Vater hätte warmes Wasser holen und das Thermometer eintauchen sollen, es hätte 28 Grad angezeigt und die Ernten wären fabelhaft geworden! Aber so wird eben gefakt. Man will sich keinen Vorwurf machen lassen, wenn das Wetter zu kalt ist. Man muss etwas unternehmen, irgendetwas - wenigstens das Thermometer erhitzen. Das zeigt dann eine Temperatur an, die eine gute Ernte vorhersagt. Wenn nun doch eine schlechte kommt - wir konnten es nicht voraussehen, das Thermometer hat uns »eingelullt«.

Ich will sagen: Indikatoren sind oft sehr, sehr hilfreich, um etwas einschätzen zu können. Es ist aber desaströs oder mindestens dumm, nur durch ihre mutwillige, sinnwidrige Veränderung zu versuchen, zum eigenen Nutzen das Ganze opportunistisch »zu leimen«. Wenn man das tut, hat der Indikator keine Vorhersagekraft mehr. Man kann ihn nicht mehr zum Sehen verwenden, man wird teilblind. Darüber hinaus werden die Unternehmen durch das Faken der Indikatoren gleicher.

Opportunistische Vorurteilsprostitution und Indikatoren-Fakes nehmen den spezifischen Charakter und machen entlang dem Massengeschmack gleich. Das Unternehmen, die politische Partei oder das Individuum bietet eine Einheitsfassade und weiß selbst nicht mehr über die eigene Identität Bescheid.

»Ich bin meine Fassade« – die Amnesie der Indikatoren-Betrüger

Ein Leserbrief zum Faken der Wahrscheinlichkeiten in den CRM-Systemen erzählte mir einmal folgende Geschichte:

> »Wir hatten nicht genug Abschlusschancen im System, unser Hauptabteilungsleiter tobte, er würde wiederum von seinem Chef dafür fertiggemacht werden, wenn er so wenige und so unwahrscheinliche Kundenanfragen vorweisen könnte.

Er befahl uns, die Anfragen mit einer höheren Abschlusswahrscheinlichkeit zu versehen, er befahl uns auch, ganz neue Anfragen zu erfinden. Unsere Zahlen wären sonst einfach unrettbar schlecht gewesen. Okay, wir haben uns hingesetzt und mit viel Liebe und Detailreichtum wundervolle Anfragen erfunden. Leider kann man in der Datenbank nicht danebenschreiben, was nun erfunden ist oder nicht. Man müsste ein paar Spalten mehr in den Tabellen haben, die ein Chef nicht sehen kann. Da könnten wir notieren, was real ist und was erfunden wurde. Es wäre viel besser um unsere Firma bestellt, wenn wir eine solche zweigeteilte Datenbank hätten - für das Reale und für das, was präsentiert wird. Wir haben also so viel dazuerfunden, dass unser Chef noch mit seinem Kopf auf den Schultern aus dem Meeting mit seinem Chef herauskam. Am nächsten Tag hatten wir dann wieder neue Meetings, wir wollten alle Kundensituationen nach und nach durchgehen und überlegen, wie wir zu schnellen Abschlüssen kommen würden.

Im Meeting rief unser Chef die Kundenanfragen zur eingehenden Besprechung auf, für die wir unser Vorgehen beschließen wollten. Jetzt zu Kunde X, rief der Chef, aber wir sagten ihm, dass der Fall X rein erfunden sei, da müssten wir nichts besprechen. Wieso ist X erfunden, wollte er wissen, er fand den Fall ganz schlüssig, X war ja unser Kunde. Wir hatten nur die Anfrage erfunden. Ja, sagten wir, X sei unser Stammkunde, aber er habe nun mal nicht angerufen und wolle auch nichts. Da meinte der Chef, wir könnten dem Kunden X doch wirklich das verkaufen, was wir nur erfunden hätten. Wir zankten uns und dachten schon, dass der Chef jetzt ein bisschen durch den Wind sei. Wir schafften es dann mit der Zeit, ihn zu beruhigen. Da rief der Chef Y zur Besprechung auf, dieser Fall war auch im Wesentlichen erfunden, der Kunde wollte sich erkundigen, wie er seine Produktion in drei Jahren modernisieren könnte. Wir hatten dann einfach die Anfrage in das laufende Jahr gelegt. Der Chef wurde da sehr unwillig und fragte uns, warum wir ihm seine neue Anlage nicht auch gleich verkaufen könnten.

Wir bewiesen ihm, dass es nicht ginge. Dann kam Fall Z, rein erfunden. Nun war der Chef so richtig ärgerlich. Er fand, wir würden ihn verarschen - so viele Fälle könnten doch nicht erfunden sein. Doch, meinten wir, er habe uns das doch befohlen! Aber nicht so viele, fand er. Wir erwiderten, wir hätten die Order gehabt, so viele zu erfinden, dass sein Chef mit ihm zufrieden sei. Da wollte er wissen, bei welchen Fällen man das Verkaufen beschleunigen könnte. Wir meinten, das ginge in keinem Fall, wir würden doch alles in unserer Macht stehende tun! Da schrie er uns an, wir würden uns nur rausreden und praktisch so etwas wie Arbeitsverweigerung betreiben.

Er schien wie unter einer Amnesie zu leiden. Erst befiehlt er uns, die Zahlen zu faken, damit er bei seinem Chef seinen Kopf rettet. Dann geht er zu seinem Chef und wird für die gelogenen Zahlen gelobt. Das freut ihn! Wir haben es gesehen, es freut ihn tatsächlich! Wir hätten an seiner Stelle irre Angst, weil ja die Umsätze nicht kommen, und das ist an sich schlimm genug. Aber es kommt doch dann auch klar heraus, dass er seinen Chef belügt. Fürchtet er sich nicht? Nein, er freut sich, dass er mit heiler Haut herauskam. Und einen Tag später im Meeting scheint er ganz vergessen zu haben, dass er uns das Lügen befohlen hat. Er schimpft mit uns, dass nun ausgerechnet wir (wir!) gelogen hätten.

Drei Wochen später hatten die Kunden genau soviel gekauft, wie immer klar war. Das war wie vorauszusehen sehr wenig. Das wussten wir ja. Aber für unseren Chef schlug diese Wahrheit wie eine Bombe ein, als ob er davon noch nie gehört hätte. Er regte sich furchtbar über uns auf. Er fluchte, dass wir nicht arbeiten würden. Er wünschte uns zum Teufel. Er schrie seinen Chef an, dass er mehr gute Leute bekommen müsste, und kündigte für uns harte Maßnahmen an. Der Oberchef kam dann und verlangte von uns für jeden einzelnen Fall eine Rechtfertigung, warum der Kunde noch nicht unterschrieben hatte. Jetzt diskutierten wir stundenlang auch die glatt erfundenen Fälle mit dem Oberchef. Die waren so gut und für ihn plausibel erfunden,

> dass er sich gleich für uns persönlich beim Kunden einsetzen wollte. Wir mussten jetzt - sonst hätte es ein Unglück gegeben - heimlich die Kunden anrufen und sie fragen, ob sie das, was wir erfunden hatten, denn nicht wirklich kaufen wollten. Das wollten sie nicht, das war klar, aber sie waren nun vorbereitet, wenn der Oberchef sie besuchen kam. Er hat sie alle besucht und sie waren sehr frostig ihm gegenüber. Er kam schimpfend zurück, dass wir keine warmherzigeren Beziehungen zu unseren Kunden hätten. Er sagte, er sei immerhin froh, dass unser Chef so hart mit uns sei, dem könne er als Einzigem von unserer Gurkentruppe vertrauen.«

So ist die Realität. Das Management drückt und drückt. Keine Sinnfragen! Keine Entschuldigungen zulassen, keine Ausreden - das würde immer »Druck vom Kessel lassen«.

Ratgeber – meine Binsenweisheiten

Indikatoren helfen uns, das eine vom anderen zu unterscheiden. Wenn die Indikatoren gefaked werden, verlieren sie ihre Funktion. Der, der sie nutzt, ist ein Stück erblindet. Was tun?

- Man kann das Faken unterbinden.
- Man kann neue Indikatoren suchen, die noch nicht gefaked werden.

Die erste Möglichkeit bedeutet, dass am besten alle wieder zur Wahrheit zurückkehren und absolut ehrlich miteinander umgehen. Die zweite schickt uns unweigerlich in eine Komplexitätsspirale, denn die neuen Indikatoren müssen immer raffinierter sein, wenn sie nicht gleich wieder manipuliert werden sollen.

Die erste Möglichkeit scheitert am Opportunismus im Unternehmen. Ich denke, es gibt kaum Hoffnung, zur Wahrheit überzugehen, ohne den Opportunismus zu bändigen - ja, und den können wir wahrscheinlich nur wegbekommen, wenn der Druck gemildert wird. Die zweite Möglichkeit ist gangbar, die komplizierteren Indikatoren erfordern aber in der Regel viel mehr Daten an vielen Stellen (das macht das Faken schwierig!), dadurch wird das Datenerheben aufwändiger und immer lästiger.

Oder noch eine Idee? Wir haben gesehen, dass Indikatoren sofort manipuliert werden, wenn sie bekannt sind. Könnte man sie vielleicht geheim halten? Das würde bedeuten, dass man Dinge nach Kriterien beurteilt, die die Beurteilten nicht kennen. Das verwirrt natürlich die, die beurteilt werden ... Aber ein bisschen wird es ja so gehandhabt!

Fazit

Wir haben uns die unselige Tendenz angesehen, dass sich unter Druck alle Menschen sehr viel mehr um die Kriterien und Indikatoren kümmern, nach denen sie beurteilt werden könnten. Es ist zum allgemeinen Sport geworden, sich nach allen bekannten Kriterien gut darzustellen. Dann aber sehen wir mit naiven Augen nur noch Schein, nicht Sein. Wir sind mindestens teilblind geworden, oder man kann sagen: Wir haben uns durch die allgemeine Manipulation eingehandelt, dass das Sehen und Erkennen auch des Einfachsten sehr viel mehr Mühe macht und Aufwand erfordert.

Alles und jedes muss nun nachgeprüft werden. »Ist drin, was draufsteht?« Das kennen wir alle schon beim mühsamen Beurteilen von Lebensmitteln: »Dieses Produkt kann technisch bedingte Spuren von Gammelfleisch verschiedenster auch nichtheimischer Tierarten enthalten, die in der gleichen Fabrik für den Export verarbeitet werden.«

10

Wir kommunizieren wie beim Turmbau zu Babel

Stress, unterschiedliche Interessen und verschiedene Perspektiven in der Sache verschärfen den Opportunismus so sehr, das nun jede konstruktive Kommunikation erstickt wird. Alle reden in langen Meetings aufeinander ein und aneinander vorbei.

Kurzinhalt: Fragt man, woran etwas scheiterte, dann ist oft die erste Antwort: »An der Kommunikation.« Wir empfinden es so, weil wir uns gerade in ätzenden Meetings wie in Schlachten gegenüberstanden und uns natürlich nicht auf eine saubere Lösung verständigen konnten, denn unsere Ziele waren zu divers. Im Grunde müssten wir metakommunikativ, also über unseren egoistischen Zielen schwebend, als Team oder Schwarm ein gutes Ganzes oder eine gute Gestalt formen. Das tun wir nicht. Wir reden gegeneinander an mit den Zungen unserer verschiedenen Ziele: Ich nenne es Mesakommunikation.

Wie kann das Ganze noch etwas wollen?

Wie kann ein Team überlasteter Opportunisten noch gemeinschaftlich etwas wollen? Sie treffen sich in den unvermeidlichen Meetings, um ihre Interessen »abzugleichen«, um sich zu »positionieren« und um einen Vorteil für ihre Abteilung herauszuholen. Die Folge ist eine unsägliche Kommunikation. Darf ich dazu noch einmal auf die Bibel verweisen? Da hatte Gott völlig richtig erkannt, dass sich etliche Menschen mit Schwarmintelligenz zusammentaten, um einen Turm zum Himmel zu bauen. Gott sah, dass sie es wirklich und wahrhaftig tun würden, und erzürnte. Er verwirrte die Kommunikation der Menschen untereinander, auf dass sie von ihrem Willen abließen.

Diese Schwäche in der Kommunikation ist den Menschen bis heute erhalten geblieben. Schwarmdumme Systeme müssen sich unentwegt »abstimmen«. Viele verschiedene Bereiche und Produktsparten haben verschiedene Ziele und jeweils andere Pläne. Sie arbeiten nicht zusammen. Wir haben das schon exemplarisch bei einer Bank gesehen, in der ein Bausparchef, ein Versicherungsboss und ein Investmentfondsarm mit den Kreditabteilungen darum kämpfen, was die Filialberater künftig den Kunden anzubieten haben. Sie reden dann mit »verschiedenen Zungen«.

- Jeder im Meeting vertritt eigene Ziele.
- Jeder hat eine Rolle oder eine Funktion.
- Weil alle opportunistisch sind, gibt es einige *hidden agendas*, also geheime Agenden; man spielt nie mehr wirklich mit offenen Karten.

Intelligente Schwärme haben ein gemeinsames Ziel (wie den Bau des Turms zu Babel), sie arbeiten als Team zusammen, nicht als »Funktionäre« ihrer Bereiche - und sie sind absolut nicht opportunistisch.

Ich war einmal als Jungmanager Mitglied in einem Strategiemeeting. Was zu beschließen war, ging mich nichts an. Es ist dann üblich, sich nicht einzumischen, die anderen streiten alles miteinander aus. Ich hörte aber zu und fand, dass es falsch war, was sie beschließen wollten. Ich meldete mich zu Wort und erklärte, was nach meiner

Meinung wirklich zu tun wäre. Ich hatte sehr gute Argumente im Sinne des Ganzen. Der General Manager zeigte sich sichtlich interessiert. Da sprang einer der Manager auf und rief ziemlich böse: »Welche Interessen vertreten Sie? Was ist Ihre Rolle hier? Was sollen Sie vertreten? In welcher Organisation arbeiten Sie? Wer hat Sie geschickt?« Ich stotterte, dass ich ohne jedes Interesse nur etwas Vernünftiges dazu sagen wollte. Da lächelten einige fast verächtlich: da redet einer angeblich ohne jedes eigene Interesse! Sie glaubten es nicht. Sie schienen den General Manager zu verdächtigen, mich vorschicken zu wollen. Die Kommunikation war gestört.

Ich ging ganz erschrocken heim. War denn alles nur noch Rolle, Funktion, Interesse, Ziel oder Agenda? Sagten sie nicht, es sei eine offene Diskussion über die Zukunft? Seither habe ich gelernt, dass ich vor jedem Meeting erst einmal klären sollte, was jeder im Meeting will.

Ich habe mich später ab und an getraut, beim Beginn von Projekten, also beim ersten Meeting mit den Kunden, alle Anwesenden darum zu bitten, dass jeder Projektverantwortliche mir vorher persönlich-vertraulich mitteilt, wohin er befördert werden will, wenn das Projekt gut verläuft, und ich bat um Auskunft, wen ich bei wem wofür loben soll, wenn ich genug Grund dazu habe. Das gibt einem Projekt mehr Sicherheit, wenn man als Manager quasi wie ein Vater sagt: »Kinder, arbeitet schön zusammen, ich sorge für euch, es wird jedem nach seiner Art Gutes getan.« Wenn sich alle gut aufgehoben fühlen, vergessen sie ihre Funktionen, Interessen und eigenen Häute ein bisschen und können zum intelligenten Projektschwarm werden.

Aber die normale raue Arbeitswirklichkeit nähert sich mehr dem anderen Extrem, wie ich als Berater eines großen Konzerns feststellte: Ein Mitarbeiter hatte gekündigt, man stellte einen Ersatz ein. Der kam zum ersten Arbeitstag und wollte wissen, was seine Aufgabe sei. Da gaben sie ihm für den ersten Tag einen Stundenplan mit der lakonischen Bemerkung: »Das sind deine wöchentlichen Telefonkonferenzen, da musst du stets dabei sein und die Position deines Bereiches vertreten.« Die Pointe: Der Plan sah 24 Stunden in der Woche vor. Der Neue soll entgeistert gefragt haben: »Und was bitte ist meine Arbeit?« Da lachten alle Umstehenden. »Das ist deine

Arbeit.« Das ist ein authentisch verbürgter Fall! Wenn man für jedes Meeting noch ein bisschen vor- und nachbereiten will, dann ist die Zeit rum. Genau deshalb aber, weil es so irre viele Meetings gibt, ist niemand mehr vorbereitet.

Hören wir in eine Telefonkonferenz hinein:

»Ich möchte eigentlich die Konferenz eröffnen, wir sind schon fünf Minuten über die Zeit, weil noch nicht alle zugeschaltet waren. Wir hatten die üblichen technischen Probleme mit der Konferenzschaltung. Ich hatte eigentlich vor, die wichtigen Punkte sofort anzuschneiden, damit wir dafür Zeit haben. Die heutige Agenda habe ich vor dem Meeting an alle versendet. Ich ... Moment, Herbert? Was, du hast die Agenda nicht? Wir schauen einmal, ob etwas schiefging, wir senden sie dir am besten noch einmal. Hat jemand die Agenda noch nicht? Was, im Flughafen? Kein Internet? Ja, dann können wir doch nichts machen ... Moment ... So. Jetzt sind wir schon zehn Minuten über die Zeit, aber ich kann schlecht mit den wichtigen Punkten anfangen, weil sich der Vice President noch nicht eingewählt hat. Sein Assistent sagt, er habe noch einen wichtigen Kundenkontakt. Ich schlage vor, dass wir die Zeit nutzen und erst einmal den Termin für das Folgemeeting vereinbaren. Ich schlage den nächsten Montag, die gleiche Zeit, vor. Aha, da können viele nicht. Warum nicht? Nein, bitte, Entschuldigung, es soll kein Vorwurf sein. Montag ist gut, weil da kein Fußball ist.

[Zwanzig Minuten später] Moment, wir müssen die Terminfindung für die nächste Telefonkonferenz unterbrechen, unser Vice President will uns jetzt seine Entscheidung mitteilen. Bitte sehr!«

»Hallo, ich bin jetzt endlich im Call, mein Assistent wusste erst nicht, welche Durchwahl wir nehmen sollen. Können Sie mich kurz briefen, worum es hier im Call geht?«

»Wir hatten Ihnen die Entscheidungsvorlage per Mail gesendet.«

»Nein, wirklich? Was soll ich entscheiden? Wir schauen nach. Ja, stimmt, da ist eine Vorlage. Ich schaue einmal hinein, einen Augenblick. Aha, ich soll Ressourcen zusagen. Aha, für dieses Projekt da. Kinder, das geht so nicht. Sie können nicht erwarten, dass ich so wichtige Entscheidungen Knall auf Fall treffe. Ich muss mich auch erst absichern und sehen, wo ich selbst das Geld wieder reinbekomme. Ich habe doch keins. Und dann noch etwas zu den Präsentationsfolien. Hier werden endlos Gründe aufgezählt, warum ich die Gelder freigeben muss. Kann man das nicht kürzer ausdrücken, kurz und knackig? Da arbeiten Sie doch tagelang, und dann muss ich wahrscheinlich Nein sagen, weil ich selbst gar nichts alleine entscheiden kann. Lassen Sie uns das Ganze auf die Agenda Ihres nächsten Calls nehmen. Wann ist der? Aha, das legen Sie erst noch fest. Gut, dann habe ich hier nichts mehr zu tun, ich muss in die nächste Telefonkonferenz. Haben Sie noch Fragen an mich? Bitte schicken Sie mir keine Mails mit Fragen, ich bin ja jetzt hier und kann sofort antworten. Aber kurz, ich bin eilig dran.«

»Hallo, hat jemand Fragen an den Vice President? Ja, da ist eine Frage. Ich schalte zu. Fragen Sie bitte!«

»Hier ist Ernst Finster. Ich möchte wissen, warum die Entscheidungen immer so spät fallen, wir müssen dann schon immer die Gelder ohne Ihre Erlaubnis ausgeben, damit wir weitermachen kö...«

Knacks. Der Moderator hat den sprechenden Teilnehmer aus der Konferenz »geforced«. Schweigen. Schrecken.

Der Vice President: »Haben wir für den nächsten Call eine Präsentation [sagt er offenbar zu seinem Assistenten neben ihm am Telefon]? Gut, dann will ich da nur ganz kurz rein und sagen, dass sie alle begeistert sein sollen. Hallo? So, jetzt bin ich wieder da. Ich war kurz mit meinem Assistenten beschäftigt. Wir müssen gleich Leute in einem anderen Call beruhigen, dass sie kein Geld bekommen. Okay, also zur Sache. Ich habe eben die Frage nur mit halbem Ohr gehört. Sie machen da einen sehr guten Punkt. Danke. Ich entscheide eigentlich immer schnell, aber ich habe meist keine Zeit. Ich muss auch immer in einen anderen Call. Es war toll, einige Zeit mit Ihnen gesprochen zu haben. Bitte arbeiten Sie weiter so hart für das Vertrauen, das ich jetzt einmal ohne Grund in Sie setze. Ich kenne Sie ja gar nicht. Dieses Quartal wird nicht einfach, Sie werden mich dann im Status Review gut kennenlernen, wenn Ihre Zahlen nicht stimmen. Da habe ich ganz sicher Zeit für Sie. Aber Sie kennen mich ja. Steigern Sie den Gewinn! Ich zähle auf Sie, Tschüs!«

Die Hölle, das sind die anderen. Meetings à la Sartre. Der sagt in *Zum Existenzialismus, eine Klarstellung*: »Der Mensch kann nichts wollen, wenn er nicht zunächst begriffen hat, dass er auf nichts anderes als auf sich selber zählen kann, dass er allein ist, verlassen auf der Erde inmitten seiner unendlichen Verantwortlichkeiten, ohne Hilfe noch Beistand, ohne ein anderes Ziel als das, das er sich selbst geben wird, ohne ein anderes Schicksal als das, das er sich auf dieser Erde schmieden wird.« Das teile ich ja nicht so wirklich, aber in Meetings kann es stimmen. Meetings dienen der Abstimmung und der Willensbildung auf ein gemeinsames Ziel hin. Das ist die schwarmintelligente Definition eines Meetings. Angesichts des Realen wirkt sie auf uns wie Zynismus.

Verdun-Gleichgewicht der Zahlenkrieger

Überall dort, wo die Anwesenden im Grunde nur Funktionäre ihrer Interessen sind, ist die Willensbildung problematisch. Ausschüsse sind paritätisch besetzt, anderswo scheiden sich Interessen der Arbeitgeber- und Arbeitnehmervertreter, die Parteien beharken sich in rituellem Für und Wider. Es ist ein erbitterter Krieg aus festen Schützengräben, dessen Fronten stabil still stehen. Jede Bewegung erfährt eine Gegenkraft, die sie aufhält.

Einerseits führt die Produktionshast zu Fehlern, andererseits gebieten die Qualitätskontrollen dem Einhalt. Einerseits will jeder Innovationen, aber andererseits drohen sie das alte Geschäft zu kannibalisieren - das Alte hält das Neue nieder. Kunden werden oft schlecht beraten, also zwingt die Regierung die Verkäufer gesetzlich, den Beratungsvorgang zu protokollieren, am Ende muss der Kunde schriftlich bestätigen, dass er richtig beraten wurde. Witzig, wie kann er das? Klingt wie: »Ich habe Ihnen als Mathematikprofessor ein schweres mathematisches Problem übergeben und von Ihnen die Lösung erhalten. Ich bestätige hiermit, dass Sie richtig gerechnet haben.«

Das Unternehmen behandelt Mitarbeiter, besonders die in Asien, nach hiesigen Maßstäben unethisch - es gibt natürlich sofort eine Ethikkommission. Das Unternehmen versucht, sich aus Stress oder Profitgier aus der gesellschaftlichen Verantwortung zu stehlen und spendet nicht mehr gerne wie früher - nun bekommt es eine »Corporate-Social-Responsibility«-Abteilung. Das Unternehmen wurstelt herum - das wird durch ISO-Zertifizierungen unterbunden. Das Unternehmen hält sich opportunistisch nicht an die eigenen vorgeschriebenen Prozesse - es werden immer neue Steuerungs- und Regelungsprozesse eingeführt (»Governance«). Für alles und jedes ist die Verantwortlichkeit festgelegt, weil es unter der allgemeinen Überlastung »sonst keiner mehr tut«. Die Verantwortlichen werden drakonisch rechenschaftspflichtig gemacht (»Accountability«) - »wenn das nicht klappt, gibt es Gehaltsabzüge«. Alles wird transparent gestaltet, alles offengelegt und für jeden einsehbar gemacht (in der Hoffnung, dass Einsehbarkeit zu Einsichtigkeit führt).

Weil unter Überhast nur das Notwendigste getan wird, muss jeder Handgriff, der im Stress unterblieb, durch eine »zum Ablegen von Rechenschaft verpflichtete Verantwortlichkeit« erzwungen werden. Meetings und allgemein Entscheidungsfindungen werden zu Stellungskriegen und Positionskämpfen.

> Die reine Lehre ist, ohne große Anstrengung eine harmonische Balance im Unternehmen zu erhalten – so, wie sie der Gedanke der Balanced Scorecard suggeriert. In Wahrheit halten sich die persönlich rechenschaftspflichtigen Zahlenkrieger gegenseitig in Schach wie einst die Weltkrieger vor Verdun.

In Deutschland gibt es eine relativ weit gehende Mitbestimmungspflicht der Arbeitnehmer. Alle Maßnahmen eines Unternehmens, die in ihre Arbeits- und Lebensweise eingreifen, müssen mit den Betroffenen einvernehmlich geregelt werden. Typischerweise redet »das Unternehmen« oder das Management mit Betriebsräten und Vertretern der Arbeitnehmer (zum Beispiel Gewerkschaften). Die Mitbestimmungsregeln treffen regelmäßig auf den Zorn der Arbeitgeber, die sich in ihrer Autonomie beschränkt sehen. Dieselben Arbeitgeber führen aber endlose Governance-Prozesse und Meetings bis zum Abwinken ein, weil sie anders im Unternehmen die Balance nicht halten können.

Meta- und Mesakommunikation

Wozu kämpft man, wenn sich die Fronten gar nicht verändern? Metakommunikation könnte helfen.

Im Jahr 2013 habe ich ein kleines E-Book *Verständigung im Turm zu Babel* publiziert, in dem ich mir das erste Mal über die Meta- und die Mesakommunikation Gedanken gemacht habe. Hier ein kurzer Abriss davon.

»Metakommunikation ist ›Kommunikation über Kommunikation‹. Menschen metakommunizieren, wenn sie offen besprechen, wie sie miteinander umgehen (wollen) und worin ihre eigentlichen Beweggründe bestehen. Der Begriff der Metakommunikation als ›Ebene über der Kommunikation‹ wird verschieden vage definiert. Ich will ihn hier folgendermaßen konkretisieren:

Menschen oder Parteien können miteinander zu der gesunden Auffassung gelangen, dass sie ihre Kommunikation einvernehmlich und vertrauenstiftend grundsätzlich regeln und dann immer einmal wieder besprechen und adjustieren. Dazu legen sie alle ihre Beweggründe offen und erklären sich gegenseitig ihre Interessen, Prioritäten, die Sicht ihrer selbst, ihre Ziele, Fähigkeiten, Reizthemen et cetera. Sie erklären sich ihre Sichten auf die Welt und bringen gegenseitiges empathisches Verständnis für ihre verschiedenen Wirklichkeitsauffassungen auf. Dieses gegenseitige Verständnis ihrer verschiedenen Sprachen lässt dann doch wieder die Möglichkeit aufblitzen, sich am Turm zu Babel auf ein Zusammenleben und eine gemeinsame Arbeit zu verständigen.«

In einem Unternehmen gibt es so viele »Sprachen« wie Bereiche und Funktionen:

- Produktsparten
- Unternehmensjuristen
- Controlling
- Finanzen
- Verwaltung
- Management
- Ethik
- Soziale Verantwortung
- Unternehmensprozesse und Governance
- Einkauf und Kosten
- Mitarbeiterinteressen
- Märkte
- Ziele und Visionen et cetera

In Projekten spricht man immer von den technischen Leuten, die ein Projekt verwirklichen, und den sogenannten Fachabteilungen, die dann das Erbaute wirklich nutzen wollen. Ich habe viele IT-Projekte erlebt, immer gibt es den Graben zwischen den Nutzern von Programmen, Anwendungen und neudeutsch Apps auf der einen Seite und den IT-Experten auf der anderen Seite. Die einen wissen nicht, was man programmieren könnte, die anderen nicht, wie gerade wirklich gearbeitet wird. Beide aber müssten eigentlich zusammen nachdenken, wie mithilfe der Technologie in der Zukunft gearbeitet werden könnte! Das tun sie nicht oft, sie lavieren um ihre eigenen Interessen herum. Die Technologen möchten einen Superturm von Babel erbauen, die Fachabteilungen fragen sich, ob sie dann noch gebraucht werden, also nicht wegrationalisiert sind, und überhaupt noch ein Büro im neuen Turm beziehen werden.

Und so versinken verschiedene Parteien mit verschiedenen »Sprachen« oder Weltsichten, mit verschiedenen Interessen, Zielen und persönlichen Karrierevorstellungen in »Mesakommunikation«, indem sie bittere Grabenkämpfe auskämpfen. Mesakommunikation ist die Kommunikation ganz aus den eigenen Vorstellungen und Denkgefängnissen heraus ...

Ich habe diesen Begriff in meinem E-Book geprägt, ich wollte einfach ein Antonym, einen Gegensatzbegriff zu Metakommunikation zur Verfügung haben.

Ich habe gegoogelt, ob es ein Fachwort für das Gegenteil von Metakommunikation gibt, also die Verneinung der Möglichkeit einer Metakommunikation. *Meta* ist griechisch und bedeutet »über« oder »darüber hinaus«. Ich gab bei Google ein: »Was ist das Antonym für *meta*?« Das fragen sich offenbar etliche Menschen, und ich fand den richtig wertvollen Artikel *What is the opposite of meta?* von Joe Cheal (downloaden Sie ihn unter http://www.gwiztraining.com/ Whats the opposite of meta.pdf), in dem der Autor das griechische Wort *mesa* wie deutsch »drinnen« vorschlägt. Der Autor zeigt sich genauso erfreut/erleichtert wie ich, dass »mesa« lautlich so gut zu »meta« passt.

Mesakommunikation ist die Kommunikation zweier Parteien, die beide in ihrer eigenen Wirklichkeit gefangen sind und sich aus ihrer jeweiligen Sicht verständigen beziehungsweise sich nicht gut verständigen können. Jedes Problem wird dann einzeln als neuer Konflikt gesehen, der separat ausgestritten wird. Immer neu, jedes Problem. Kennen Sie die ewigen Ehestreitigkeiten, bei denen ein bestimmter Konflikt immer wieder auftritt und zum Streit führt?

- Ehemann oder Ehefrau: »Ich finde, man geht nach einer Party bei uns im Haus sofort schlafen.«
- Ehefrau oder Ehemann: »Ich finde, man wäscht erst ab und räumt auf.«

Metakommunikation würde zu einer langen Aussprache und einer grundsätzlichen Einigung für alle Zeit führen, zum Beispiel »Wir räumen grob zusammen auf, sodass es nicht ganz so wüst aussieht, und schauen nach 15 Minuten, ob es nicht jetzt in Ordnung wäre, schlafen zu gehen.« Metakommunikation versucht, ein einziges Meeting zu haben und nicht so viele, wie es Partys gibt.

Mesakommunikation vertritt die eigenen Interessen in jedem einzelnen Fall grundsätzlich neu. Die jeweils immer einzeln neu gefundenen Lösungen sind nicht so weit von einer möglichen ewigen Lösung entfernt, aber sie kosten unendlich viele Nerven, Meetings und Zeit. Das wissen einige zur Metakommunikation Fähige und versuchen öfter, doch einmal das Kriegsbeil zu begraben. Das kann so klingen:

> »Du machst immer dasselbe Theater!« [der, der ins Bett gehen will].
>
> [Der andere] – »Du machst immer dasselbe Theater, du willst einfach nie aufräumen!«
>
> »Darf ich einmal unabhängig von der jetzigen Problemlage erwähnen, dass wir jeden Monat immer denselben Dialog führen? Wollen wir das nicht einmal grundsätzlich besprechen?«
>
> »Gerne, wir beschließen, dass immer erst aufgeräumt wird. Das willst du aber nicht, deshalb haben wir ja immer dieses Theater. Ich lasse mich nicht unterkriegen, ich schaffe es ja auch jedes Mal, dass wenigstens ein bisschen aufgeräumt wird.«
>
> »Können wir uns denn nicht einigen, dass immer ein bisschen aufgeräumt wird und dass wir dann schlafen gehen?«
>
> »Diese Lösung erreiche ich ja unter heftigem Streit immer schon jetzt. Eine endgültige Lösung muss doch besser für mich ausfallen als eine, in die du bisher schon eingewilligt hast, oder? Ich werde diesen Krieg nicht kampflos verlieren, sage ich dir.«
>
> »Merkst du denn nicht, dass wir uns schon wieder das Leben zur Hölle machen?«
>
> »Die Hölle bist du! Du willst immer nur reden, ich will aufräumen.«

Ich kenne viele solcher trostlosen Meetings, in denen die juristischen, kaufmännischen, technologischen und klimatischen Bedingungen immer neu ausgehandelt werden. Wenn die Zeitungen korrekt berichten, scheint es in der Politik fast grundsätzlich so zu sein. Jeder Vorschlag ist wieder beides gleichzeitig: sozial/unsozial, gerecht/ungerecht oder bezahlbar/unfinanzierbar. Eine generelle Linie wird nie vereinbart, dann könnte man ja gar nicht mehr streiten. »Sag, auf welcher Seite du kämpfst!« - »Da hinten, in dem Schützengraben gleich links von dem Baum, da siehst du Verletzte daneben!« - »Du Trottel, ich will nicht deinen genauen Standpunkt wissen, das hilft mir doch nichts, weil in Verdun die Schützengraben zu nahe beieinander liegen, ich will nur wissen, auf welcher Seite du kämpfst.« - »Ich weiß noch nicht genau, wir haben gestern ein neues Logo bekommen und glauben, dass man uns aufgekauft hat. Morgen gibt es dafür eine Kommunikation von oben. Es kann sein, dass ich in einen anderen Bereich wechsle.«

Wenn in einem Unternehmen weitgehend Mesakommunikation betrieben wird, könnte der Aufwand von Besprechungen und Meetings, für Koordination und Abstimmung fünfmal höher liegen, als es bei einem metakommunikativen Betriebsklima nötig wäre. Ich schätze das so. Fünfmal mehr.

> Mesakommunikation ist die größte Ineffizienz in modernen Unternehmen und eine schier unerschöpfliche Quelle der Schwarmdummheit.

Mesa-Dramaturgie von Strategiemeetings

Manchmal, wenn es zu viel Streit gibt, ist es an der Zeit, im Management ein Strategiemeeting zu veranstalten. Man sagt das so: Strategiemeeting. Vielleicht meint man: Gelegenheit zur Metakommunikation. Die Manager treffen sich dazu in ganz ungezwungener Atmosphäre (sie nehmen die Krawatte ab) und besprechen die Zukunft des Unternehmens. Die Agenda:

- 30 bis 60 Minuten: Der Boss schwört alle auf das Ganze ein und versucht, sie zu begeistern. Er deutet an, dass es Umwälzungen auch personeller Art geben wird, damit der Gewinn steigt. Die Anwesenden hören alles mit gemischten Gefühlen an. Köpfe einiger Anwesender sind schon gerollt, ohne dass es einer gemerkt hat.

- 60 Minuten, nicht kürzer: Der Chief Finance Officer kommentiert die Lage anhand vieler Diagramme, in denen er mit relativen Prozentzahlen um sich wirft, ohne eine absolute Zahl zu nennen, weil das wieder an der Börse ausgenutzt werden könnte. Die Zahlen zeigen, dass es mehr Stress geben muss, so oder so. Das Ergebnis ist nicht so, wie es sein soll. Die Richtung stimmt, aber der Weg ist hart ... In einem speziellen Teil des Vortrags geißelt der CFO einzelne Bereiche, die inakzeptable Ergebnisse zu verantworten haben und zur Rechenschaft gezogen werden. Die betroffenen Anwesenden sind nun sorgenvoll (das sollen sie ja sein) und denken über ihre eigene Haut nach. Sie zittern innerlich.
- Einige Kurzvorträge mit Appellen, doch bitte bei allen Kämpfen nicht zu vergessen, dass die Interessen des Vortragenden auch wichtig sind. Die möchte er im Vortrag sichtbar machen. »Wer meinen Interessen dient, handelt im Sinne des Ganzen.« Gut sind Vorträge über Innovation, Leben mit Dauerstress, Einhalten von Verträgen et cetera. Die Anwesenden halten diese Appelle für vollkommene Zeitverschwendung. Sie wissen das alles, haben aber weder Zeit noch Nerven, entsprechend zu handeln. Wenn es der Boss bloß erlauben würde, könnten sie jetzt Mails bearbeiten. Die Anwesenden mit schlechten Zahlen zittern weiter.
- Mittagessen, danach Break-out-Sessions mit festgelegten gemischten Gruppen, die Ideen für die Zukunft des Unternehmens erarbeiten sollen. Der Boss hofft, dass die Gruppen allesamt gleichzeitig auf die gleichen Ideen kommen, die er selbst hat. Dann kann er sie als einen demokratisch entstandenen Beschluss aller ins Feld tragen. »Ich bitte Sie, bei den Gruppengesprächen jeweils mehrere Vorschläge zu erarbeiten, die sofort umsetzbar sind und noch in diesem Quartal zu Zusatzgewinnen führen. Die besten Vorschläge wählen wir aus und setzen sie sofort in unseren Abendstunden um.«

Die Idee der Strategiemeetings ist oft, dass sich das gesamte Management einmal abseits des Tagesgeschäfts trifft, um miteinander zu reden. Im Klartext: Es wäre fein, sich näherzukommen, Verständnis füreinander und für die verschiedenen Positionen zu gewinnen und vor allem, dann in eine Gesamtstimmung zur Metakommunikation zu kommen. Im Gesamtmeeting soll doch das Ganze im Mittelpunkt stehen.

Was kommt heraus? Bis zum Mittagessen werden sie mit Ungewissheiten konfrontiert, vom CFO gebührend »geprügelt«, dann langatmig und weltfremd belehrt und schließlich gezwungen, sich in den Gruppen zu überlegen, welche Extrameilen sie sich noch vom Boss auferlegen lassen wollen.

Solche Meetings sind nicht immer ganz schlecht - aber die Manager kommen nie so richtig aus ihren Positionen heraus. Alles bleibt »mesa«. Kann man nicht einmal das Zahlenprügeln zu Beginn ausfallen lassen und wirklich »meta« werden? Warum immer diese ätzenden Gruppensitzungen mit der Bitte, sich etwas sofort Wirksames einfallen zu lassen? Könnte man die Aufgaben nicht einen Monat vorher verteilen, damit im Meeting etwas Substanzielles herauskommen könnte? Sind diese Gruppensitzungen nicht Zeitverschwendung?

Ich bin als Redner oft in solchen Umgebungen. Ich habe das Gefühl, dass das Top-Management eigentlich nicht so richtig weiß, was es mit sich anfangen soll. Man übergibt die Planung des Meetings irgendwelchen Assistenten, Event-Managern oder professionellen Mediatoren und lässt diese ihre Riten aufführen, in denen sie die Kommunikation in vorgesehene Bahnen lenken und die Teilnehmer in Schach halten. »Sie haben sich wenigstens wieder einmal alle gesehen.«

Am Ende des Strategiemeetings verpflichtet der Boss alle Anwesenden, doch noch bessere Ergebnisse zu erzielen, und verabschiedet sie mit Tschakka! Tschakka!

Im Sinne des Ganzen ist die Chance vertan. Mehr als »Wir müssen! Wir können alles! Wir schaffen das!« kommt wieder nicht heraus. Es wird kein Ganzes geformt. Es entsteht kein gemeinsamer Wille. Das ist wahrscheinlich auch nicht die Intention. Metakommunikation ist ja normalerweise gar nicht Ziel des Meetings. Das Top-Management will die Manager unter Druck halten und Dampf machen. Manager wollen die Mitarbeiter unter Stress setzen. Ich kritisiere also nicht, dass eine gewünschte Metakommunikation nicht zustande kommt. Ich bin betrübt, dass gar keine Notwendigkeit dafür gesehen wird. Warum nicht? Schwarmdummheit ist durch und durch *mesa*-gestimmt.

Mesa, Macht und Messungen

Nur noch eine kurze Bemerkung: Wir kennen die Maxime »Divide et impera« aus der Machtpolitik. Der Herrscher trennt seine direkten Untergebenen voneinander und schürt ein bisschen Zwietracht unter ihnen, damit sie sich machtpolitisch gegenseitig miteinander beschäftigen und nicht mit ihm. Schon im alten Rom war es den Vasallenstaaten verboten, miteinander Verträge auszuhandeln - da konnten nicht einfach Gallien und Ägypten Handelsabkommen eingehen! Wenn der Top-Manager nach der Devise »Trenne und herrsche« vorgeht, ist Metakommunikation für ihn selbst unter Umständen sogar schädlich. Der Machthaber will ja, dass sich die Untertanen immer wieder ein bisschen reiben.

Die heutige Maxime der Macht heißt eher »Compara et impera«, (Vergleiche und herrsche) oder »Evaluate & conquer« (»Benote und herrsche«): Der Herrscher hetzt seine Untertanen in einen Wettbewerb, der nur einen Sieger kennt. Sie buhlen damit implizit um die Gunst der Macht. Durch die Macht des Leistungsurteils herrschen Manager, Eltern, Lehrer, Journalisten oder Fußballtrainer. Mit so einfachen Vergleichsurteilen wie »Deinen Bruder lieben wir, weil er zu etwas taugt, und dich würden wir auch gerne lieben« kann man Menschen seelisch vernichten (obwohl man sie natürlich eigentlich nur »motivieren« wollte).

In dieser Weise schielen die Schüler der Klasse immer auf das Notenbuch und die Nationalspieler auf die Journalisten. Sie schauen in die Richtung der Macht - und das entzweit sie. Sie bilden dann kein gutes Team und bleiben als Schwarm schwach.

Denken Sie daran: Wenn von intelligenten Schwärmen die Rede ist, dann hat in der Regel ausschließlich das ersehnte Sachziel die Macht und hält sie »meta« zusammen, es geht da niemals um Macht im herkömmlichen Sinne. Diese »alte« Macht kann oft ohne »mesa« gar nicht bestehen. Das aber will sie unbedingt: bestehen bleiben.

Ratgeber – meine Binsenweisheiten

Kommunikation ist so ein weites Feld! In meinem kleinen E-Book-Ratgeber *Verständigung im Turm zu Babylon* geht es um gute Kommunikation, darum, wie man trotz der Verwirrung der Interessen und Denkmuster doch noch gut miteinander klarkommt. Die Kommunikation im dummen Schwarm kann diese guten Ratschläge im Grunde nicht aufgreifen, weil gute Ratschläge das Phänomen der Schwarmdummheit nicht ins Kalkül nehmen. Gute Ratschläge sagen: Lasst erst einmal die Schwarmdummheit an sich hinter euch, kehrt zur Schwarmintelligenz zurück und redet dann vernünftig miteinander!

Das aber ist ein Ratschlag, der es sich sehr einfach macht. Er besagt, dass man erst die meisten Voraussetzungen für schlechte Kommunikation beseitigt und anschließend noch ein paar Ratschläge für gute Kommunikation beherzigt. Tja, so kann das jeder.

Trotzdem: ich fürchte, so muss es gemacht werden.

Fazit

Eine grassierende Schwarmdummheit hat natürlich auch einen negativen Effekt auf unseren Umgang miteinander, auf unsere Kommunikation. Die verschiedenen Ziele, die wir zwangsweise verfolgen, lassen uns in verschiedenen Sprachen reden, die wiederum verschiedenen Perspektiven und Sachzwängen entspringen. Unsere Kommunikation verwirrt sich, weil die Komplexität der Ziele, Denkweisen, Professionen, Methoden, Prozesse, Indikatoren und Manipulationen zu einem immer größeren Durcheinander führt. Es ist fast schon verrückt!

11

Die Schwarmdummheit aller macht uns Einzelne verrückt

Wenn der Schwarm immer so dumm handelt, leiden bald auch die Seele und der Verstand der Einzelnen. Das neurotische Ganze erzeugt neurotische Einzelne.

Kurzinhalt: Die Schwarmdummheit macht uns am Ende selbst ganz verrückt. Damit stabilisiert sie sich ein weiteres Mal und ist nun fast nicht mehr auszurotten. Ich zeige, wie sich Menschen im Klima dauernden Beurteilt- und Überwachtwerdens den Überwachern so zeigen, wie diese es erwarten. Wir werden zu hyperaggressiven Street Smarts, zu zwanghaften Controllern, zu theatralischen Narzissten (Spiel auf Sieg), oder wir werden sklavisch abhängig oder hilflos depressiv (Aufgabe des Kampfes).

Mens insana in corporatione insana

Ich rekapituliere - als Schwarm agieren wir so:

- Wir setzen uns hohe First-Class-Ziele, die wir nie erreichen können.
- Wir haben als Schwarm keinen Schimmer von First Class.
- Wir versuchen es mit harter Arbeit statt mit smarter.
- Wir überlasten uns so sehr, dass alles im Chaos arbeitet.
- Wir kämpfen wie Street Smarts um das Überleben im Dschungel.
- Wir streiten und kämpfen nun gegeneinander (»Wettbewerb«).
- Wir werden unfair und opportunistisch bis hin zum Betrug.
- Wir beschäftigen ungeheuer viele Book Smarts zum Eindämmen des Opportunismus.
- Wir verlieren immer mehr den Blick auf das Ganze.

Das macht uns krank! Wir sprechen immer mehr von psychischen Schäden, von Burn-out und Bore-out, von Depression, ohnmächtiger Hilflosigkeit und Sinnleere. Es ist die Schwarmdummheit, die nun auf uns selbst übergreift und unsere Seele frisst. Die Seele stirbt, noch während wir kämpfen. Ich will das kurz und ohne viel Kommentar an zwei Beispielmenschentypen erläutern:

- die Typ-A-Persönlichkeit,
- Menschen mit hohem Neurotizimusgrad.

Die Typ-A-Persönlichkeit ist ein Begriff der Kardiologen Meyer Friedman und Ray H. Rosenman (*Type A Behavior and Your Heart*), die damit Personen bezeichneten, die wir heute vielleicht »Workaholics« nennen würden. Die Mediziner studierten den Effekt von Stress auf die Gesundheit des Herzens. Typ A ist ein ehrgeiziger Leistungsmensch, der alles sofort schaffen möchte und entsprechend vieles ziemlich aggressiv auf die Hörner nimmt; er ist ungeduldig und stolz darauf, er ist ruhelos bei der Arbeit und wacht ständig darauf, bestmöglich zu agieren. Man könnte sagen, Typ-A-Persönlichkeiten unterliegen einer Art gesellschaftlich akzeptierten Zwangsverhaltens. Dabei agieren Typ-A-Menschen oft aggressiv, Arbeit ist für sie Krieg gegen Konkurrenten. Das Übertrumpfen wird wichtiger als der Erfolg in der Sache, der Sinn für Effizienz in der Sache geht verloren. Alles ist dringend, die Ziele müssen übererfüllt werden. Sofort nach der Erfüllung werden sie abgehakt. Neues Projekt! Am besten werden viele Projekte gleichzeitig bearbeitet, es kommt zum persönlichen Durcheinander, sodass ununterbrochen »gerettet« werden muss. Kennen Sie solche Menschen? Es sind die Menschen, die immer noch gewinnen möchten, egal, wie es steht.

Andere aber zerbrechen. In der Psychologie Hans-Jürgen von Eysencks kommt oft der Begriff des Neurotizismus vor, der das Fehlen von Persönlichkeitsintegration bezeichnet und der Vorstellung einer schlecht organisierten Persönlichkeit nahesteht. Zu den psychologischen Indikatoren für Neurotizismus zählen unter anderem Unsicherheit, Ängste, Launenhaftigkeit, eine Neigung zu Traurigkeit und Melancholie und Stresssensibilität.

Ich lasse diese Typologisierungen einmal fast unkommentiert hier stehen, sie sind irgendwie selbsterklärend. Typ-A-Menschen sind Burn-out-gefährdet, aber die mit einem höheren Neurotizismus würden vielleicht am Kaffeeautomaten in der Firma sagen, die Arbeit mache sie depressiv. Beide Typen haben ihr Ganzes verloren. Typ A verwechselt das Ganze mit dem Ziel, der Typ mit hohem Neurotizismus hat seinen Halt verloren - oder die Arbeit hat ihm den inneren Zusammenhalt genommen.

Wir sind verrückt geworden, aber es gilt nicht als verrückt, weil es ja so gewollt ist. Nach unseren Vorstellungen kann nur das verrückt sein, was außerhalb der Norm ist. Das Normale kann nicht verrückt sein - so definieren wir es ja. Wir merken nicht, dass wir in einem dummen Schwarm agieren, der uns selbst dumm oder verrückt macht.

> Schwarmdummheit ist die Regel, Schwarmintelligenz die Ausnahme. Diese Situation überträgt sich auf die einzelnen Menschen.

Panoptismus – »Ich werde, wie Gott mich sehen will«

»Gott sieht alles!«, so wurden wir früher als Kinder ermahnt, keinen Unsinn anzustellen, wo unsere Eltern nicht selbst die Aufsicht hatten. »Früher oder später kommt alles ans Licht!« - »Beim Jüngsten Gericht wird jeder zur Verantwortung gezogen und bekommt seine gerechte Strafe.« Dieses Gefühl ständigen Überwachtseins durch Gott veranlasst in der Theorie den Gläubigen, tugendhaft zu leben - nicht aus der Einsicht heraus, sondern aus Angst vor der sicheren Strafe.

Diese Idee ist bei den Radarfallen aufgegriffen worden. Weil diese unsere rasante Art registrieren, wenn wir in Fahrt sind, disziplinieren wir uns in deren Nähe und kontrollieren unser Verhalten. Wir benehmen uns für eine kurze Zeit so, wie es die Norm oder die Macht vorschreibt.

Die Idee des Panoptismus ist es nun, uns überall und immer zu überwachen und den ungewissen Gott und das imaginäre Jüngste Gericht durch sehr konkrete Massen von Radarfallen zu ersetzen, die nicht erst zum Weltende wirken, sondern am besten auf der Stelle.

Die Idee des radikalen und vor allem effizienten (!) Überwachens stammt von Jeremy Bentham. Seine Ideen hat er 1787 in einer Reihe von Briefen erläutert, die 1791 als Buch erschienen. Im zeitgenössisch umfangreichen Titel heißt es: *Panopticon; or, the Inspection-House: Containing the idea of a new principle of construction applicable to ... penitentiary-houses, prisons, houses of industry, work-houses, poor-houses, manufactories, hospitals, mad-houses, and schools. With a plan of management adapted to the principle ...*

Es geht also um ein »Inspektionshaus«, das Panopticon (griechisch wie »Gesamtschau«), durch dessen Architektur man Zuchthäusler, Schüler, Verbrecher, Arbeiter, Geisteskranke oder gleich ganze Fabriken vollständig überwachen kann. Benthams Idee wird deutlich, wenn man sich den Grundriss eines solchen Panopticons anschaut, wie er es sich vorstellte.

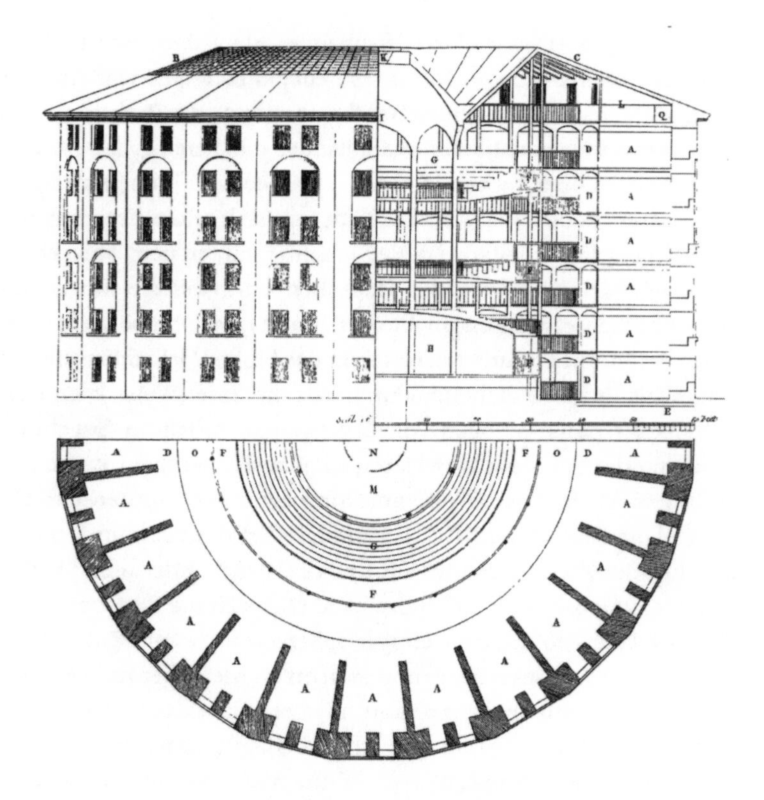

Benthams Panopticon

Der Grundriss des Gebäudes ist rund. An der Außenseite sind viele Zimmer oder Zellen (Buchstabe A), die schöne Außenfenster besitzen und eine helle Atmosphäre verbreiten. Die Wand nach innen fehlt aber ganz. Das Innere des Gebäudes ist so gut wie leer. In seiner Mitte aber ist ein Überwachungsturm aufgestellt, vom dem ein Gefängniswärter (Krankenhausaufseher/Lehrer/Chef) ungesehen von den Überwachten mit einem Fernrohr in alle Zellen schauen kann. Die Insassen sind also zu jeder Zeit vollkommen »transparent«. Sie werden in diesem System nicht ständig überwacht, dazu sind es zu viele für einen Aufseher - aber sie könnten überwacht sein! Es *könnte* zu jedem Augenblick sein, dass das Fernrohr auf sie gerichtet ist.

Bentham entwarf seine Konstruktion ursprünglich für seinen Bruder, der den Fürsten Potemkin bei der Industrialisierung der

Ukraine beriet. (Dieser Fürst ist ebender, dem die geschichtliche Lüge der Potemkinschen Dörfer bis heute anhängt. Er war ein sehr tüchtiger Manager.) Die beiden Benthams wollten das Problem lösen, wie ganz wenige »qualifizierte« Engländer möglichst große Massen von Arbeitern überwachen könnten. Die Idee war: Wenn sich Menschen immer beobachtet fühlen, werden sie sich selbst disziplinieren und reibungslos arbeiten. Da der Wächter hinter dem Spiegelglas nicht sichtbar ist, wissen die Menschen nur, dass sie möglicherweise beobachtet werden, nicht aber, wann oder ob überhaupt. Sie haben Angst. Im Grunde reicht schon das bloße Vorhandensein des Fernrohrs für niederziehende Furcht aus. In dieser Weise kann eine Teilzeitkraft große Mengen von Gefangenen, Arbeitern, psychisch Kranken oder Schülern inspizieren - das weist Bentham 1791 nach. Nach dem Vorbild seiner Originalkonstruktionen wurden tatsächlich Gefängnisse gebaut! Das berühmteste ist das Presidio Modelo, das Ende der Zwanzigerjahre auf Kuba entstand. Bitte rufen Sie den Wikipedia-Artikel dazu auf und schauen Sie sich die Bilder an. Vielleicht sind Sie - so wie ich - einigermaßen erschrocken.

Heute wird dieses reale Panopticon oft als Metapher für die totale Überwachung gebraucht. Im Jahre 1957 erschien das wegweisende Buch *Überwachen und Strafen*, in dem Michel Foucault die moderne Seuche des Panoptismus (Wortschöpfung von Foucault) anklagte.

Heute sitzen wir nicht im hellen Gefängnis mit fehlenden Wänden (»der helle Wahnsinn«), sondern wir werden an jeder Stelle unseres Lebens überwacht. Das sah Foucault schon vor mehr als fünfzig Jahren. Heute diskutieren wir jeden Tag, was Google und Facebook über uns wissen sollen oder dürfen, wir beunruhigen uns über die Totalausspähung der Welt durch die amerikanische Behörde NSA, die für uns heute ganz genau wie das Fernrohr in der Mitte des Zuchthauses wirkt. Die NSA sieht wie Gott alles. Sie schaut nicht ständig auf uns, aber sie könnte ja gerade jetzt schauen. Wir haben uns zu disziplinieren!

Wenn aber Gott alles sieht, so müssen wir unter Bewachung gottgefällig leben - oder NSA-gefällig, je nachdem. Bei der Arbeit überwacht uns der Boss mittels Big Data und Computern im Netz. Jeder Handgriff, jeder Anruf und jede Aktion hinterlassen digitale Spuren, sodass der Boss zu jeder Zeit Bescheid weiß oder wenigstens wissen könnte. Unter diesem Überwachungsstress beginnen wir uns so zu verhalten, wie es der Überwachende erwartet. Wir verhalten uns nach einer vom Boss gesetzten Norm. Welche ist das? Jeder Mensch soll unermüdlich wie ein begeisterter Typ-A-Mensch arbeiten.

Über den Mechanismus des Panopticons wird also implizit angeordnet, dass sich Menschen die entsprechende Persönlichkeitsstörung zulegen.

Neurotische Fokussierung der Menschen im Panopticon

Und nun rödeln wir. Die Politiker, Sportler, Künstler - eigentlich wir alle werden zu Insassen eines Zuchthauses. Es kann in dieser permanenten Öffentlichkeit kaum noch gewagt werden, »authentisch« zu sein. Alle, die im Panopticon wegen der Überwachung Kreide gefressen haben, reden nur noch politisch korrekt und nichtssagend. Top-Manager beten ihre aktuellen Zahlen herunter und betonen, dass ihr Unternehmen gut aufgestellt ist. Künstler sammeln Sympathiewerte, Sportler müssen sich um ihre Werbeverträge sorgen. Jeder hat sein Panopticon und sein Fernrohr. Politiker krümmen sich unter der Sicht der Wähler. Manager sind bedacht auf die Sicht der Shareholder. Prominente achten auf ihre Werbewirksamkeit. Mitarbeiter stöhnen unter dem Blick ihres Chefs. Schüler schielen auf das Notenbuch des Lehrers.

Das muss nicht zwangsläufig so sein, aber es gibt starke Tendenzen dazu. Die großen Politiker achten natürlich mehr auf die Menschheit, die besten Manager wollen Berge versetzen, die Prominenten ewig im Gedächtnis unser aller bleiben. Es gibt etwas Eigentliches, wofür wir alle da sind. Aber dann auch wieder das quälende Fernrohr, das sich in dem Panopticon auf uns richtet.

Viele von uns werden schwach und gehorchen dem Diktat und der festen Erwartung des Wächters hinter dem Fernrohr. Viele von uns fokussieren sich auf den Wählerstimmenfang, auf das Quartalsergebnis, die Huld des Chefs und die Noten in der Schule. Diese Fokussierung verhindert unsere Persönlichkeitsintegration und macht uns neurotisch.

Warum? Wenn wir nur auf die Fernrohre schauen, dann entfremden wir uns dem, was uns nicht direkt quält. So wie die Unternehmen Innovation, Weihnachtsfeiern, gesellschaftliche Verantwortung, Nachhaltigkeit oder Kreativität verlieren (»Alienation Syndrome«), so krümmen wir uns unter dem Fernrohr und vernachlässigen

- unsere Familie,
- unser Privatleben insgesamt,
- die Pflege unseres Heims,
- die Sorge um unsere Alten und unser eigenes Alter,
- unsere Gesundheit,
- unser geistiges und spirituelles Leben,
- die Freude am Leben.

Wir vernachlässigen fast alles - nur eben nicht das, worauf sich das Fernrohr richtet. In diesem Sinne führen wir ein unbalanciertes Leben wie ein Schiff mit Dauerschlagseite, das dennoch schnell den nächsten Hafen erreichen soll.

Die Unternehmen versuchen verzweifelt, die Schwarmdummheit im Panopticon durch Balanced Scorecards einzudämmen. Solche »Personal Balanced Scorecards« brauchten wir für uns privat eigentlich auch. Natürlich gibt es schon Bücher dazu, aber da steht natürlich sehr prominent »Karriere« an einer der Achsen.

Registrieren Sie nicht schon an den immer moderneren Bezeichnungen wie »Life-Work Balance« oder »Employee-Wellness«, dass etwas falsch läuft? Der Intelligente wird mit der Zeit unter langsamer Verkrümmung dressiert, inmitten der Schwarmdummheit zu leben und es mit ihr auszuhalten. Das ist die Neurose - dem Fernrohr das zu zeigen, was von allen dahinter gesehen werden will.

> Schwarmdummheit macht den Einzelnen neurotisch.

Neurosen-Genese im Panopticon

Es gibt jede Menge psychologischer Erklärungsversuche und Theorien, wie es zu Persönlichkeitsstörungen im Menschen kommt. Es gibt viele Fälle, die man gut aus der Familiensituation heraus erklären kann. In solchen Fällen behandeln die Eltern das Kind nach einem stereotypen Muster, unter dem sich das Kind mit der Zeit neurotisch verändert. Die Eltern könnten zum Beispiel immer wieder einen (immer denselben) Satz sagen wie:

- »Das kannst du nicht, bleib schön hier bei Mama.«
- »Du machst nichts richtig, wir sind fast immer unglücklich über dich. Dabei könntest du uns so glücklich machen, wenn du wolltest.«
- »Da - ein Fehler. Es ist nicht perfekt. Du bekommst als Konsequenz die vorgesehene Strafe.«
- »Du bist wundervoll, unser einziges Kind. Wir sind als Eltern gesegnet und von Gott erhört, so ein stolzes Ausnahmekind bekommen zu haben.«

Es sind Sätze von solchen Eltern, die ihre Kinder dauernd im Blick haben. Die Eltern bilden durch ihre ständige Beobachtung und vor allem wertende Beurteilung das Zentrum des Panopticons und sein Fernrohr. Das Kind fühlt sich ständig beachtet und taxiert. Wenn die Eltern diese Grundhaltungen gegenüber dem Kind konsequent durchhalten, dann reagiert das Kind in den jeweiligen Fällen oft so:

- »Mama, ist es gut so? Kann ich das schon? Darf ich das? Mama ich kann es noch nicht gut, ich brauche immer noch deine Hilfe. Ich mache es, so gut ich kann, schimpfe nicht.«
- »Ach, ich habe versucht, es ihnen rechtzumachen, aber ich habe sie wieder enttäuscht. Ich weiß nicht, was ich tun soll. Ich fühle mich hilflos und ohnmächtig. Ich bin ein Nichts. Ich hasse mich beinahe selbst dafür.«
- »Ich versuche alles so genau zu befolgen, wie ich kann. Ich

bekomme nur noch selten eine Strafe. Sie sind meist nur noch etwas unzufrieden. Aber ich bin schon so sehr zuverlässig, dass sie mir kaum noch etwas anhaben können. Nur noch in solchen Fällen, wo sie bei Fehlern sehr, sehr böse werden, überlege ich lange, bevor ich etwas tue. Ich bin sehr sorgfältig geworden. Heimlich denke ich, ich müsste ganz anders sein dürfen, aber davor habe ich natürlich große Angst.«

- »Etwas an mir ist großartig. Ich weiß nicht genau, was es ist. Aber ich muss großartig sein. Meine Eltern tun alles, was ich verlange. Sie finden, dass ich das verdient habe. Nur manchmal höre ich ein bisschen Kritik heraus, das macht mich misstrauisch. Bin ich nun großartig oder nicht? Dann schreie ich sie an. Okay, ich bin großartig. Das finden auch die Lehrer. Na, nicht alle. Einige Lehrer sind Vollidioten, dummes Volk, das meine Großartigkeit nicht erkennt. Oder böswillig aus Neid nicht anerkennt. Die lasse ich links liegen. Ich beachte sie einfach nicht, wenn sie meine Großartigkeit auch nach dem Anschreien nicht checken.«

Diese Reaktionen zeigen »den Erfolg« der elterlichen Herabsetzungen, der Kritiken oder des Verwöhnungsgedöns an. Nun entstehen verschiedene Neurosen beziehungsweise Persönlichkeitsstörungen:

- Abhängige Persönlichkeitsstörung
- Depressive Persönlichkeitsstörung
- Zwanghafte Persönlichkeitsstörung
- Narzisstische Persönlichkeitsstörung

Diese sind in unserem Beispiel den jeweiligen Kindern nicht in die Wiege gelegt worden. Sie wurden von Eltern erzeugt.

So - und nun übertragen wir diese ganze Perspektive auf die Arbeit im Unternehmen. Das Management macht unentwegt Druck und Disstress. Die Mitarbeiter und auch die Manager ächzen. Einige der Mitarbeiter beginnen, sich dauernd beim Chef zu vergewissern, ob sie gut arbeiten. »Ist dies jetzt genau das, was Sie wollen, Chef?« Sie werden abhängig - sie arbeiten nur noch, wenn man es ihnen explizit zutraut und eigentlich vorweg zusichert, sie hinterher zu loben. Wenn der Chef das nicht verspricht, bekommen sie

Beschwerden und arbeiten womöglich nicht - sie wuseln herum und wirken inaktiv und energielos.

Andere Mitarbeiter fühlen, dass sie die Erwartungen des Systems partout nicht erfüllen, auch wenn sie sich noch so anstrengen. Sie werden immer zaghafter, trauen sich immer weniger zu und geben immer schneller auf. Der Begriff der Depression wird auch oft mit dem Hilflosigkeitsmuster und dem frühen Handtuchwerfen (*giving-up pattern*) in Verbindung gebracht. Psychologen wie Martin Seligman sprechen von »erlernter Hilflosigkeit«. Sie verzagen in Ohnmacht und fühlen, dass es keine Hoffnung mehr auf zufriedene Gesichter da oben geben wird.

Besonders die Mitarbeiter in den Stäben, im Controlling, Personalwesen, Finanzwesen und im höheren Management vermeiden es peinlich, Fehler zu begehen. Sie haben Angst vor Konsequenzen und prüfen jede von ihnen geforderte Entscheidung doppelt und dreifach. Sie zögern alles hinaus - »wir brauchen zur Entscheidung noch exaktere Zahlen«. Sie lavieren, prüfen und analysieren - *analysis paralysis* heißt es oft. Innerlich sind sie ärgerlich auf das Unternehmenssystem, sie wissen oft, dass es anders sein sollte, aber es wäre ein Fehler, das zu offenbaren. Die Zwanghaftigkeit hält sie eisern in der geforderten »Maske«.

Und da sind die offensichtlichen Narzissten, die sich wie Götter fühlen und wie die geborenen Vorgesetzen. Erfolg ist ihr Erfolg, und Misserfolg ist auf das niedere Volk zurückzuführen, das einfach alles vermurkst. »Wenn Narzissten Chef sind, leiden die Mitarbeiter«, weiß die Psychologie. Narzissten lassen sich von den Mitarbeitern feiern wie eventuell einst von den Eltern. In beiden Fällen wird etwas verehrt, was außerhalb von ihnen ist, der Stolz der Eltern oder die angeordnete Begeisterung für das Unternehmen. Das spüren Narzissten wie ein Wunder in sich, dass da etwas bewundert wird, was gar nicht in ihnen ist - und das macht sie bei allem Wohlgefühl misstrauisch, ob das vergehen könnte. Wehe, jemand bewundert sie nicht!

Abhängigkeit, Depression und Zwanghaftigkeit sind Neurosen, die das dauernd antreibende und stets leistungsmessende System wie ein Panopticon erzeugt. Das Panopticon des Unternehmens wirkt wie unablässig neurotisierende Eltern, die nie zufrieden sind.

Vorhandener Narzissmus bei Managern wird durch das Selbstfeiern in Meetings und protzige Dienstwagen extrem verschärft.

An diesen Beispielen vierer Persönlichkeitsstörungen möchte ich Ihnen gezeigt haben, dass die Systematik der Schwarmdummheit (utopische Ziele, deren Erreichbarkeitsgrad dauernd berichtet werden muss) die Mitarbeiter in solche Neurosen oder vielleicht Arbeitsneurosen (nur zwischen 8 Uhr morgens und 19 Uhr abends) treibt.

Wir alle wissen, wie sehr Kinderseelen geschändet werden, wenn man ihnen sehr oft Dinge sagt wie: »Deine Schwester ist immer besser als du, die haben wir auch lieber als dich!« Dann vernichtet man sie seelisch und verbiegt ihre Seele. Bei Erwachsenen aber ist das aggressive Vergleichen von Leistungskennziffern und das Verteilen von Boni der wichtigste »Motivierungsmechanismus« der Unternehmensführung. Was bei Kindern die Seele zerstört, ist bei Erwachsenen die Methode der Wahl, um sie anzustacheln. Wieso ist das Erste als Elternverbrechen akzeptiert, das andere als allgemeines Führungskonzept ausersehen?

Wegen dieser allgemeinen Schwarmdummheit, Menschen durch die Androhung psychischer Verletzungen zu »motivieren«, also zu beherrschen, haben wir nun diese ganze Misere: Die Zahl der psychischen Krankheiten steigt seit Jahren an. Die Depressionen nehmen zu, die Burn-outs der zwanghaften Mitarbeiter, die den Druck nicht aushalten, dass sie unter Überlast versagen könnten, dass sie Fehler machen und bestraft werden könnten.

Das Arbeitsleben füllt sich mit Neurotikern und künstlich erzeugten oder dressierten Typ-A-Menschen. Ich schrieb schon: Einzeln sind wir vielleicht klug, aber als Team spinnen wir. Zur Abschreckung zitiere ich aus dem DSM IV, dem wohl berühmtesten Klassifikationshandbuch für psychologische Diagnosen, die »amtlichen« weltweit akzeptierten klinischen Diagnosekriterien für die zwanghafte Persönlichkeitsstörung oder *Obsessive-Compulsive Personality Disorder*.

Laut DSM IV kann bei einem Menschen diese Störung dann diagnostiziert werden, wenn mindestens vier der folgenden Kriterien erfüllt sind (zitiert nach dem Wikipedia-Artikel zur zwanghaften Persönlichkeitsstörung). Der Patient:

1. beschäftigt sich übermäßig mit Details, Regeln, Listen, Ordnung, Organisation oder Plänen, sodass der wesentliche Gesichtspunkt der Aktivität verloren geht;
2. zeigt einen Perfektionismus, der Aufgabenerfüllung behindert (zum Beispiel kann ein Vorhaben nicht beendet werden, da die eigenen überstrengen Normen nicht erfüllt werden);
3. verschreibt sich übermäßig der Arbeit und Produktivität unter Ausschluss von Freizeitaktivitäten und Freundschaften (nicht auf offensichtliche finanzielle Notwendigkeit zurückzuführen);
4. ist übermäßig gewissenhaft, skrupulös und rigide in Fragen der Moral, Ethik und Werte (nicht auf kulturelle oder religiöse Orientierung zurückzuführen);
5. ist nicht in der Lage, verschlissene oder wertlose Dinge wegzuwerfen, selbst wenn diese keinen Gefühlswert besitzen;
6. delegiert nur widerwillig Aufgaben an andere oder arbeitet nur ungern mit anderen zusammen, wenn diese nicht genau die eigene Arbeitsweise übernehmen;
7. ist geizig zu sich selbst und anderen gegenüber, weil Geld im Hinblick auf befürchtete künftige Katastrophen gehortet werden muss;
8. zeigt Rigidität und Halsstarrigkeit.

So - nun stellen Sie sich Experten oder Manager in der Hauptverwaltung eines größeren Unternehmens vor, die in den Bereichen Finanzen, Personal, Controlling, Vertragsabwicklung, Einkauf und so weiter arbeiten. Nehmen Sie an, das wären die Patienten, die nach diesen acht Kriterien beurteilt werden müssten. Wie viele von ihnen müssten dann gleich ab in die Behandlung?

Cipolla und die Gesetze der Dummheit

Der Schwarm entwickelt Schwarmdummheit, und diese wirkt auf die Einzelnen zurück und macht sie vielleicht nicht dumm, aber neurotisch, engstirnig und opportunistisch. Der Einzelne bekommt unerreichbare Ziele, in deren Interesse er finster entschlossen agiert und sie vernagelt wie eigene Interessen gegen andere im Schwarm vertritt.

Das Ganze versinkt in einer unübersichtlichen Kleinkriegslage, die man dann »Komplexität« nennt. Diese Komplexität entsteht aus der Schwarmdummheit, also fast immer - weil Schwarmintelligenz die eher seltene Ausnahme ist.

Carlo M. Cipolla hat eine faszinierende Satire geschrieben: *Die Prinzipien der menschlichen Dummheit*. Lesen Sie die dreißig Seiten lieber genüsslich selbst, auch wenn ich die Prinzipien hier kurz kommentiere. Cipollas Gedanken kreisen um den Prozentsatz der Dummen in einer Gemeinschaft. Dumme definiert er als Menschen, die durch Aktionen anderen schaden, ohne sich selbst zu nützen. Er unterscheidet Dumme von Banditen, die anderen schaden, um sich selbst zu nützen.

Ein Beispiel nach Cipolla: In unserer Demokratie wählen wir schlechte Politiker - so empfinden wir es als »Politikverdrossene« selbst. Scharf logisch geschlossen: Dann schaden wir doch durch den Akt unseres Wählens dem Staat als Ganzem und ziehen selbst als Wähler keinen Nutzen aus unserer Aktion. In diesem Sinne sind Wahlen dumm und die Wähler dumm ...

Cipolla stellt fest: Erstens wird der Anteil der Dummen in einer Menschenmenge immer unterschätzt. Und zweitens: Der Anteil der Dummen in einer Menschenmenge ist immer gleich, egal ob es sich um eine Gruppe von Analphabeten, die Teilnehmer an einem Ärztekongress, die Fans beim Public Viewing oder die Abgeordneten im Parlament handelt. Drittens: Menschen, die nicht dumm sind, unterschätzen die Gefährlichkeit der Dummen und ihrer Dummheit. Und schließlich: Dumme sind gefährlicher als Banditen. So weit Cipolla.

Das kleine rote Büchlein hat immer wieder, wenn ich es staunend zur Hand nahm, einen ganz eigenen Reiz auf mich ausgeübt. Besonders die natürlich satirisch gemeinte Aussage, dass der Anteil der Dummen in einer beliebigen Menschenmenge immer gleich ist, fand ich irritierend. Ich konnte immer nachfühlen, dass da etwas Wahres dran ist, aber wie kann das kommen? Warum ist der Anteil der Dummen an der Hotelrezeption, in der Universitätssenatssitzung oder in der Vorstandsetage eines Unternehmens immer der gleiche?

Nun, da ich diesen Abschnitt zu Ende geschrieben habe, stelle ich das Buch von Cipolla vielleicht das letzte Mal ins Regal zurück. Ich glaube, ich habe jetzt den Schlüssel gefunden:

Jede schwarmdumme Menge erzeugt Arbeitsneurosen unter den Mitgliedern des Schwarms, sodass sich am Ende ein stabiles neurotisches Gleichgewicht von Dummen im Sinne von Cipolla herausbildet. Dieses *stabile* Gleichgewicht bildet das Fundament für die Schwarmdummheit.

Ein dummer Schwarm schadet anderen, ohne sich selbst zu nützen. Unternehmen zetteln zum Beispiel Preiskriege an, an denen sie selbst sterben. Parteien beschimpfen sich, anstatt für das Land zu arbeiten, und kommen auch selbst nicht weiter. Länder versuchen es mit Aufrüstungsspiralen und Wirtschaftskriegen und siechen dahin. Interne Sitzungen und Meetings machen neurotisch, die vor dem Meeting noch Intelligenten werden zu Kampfhähnen und zanken sich, bis die Stunde herum ist - die Schwarmdummheit wird endlos durch Vertagen weitergetragen.

Ratgeber – meine Binsenweisheiten

Wenn Sie noch nicht verseucht sind, werden Sie sich beim Lesen gegraust haben. Wenn Sie sich gut amüsiert haben, weil sie Ähnlichkeiten mit der Wirklichkeit entdeckt haben, steht es vielleicht schlimm um Sie. Sie sind ja dann auch Teil dieser Wirklichkeit, ohne sich zu grausen. Wie kann das sein? Ich verzichte lieber auf einen Rat, oder?

Da läuft gerade ein Nashorn über die Straße. Ich schreie laut: »Passt auf!«, aber sie sagen, da war kein Nashorn. Sehen sie es nicht? Da hinten am Wald scheint noch eines zu stehen. Es frisst einen Baum an ... Das Leben mit der Schwarmdummheit kann in absurdes Theater ausarten. Als ich zur Schule ging, war eine neue Kunstrichtung en vogue, das absurde Theater. Wir schauten uns Dramen wie *Die Nashörner* von Eugène Ionesco an. In dem völlig absurden Stück mutieren nach und nach alle Schauspieler zu Nashörnern! Diese Verwandlung scheint aber kaum jemandem aufzufallen, keine Warnung, kein Hinweis kann diesen Vorgang aufhalten, im Gegenteil: sie verschlimmern nur die Situation für die Warner, da ihnen nicht geglaubt wird. Wir mussten das damals so interpretieren, dass eine totalitäre Macht nach und nach alle Einwohner eines Landes in ihrem Sinne umdreht oder dass im Zuge des damaligen Algerienkriegs Hass und Rassismus in Frankreich entstehen. Aha, so hat Ionesco alles gemeint!

Im Lichte von Ionescos Drama könnten wir auch eine andere Interpretation wagen - eine umfassendere? Nach und nach kippen alle in Schwarmdummheit um, die alle zu Nashörnern macht. Die Warner - die Vernünftigen - wüten wie Omega-Tiere, werden aber isoliert und ignoriert. Vernunft ist ein Omega, ich sagte es schon. Das Phänomen der Schwarmdummheit schließt totalitäre Systeme mit ein - ich beantrage eine weitgeistigere Neuinterpretation von Ionesco!

Ionesco hat das Drama mit lauter Nashörnern enden lassen. Wir bräuchten nun noch als Ratgeber eine detaillierte Prozessbeschreibung einer Entnashornifizierung inklusive einer Kosten-Nutzen-Analyse. Ohne eine solche erscheint es fraglich, ob das Nashornifizieren überhaupt reversibel ist ... Ich weiß im Moment keinen Rat außer diesem: »Fassen Sie sich an Ihre Nase und schauen Sie, wo Sie stehen. Und dann hören Sie bitte auf die Omegas (die Protagonisten der Vernunft in der Opposition oder Diaspora).«

Fazit

Wir werden wie in einem Panopticon dauerhaft überwacht, angestachelt, beurteilt und unter gegenseitigem Opportunismus zu Hochleistung angehalten. Dadurch leben wir in einem eigentlich unerträglichen Klima der Schwarmdummheit. Menschen können sich natürlich anpassen und das Leiden in sich begrenzen, indem sie ihre Intelligenz aufgeben und im erträglichen Hafen einer geeigneten Arbeitsneurose Schutz suchen. Welche Neurose gerade passt, hängt vom Individuum und von seiner relativen Erfolgslage ab. Vielleicht gibt es schon Psychotherapeuten, die bei der Auswahl helfen, also nicht dadurch destruktiv werden, Sie heilen zu wollen.

12

(Wie) Können wir gemeinsam klüger werden?

Es ist nicht ausgeschlossen, dass mehr Schwarmintelligenz in die Menschheit einzieht. Doch wenn es je gelingt, dann nur auf einem langen, steinigen Weg.

Kurzinhalt: Noch hat unsere Gesellschaft das Problem nicht erkannt. Sie kämpft gegen Gierige und Kriminelle, weil diese stören, tut aber gegen Schwarmdummheit fast nichts. So taugen auch die vermeintlichen Lösungsideen gegen die großen Krisen nichts – sie werden uns nicht helfen, aus der Spirale der Schwarmdummheit auszubrechen. Es fehlt eine Vision, eine, die jeder versteht, die begeistert und zum Aufbruch motiviert. Das wäre gut.

Das Fehlen der Schwarmdummheit bei den alten Philosophen

Die alten Philosophen haben sich auf die Fragen der höchsten Werte, der wichtigsten Tugenden, der Eigenschaften des besten Einzelmenschen und der idealen Gerechtigkeit im Staat konzentriert. Wie soll der Mensch erzogen werden? Wie wollen wir ihn haben? Wonach soll er streben? Was ist der Sinn seines Lebens? Wie lebt er mit anderen zusammen? Wie muss ein bestmöglicher Staat organisiert sein, damit alle in Glück und Frieden zusammenleben?

Platon beziehungsweise Sokrates und Aristoteles haben uns im Altertum sittliche Ideale mitgegeben, die uns seitdem eine wichtige Orientierung geben. Jesus verlangt, dass wir unseren Nächsten lieben. Kant findet die Welt in Ordnung, wenn sich die Menschen das Handeln nach dem kategorischen Imperativ zur Pflicht machen. Buddha erkennt das allgemeine Leiden der Welt und spricht zu uns: »Lass ab von Hass, Gier und Verblendung!« Konfuzius entwirft das Bild des Edlen, das jedem Menschen Leitbild sein soll, und stellt sich eine allgemeine Erziehungsanstrengung der Menschheit zu ihrer eigenen Veredelung vor. Er seufzt, dass alle Kinder irgendwie gleich geboren werden, aber dann je nach ihrer guten oder schlechten Erziehung voneinander getrennt werden (dieses Problem stellt sich heute wieder: wer wird schon für die Wissensgesellschaft erzogen, wer nicht?).

Alle diese Ideen leiden darunter, dass die Menschen diesen sittlichen Idealen nicht so einfach folgen wollen, jedenfalls nicht in ihrer Masse. So müssen die ab und zu doch noch glücklichen und friedlichen Zeiten der Menschheit immer lange auf sich warten lassen. Irgendetwas scheint die Menschen hartnäckig im Bösen verhaftet zu lassen, seit sie ihre Unschuld bei der Austreibung aus dem Paradies verloren haben. Woran liegt das? Wahrscheinlich am Staat, sagen manche, weil der einen künstlichen Zustand schafft, der den Menschen verkünstlicht! Ist nicht der wahre Naturzustand eine Idylle der Unschuld wie in den Schäferromanen? Küsst nicht im Himmel der Löwe das Lamm?

Warum bleibt die Welt so böse? Sind es die Repressionen des

Staates und der Mächtigen, die uns unglücklich machen? Sollen wir den Romantikern zurück in die Natur folgen? Oder leidet der Mensch als Individuum unter seiner Erbsünde?

Im Jahre 1651 erschien das Werk *Leviathan* des Philosophen Thomas Hobbes: Der Mensch sei sich im Gegensatz zum Tier bewusst, dass er um sein eigenes Leben besorgt sein und in Notlagen ohne Rücksicht dafür kämpfen müsse. In Notsituationen, die viele Menschen beträfen, würden dann alle gleichzeitig um ihr Leben kämpfen, quasi jeder gegen jeden. Ohne eine starke gesellschaftliche Ordnung komme es deshalb immer wieder zum »Krieg aller gegen alle« (*bellum omnium contra omnes*). Hobbes fordert die Einsetzung eines absoluten Gewaltmonopols (am besten in Person eines weisen absoluten Herrschers), um die Bürger voreinander zu schützen und sie davor zu bewahren, wie Tiere aufeinander loszugehen.

Macht also der Staat die Menschen so böse, weil er wider die (gute) Natur des Menschen eingesetzt ist? Oder ist es gerade die staatliche Gemeinschaft, die das Individuum wider dessen (böse) Natur bändigt und es in der Gesellschaft prosperieren lässt? Ist der Mensch als Individuum gut oder böse? Wird er durch Erziehung gut oder bleibt er ohne sie hinter den Erzogenen chancenlos zurück?

Cipolla unterscheidet in seiner Satire vier Menschenarten:

- Intelligente: Ihre Taten nutzen anderen und sich selbst.
- Unbedarfte: Ihre Taten nutzen anderen, ihnen selbst aber nicht.
- Banditen: Ihre Taten nutzen ihnen auf Kosten anderer.
- Dumme: Ihre Taten schaden anderen, ohne ihnen selbst zu nutzen.

Vielleicht ist es jetzt ganz schön frech, die ehrwürdigen Weisen in Verbindung mit Cipolla zu diskutieren. Aber die philosophischen Idealisten feiern schäferidyllisch, dass gute Menschen das Geben höher stellen als das Nehmen und dass sie auf keinen Fall anderen schaden würden. Der Mensch, den sie propagieren, ist also intelligent oder unbedarft. Das Gegenstück, den Banditen, bekämpfen die Idealisten als das unnatürliche Böse. Hobbes dagegen sieht den Naturzustand des Menschen eher als Banditen, der sein Leben auch auf Kosten anderer erhalten muss - das ist seine wahre Natur. Der weise Staat mit seinem Gewaltmonopol hält dann diese Banditenseite seiner Natur nieder.

Immer geht es um das Gute gegen das Böse - eigentlich kämpfen alle gegen den Menschen, der sich wie ein Bandit benimmt, der also seinen Vorteil auf Kosten anderer erlangt. Die Unbedarften werden eher gelobt, die Dummen werden nur ab und an betrachtet - man nimmt sie eben hin und versucht sie etwas aufzuhellen. Das Phänomen der Schwarmdummheit aber kommt in den Philosophien noch nicht vor! Die Philosophen ersinnen Theorien der Erziehung, der Moral und Ethik und des Staatswesens, um die Banditen in Schach zu halten. Es geht immer nur um Banditen, um Banditentum oder einzelne schlechte Menschen.

> Alle Philosophien klagen zwar über Dumme, aber sie kämpfen gegen Banditen.

Mit diesem Buch zeige ich, worum es heute geht: Die wirkliche Seuche bilden intelligente Menschen, die sich so organisieren, dass ihre Zusammenarbeit zur Ausbildung von Schwarmdummheit führt. Wir brauchen also ganz neue Wissenschaften und Theorien, die sich mit diesen neuen Fragen befassen:

- Wie erzeuge ich Schwarmintelligenz in größeren Schwärmen?
- Wie verhindere ich das Ausbilden von Schwarmdummheit?

Die erste Frage wird heute natürlich schon gestellt, die Antworten aber gehen von kleinen Teams aus, die zum Teil extreme Schwarmintelligenz zeigen können. Dann aber fällt man darauf rein zu glauben, dass etwas, was in kleinen Teams klappt, auch im Großen funktioniert. Diese Annahme ist dumm, ich bin darauf am Anfang des Buches schon kurz eingegangen. Deshalb sind auch alle Antworten falsch und erzeugen Dummheit. Nehmen Sie bitte dieses harte Statement hin.

Immer wieder gibt es Hypes um kleine Firmen, die wunderbar anders wirtschaften, nur glückliche Mitarbeiter kennen und fabelhafte Gewinne einfahren. Das weiß ich! Aber es sind immer Firmen mit charismatischen Anführern, die aufgrund von Innovation und guter Konjunktur in den Himmel schießen. Ohne einen Steve Jobs (Apple) oder Richard Semler (Semco) trübt sich alles wieder schnell ein. Wenn das so einfach wäre, Schwarmintelligenz zu erzeugen, dann hätten wir sie doch in viel größeren Mengen und könnten daraus wieder an vielen Beispielen lernen, wie es noch besser geht, Schwarmintelligenz zu erzeugen.

Ganz unbekannt ist anscheinend das gefährliche Ausbreiten der Schwarmdummheit, die eben von den Vordenkern noch gar nicht auf dem Radarschirm geortet wurde. Warum sieht niemand diese horrende Schwarmdummheit, die ich in diesem Buch darstellte? Warum fehlt allen der Sinn für Gruppendummheit? Die Antwort besteht für mich in einer Modifizierung von Cipollas viertem Prinzip der Dummheit: Menschen, die nicht dumm sind, unterschätzen stets das Gefährlichkeitspotenzial der ungehemmten Bildung von Schwarmdummheit.

Und woran liegt das? Ich kann dieses Statement von mir jetzt nicht genug betonen: Intelligente Menschen, also fast alle, verwechseln Schwarmdummheit mit Gier.

Schwarmdummheit ist eben noch nie untersucht worden, und deshalb können wir sie nicht gut bekämpfen. Wir verstehen sie als Phänomen noch nicht! Wo sie auftaucht und uns stört, halten wir sie für »Gier« - wie die Boulevardblätter genüsslich titeln. Gier! Gier! Gier! Gier! Hören Sie: Gier ist die Triebfeder des Banditen! Banditen sind nicht so gefährlich, gegen sie haben wir die Polizei. Das funktioniert. Dumme aber befehligen ganze Armeen (und führen Kriege oder Wirtschaftsunternehmen, die anderen schaden und ihnen selbst nicht nützen)!

> Wir brauchen nicht nur eine Anti-Banditen-Philosophie, sondern auch eine gegen Dumme!

Schwarmdummheit ist *nicht* Gier!

Utopische Ziele im Panopticon erzwingen den Krieg aller gegen alle. Jeder wehrt sich seiner Haut. Hobbes sah aus seiner historischen Situation heraus (als der *Leviathan* entstand, befand sich England seit Jahren im Bürgerkrieg, 1649 wurde Karl I. hingerichtet) die Unruheherde damals in Furcht, Ruhmsucht und Unsicherheit. Heute sind es Angst, Erfolgszwang, Unsicherheit, eine schon fast zwingend voraussehbare Altersarmut und die Überforderung unserer Seele im Stress.

Hobbes erklärt die ganze Unruhe als »Naturzustand« des tierischen Menschen im Überlebenskampf, aber unsere heutigen Probleme sind vollkommen hausgemacht: Es ist die Schwarmdummheit, die durch die Ökonomisierung des Lebens den wesentlichen Nährboden erhalten hat. Es ist kein Naturzustand, sondern initiale Dummheit, irreal hohe Ziele zu verfolgen und Menschen unsinnig zu hetzen.

Wir sehen heute, dass unter dem Druck und dem Stress die Politiker nur noch hinter Stimmen her sind, die Manager hinter Zahlen, die Lernenden hinter Noten - ich habe es mehrmals erwähnt. Das tun sie nicht aus Machtgier oder Erfolgsgier. Sie tun es als Getriebene im künstlich erzeugten Krieg aller gegen alle.

Ja, es gibt Gierige - Banditen im Sinne Cipollas -, die jeden Schaden anderer oder des Ganzen hinnehmen, wenn es nur ihnen selbst nützt. Die gibt es, wie es sie immer gab. Die stellen wir an den Pranger und hassen sie. Unser Fehler aber ist, nun alle als Gierige zu bezeichnen, die einfach nur reich sind. Gehen Sie durch die Liste der Superreichen, Stars und Top-Sportler - ist unsere derzeitige Fußballweltmeisterelf ein Club von Gierigen? Sind unsere deutschen Milliardäre gierig? Einige vielleicht, aber doch nicht in der Masse?

Wir irren uns gewaltig, wenn wir den Grund unserer Misere in der Gier vermuten und nicht da, wo sie herkommt: aus dem gewollten Krieg aller gegen alle. Wir wollen den Wettbewerb, wir wollen die Mondziele, die harten Prüfungen und die Verschulung an den Universitäten, das G8-Abitur, die »objektiven Leistungsbeurteilungen« nach Zahlen, das Mobben der Minderleister und die Herstellung unserer Güter durch Asiaten unter Sklavenbedingungen. Dieser ganze stressende Rahmen erzeugt den künstlichen Krieg.

In diesem Krieg kämpfen wir in Angst und Unsicherheit um ein doch noch gutes Leben. Wir könnten mutig sein und auf die Barrikaden gehen, um das Ende des Kunstkriegs zu erzwingen. Nein, wir verlassen die Gewerkschaften und die Kirchen, um die Beiträge dafür zu sparen. Wir glauben nicht mehr an das Intelligente und Gute in uns. Wir fügen uns leise und ohnmächtig dem Druck. Nun sind wir Mittäter, die sich im Panopticon krümmen und nach Punkten gieren.

> Wir gieren meist nicht wie Raubtiere. Wir sind in der Mehrzahl keine Banditen, die andere betrügen wollen. Wir gieren nach Punkten, weil wir überleben müssen. Wir sind schwarmdumm.

Schauen Sie sich zum Beispiel selbstständige Versicherungsvertreter an, die hatten immer ihren Kundenstamm und boten uns Versicherungen an. Sie verdienten damit gut, sie hatten einen angesehenen Beruf. Sie waren absolut nicht gierig! Das stach die Konzerne, für die sie arbeiteten. Die Konzerne verlangten immer mehr Unterschriften unter Versicherungsverträge, sie zwangen die einstigen netten Versicherungsmakler, schwarmdumm gierig zu werden. Autohändler umwarben uns freundlich - das ist vorbei. Sie müssen jetzt Autos in Massen verkaufen, die Konzerne zwingen sie dazu. Jetzt drücken sie uns Tageszulassungen, Jahres- und Haldenwagen rein. Sie benehmen sich gierig, aber sie sind es nicht. Sie stehen im Kampf aller gegen alle. Sie waren früher im Paradies, damals waren es nette Menschen, die in unserem Interesse dachten und agierten. Die Ökonomisierung hat sie in eine schwarmdumme Masse assimiliert.

Ab und zu sticht aus dieser schwarmdummen Masse jemand heraus, der wirklich gierig ist. Da sind Manager, die eine Firma aufs Spiel setzen. Da sind Ärzte, die sich bestechen lassen, damit sie dafür sorgen, dass Organtransplantationen vorgezogen werden. Da sind die gierigen Millionäre auf den gekauften Steuer-CDs. Ja, das sind im Sinne von Cipolla Banditen, die sich auf Kosten anderer bereichern. Aber wir anderen sind gierig, um zu überleben. Wir sind wie schwarmdumme Bankmitarbeiter, die den Kunden schaden, ohne sich selbst wirklich zu nützen. Die wahrhaft Gierigen bezeichnen wir Schwarmdummen als »Gierige, die den Hals nicht vollbekommen«. Sie scheinen uns die wahren Schuldigen am derzeitigen Krieg aller gegen alle, gegen sie wettern wir, gegen sie fordern wir harte Strafen und Gesetze. In der Gier liegt das Übel der Welt. Wer die Gier beseitigt, gewinnt eine bessere Welt. Nein!

> Schwarmdummheit muss in Schwarmintelligenz gewandelt werden. Dazu muss man gegen die Dummen kämpfen, nicht immer nur gegen die Banditen.

Wetteifer versus Wettkampf

Schwarmdummheit entsteht aus dem Versuch der Manager, uns die Arbeit als Daseinskampf um Erfolg zu organisieren. Wir müssen! Schwarmintelligenz entsteht durch das sehnende Streben nach einem gemeinsamen Ziel. Solch ein Team will!

Ich halte so oft Vorträge mit Titeln wie »Innovation ist wie Wollen - Wandel ist wie Müssen«. Es sind zwei vollkommen verschiedene Zustände des Menschen - das Streben und das Kämpfen-Müssen. Am besten kann ich es vielleicht am Unterschied zwischen »Wetteifer« und »Wettkampf« darstellen.

Ein kleiner Junge sagt zu einem anderen, der sehr schnell laufen kann: »Schau da den großen Baum. Lass uns bis zu dem um die Wette laufen. Ich will mich an dir messen. Ich will wissen, wie sehr ich noch über mich hinauswachsen muss und wie du läufst.« Dann rennen sie los, der Kleine verliert. Das hatte er gewusst. Er lächelt. Er hat gelernt. Er wird engagiert üben.

Und wie war es bei der Bundeswehr? Anders, nämlich so: »Soldaten! Da hinten ist ein Baum. Zum festlichen Abschluss unserer Marathon-Abnutzungsübung werden Sie alle versuchen, diesen Baum sehr schnell zu erreichen. Damit Sie nicht schlappmachen, haben wir beschlossen, dass die erste Hälfte von Ihnen, die dort ankommt, gleich ins Wochenende nach Hause darf. Die andere Hälfte hat am Wochenende ein sehr kraftraubendes Lauftraining.« Wir rannten um unser Leben. Wir waren nicht gierig, wir wollten niemandem schaden. Ins Wochenende zu dürfen - das wäre so schön! Wir dachten nicht an die etwaigen Verlierer. Wir vergaßen auch, die fiese Masche hinter dem Befehl zu kritisieren - das war einfach Krieg aller gegen alle. Keine Sinnfragen - laufen. Und ich lief, obwohl ich nie gut war im Sport und sicher wusste, dass ich dableiben würde. Ich lief bis zum Wahnsinn und wusste es. Ich hätte zu Fuß gehen können - und wäre genauso bestraft dageblieben. Aber ich lief wie um mein Leben - und deshalb funktioniert die schwarmdumme Gesellschaft.

Wetteifer will sich messen, um besser zu werden.

Wettkampf will etwas gewinnen.

Wetteifer will wissen, wie gut man ist.

Wettkampf regelt, wie viel wer gewinnt.

Wetteifer enthält die Sehnsucht nach der Meisterschaft, nach Arete, nach First Class. Wetteifer erfüllt das ganze Herz. »Wir haben zwar gut gespielt und leicht gewonnen, aber der Gegner war nicht gut drauf. Schade, denn wir wollten eine Herausforderung bestehen.«

Wettkampf ist sehr konkret auf die Jetzt-Situation fokussiert. Jetzt, in diesem Quartal, muss gewonnen werden - egal wie. »Es ging nicht darum, schön zu spielen, wir mussten nur weiterkommen (wie 2014 bei der WM gegen Algerien)! Da sind wir nun, und wir finden jede Kritik an unserem schlechten Spiel vollkommen daneben. Weiterkommen war alles. Wir *sind* weitergekommen.«

Wetteifer will seine Fähigkeiten steigern und Meisterschaft als Fähigkeit erringen. Wettkampf zielt auf die Niederlage der anderen und auf die Meisterschaft als Pokal.

Ich will Ihnen jetzt nicht suggerieren, dass Wetteifer alles sein soll und dass ich Wettkampf verteufele. Beides hat seine guten

Seiten. Ich will Sie bitten, dieses ganze Buch vor Ihren Augen passieren zu lassen - und am besten mit Schrecken zu registrieren, dass der Wetteifer verschwunden ist. Und mit dem Wetteifer wird die Sehnsucht nach dem Besten beerdigt, und bald auch das Beste selbst. Wettkampf will nur gewinnen. »Gewinnen ist good enough. Das tut's.« In diesem Sinne ist das Verschwinden des Wetteifers ein Zeichen für das Heraufziehen der Schwarmdummheit. Oder anders herum: Es wäre ein Zeichen von Hoffnung, wenn der Wetteifer wieder in uns keimen würde. Dann sähe ich eine Chance, dass wir gemeinsam klüger werden könnten.

Unterbrechung der Akerlof-Spiralen durch Deeskalation

Schaffen wir einen solchen grundlegenden Kulturwandel? Können wir gleichzeitig

- das einseitige Fordern von Wachstum an sich beenden,
- den Auslastungswahn stoppen,
- das Überfordern der Mitarbeiter unterlassen,
- gemeinsam das Exzellente wieder verstehen und würdigen,
- einen gemeinsamen Stolz wie »Made in Germany« entwickeln,
- uns normale Statistikkenntnisse aneignen,
- das Totsparen einstellen und wieder inhaltlich arbeiten, nicht nur methodisch,
- uns unsere Neurosen wieder abgewöhnen?

Ich stelle mir die bange Frage, ob dieser ganze Prozess zur Schwarmdummheit überhaupt reversibel ist. Die Römer haben den Balkan abgeholzt, der dann verkarstet ist - so etwas meine ich: Manche Prozesse sind nie oder nur unter immensen Mühen umkehrbar. Fünfzig Kilo zunehmen und abnehmen sind verschiedene Schwierigkeitsgrade. Sogar Aufrüsten ist einfacher als Abrüsten (siehe Irland oder Nahost). Die Ehe ruiniert sich leicht, aber wie rettet man sie wieder?

Die Schwarmdummheit schaukelt sich in einer Akerlof-Spirale langsam auf. Wir sehen das jetzt seit vielleicht 1984, als Toyota mit dem Lean Management der ganzen Welt als Vorbild erschien. Auf die Eskalation des Qualitätsabbaus, der mangelnden Weiterbildung, des Totsparens, des Stresses muss nun eine Deeskalation folgen, die die Nachhaltigkeit im Auge hat. Das erfordert endlos viel Disziplin. Noch einmal: Fünfzig Kilo anfressen kann sogar Spaß machen, aber das Abnehmen ist sehr hart.

Schafft es vielleicht eine neue Generation junger Start-up-Firmen, überall in kleinen Zellen wieder mit Schwarmintelligenz zu beginnen? Haben wir in Deutschland nicht doch noch genug »süddeutschen Maschinenbau«, eine anscheinend intakte Zone der Schwarmintelligenz, die in kleineren Firmen nicht so leicht in Schwarmdummheit umkippen kann? Müssen wir die großen Firmen irgendwie als unreformierbare Zonen »aufgeben«?

Wir stehen vor einer unfassbar schwierigen Aufgabe, wenn wir umkehren wollen. Sie hören das fast jeden Tag in den Nachrichten:

- »Wir haben wegen der Finanzkrise in wenigen Monaten eine Billion Schulden gemacht, wie lange zahlen wir das ab?«
- »Die Banken und Politiker haben in kurzer Zeit das Vertrauen verspielt. Wie gewinnen wir wieder das gegenseitige Vertrauen?«
- »Manager haben nun lange Zeit nur noch angetrieben. Können die noch empathisch coachen, wo doch die Jüngeren nur die Abwärtsspirale kennen, kein ›früher‹?«
- »Geht das noch, dass wir ganz allgemein Lust auf Lernen, Entwickeln, Bilden und Erfahren haben, wo wir doch nur Punkte ergattern wollten?«

Und alle sagen ungeduldig oder ärgerlich - aber ohne jeden Effekt: »In den Köpfen muss sich etwas ändern.« Was genau? Hören wir die im Fernsehen diskutierten Vorschläge.

Dumm einfache Vorschläge gegen Schwarmdummheit

Ich diskreditiere jetzt gleich sehr ehrenwerte, anerkannte und viel diskutierte Vorschläge, unser aller Situation zu verbessern. Ich argumentiere, dass sie absolut nicht zur Deeskalation der Schwarmdummheit taugen. Natürlich sind sie dazu auch nicht gemacht worden. Deshalb kann ich sie eigentlich nicht dafür verantwortlich machen, wenn sie nicht gegen Schwarmdummheit helfen. Ich weiß, dass man nicht schimpfen darf, wenn Aspirin nicht gegen Verstopfung hilft.

Entschleunigung: Es gibt eine Menge von Bestsellern, die unsere Zeit zu schnell finden. Viele beklagen die Hetze und den Stress, die wir uns durch die Ökonomisierung auch unseres Privatlebens einfangen. Die Entschleuniger predigen ein gesundes nachhaltiges Leben - vielleicht wie im *Nachsommer* von Adalbert Stifter. Das ist für Einzelmenschen ein gangbarer Weg, wenn diese eventuell auf Karriere oder viel Geld verzichten können. Aber wie soll ich den ganzen Schwarm entschleunigen? Wie drehe ich das ökonomische Hamsterrad zurück?

Aristotelische/platonische Werte: Wir sollen uns wieder an den antiken Tugenden orientieren. Gerechtigkeit, Tapferkeit, Weisheit und Sinn für das Maßvolle sollen unser Leben bestimmen. Hilft das? Hilft es wenigstens, wenn viele in die Kirche gehen und Jesu Worte hören? Hilft es, wenn Buddha uns empfiehlt, von Hass, Gier und Verblendung abzulassen?

Ich würde es so sagen: In einer Welt der Schwarmintelligenz werden die Tugenden und das Entschleunigte der Muße natürlich positiv aufgenommen und freudig bejaht. Leider helfen diese idealen Predigten nicht, die Schwarmdummheit zu besiegen. Für diesen Zweck sind sie unbrauchbar.

Höhere Steuern für Reiche: Das kann eine gute Maßnahme zur Verteilungsgerechtigkeit sein. Aber: Hört dann die Schwarmdummheit auf? Nein, sie wird zunehmen. Es werden noch höhere Ziele gesteckt und noch mehr Stress gemacht werden. Schwarmdummheit ist wie kollektiver Wahnsinn und kein Umverteilungsphänomen.

Managergehälter begrenzen: Natürlich sind die Top-Managementgehälter heute absurd hoch. Ich habe aber schon eingehend erklärt, dass Schwarmdummheit leider oft mit Gier verwechselt wird. Der Vorschlag, die Managergehälter zu begrenzen, kann im Kampf gegen die Gier helfen, aber nicht gegen die Schwarmdummheit.

Mehr Bildung: Es steht außer Zweifel, dass Mitarbeiter in der kommenden Wissensgesellschaft sehr viel höhere Qualifikationen mitbringen müssen. Die Forderung nach mehr Bildung ist absolut berechtigt. Für die sehr gut bezahlten Berufe ist aber eine so hohe Qualifikation notwendig, dass es sich dann absolut nicht lohnt, nach langem Lernen ganz entschleunigt in Teilzeit zu arbeiten. Wenn jemand wirklich gut ist, wird er in der schwarmdummen Ökonomie natürlich vollständig verbraucht und verschlissen. Es kann sein, dass man dann mit fünfzig Jahren und Burn-out in Rente geht, aber eine entschleunigte Arbeitsweise ist nicht abzusehen. Bildung hilft, im internationalen Wettkampf zu bestehen, aber nicht gegen die Schwarmdummheit.

Und so weiter. Ich will sagen, dass in der Öffentlichkeit alle möglichen Vorschläge diskutiert werden - das bedingungslose Grundeinkommen, die Abschaffung des Euro, das Eingreifen des Staates, das Nichteingreifen des Staates, das Verbieten von Zinsen, die Entmachtung der Banken, das Verteilen von iPads an Schüler ... Nichts davon hilft gegen die Schwarmdummheit und deeskaliert die schlimme Lage, die sich immer noch im Akerlofschen Abwärtsstrudel befindet. Das bedeutet, dass wir im Augenblick nichts diskutieren, was unsere Lage wirklich verbessern könnte!

Was wäre genial einfach? Tipping Points!

Gibt es denn gute Vorschläge genau und gezielt gegen die Schwarmdummheit? Ich habe meine Zweifel. Ich habe Ihnen hier im Buch viele Einzelursachen aufgezählt, die uns in ihrer geballten Summe niederziehen. Ich könnte sicher noch weiter nachdenken und noch mehr Schwarmdummes zum Besten geben, dann wäre alles noch viel komplexer. Das Phänomen der Schwarmdummheit ist wirklich und wahrhaftig sehr komplex.

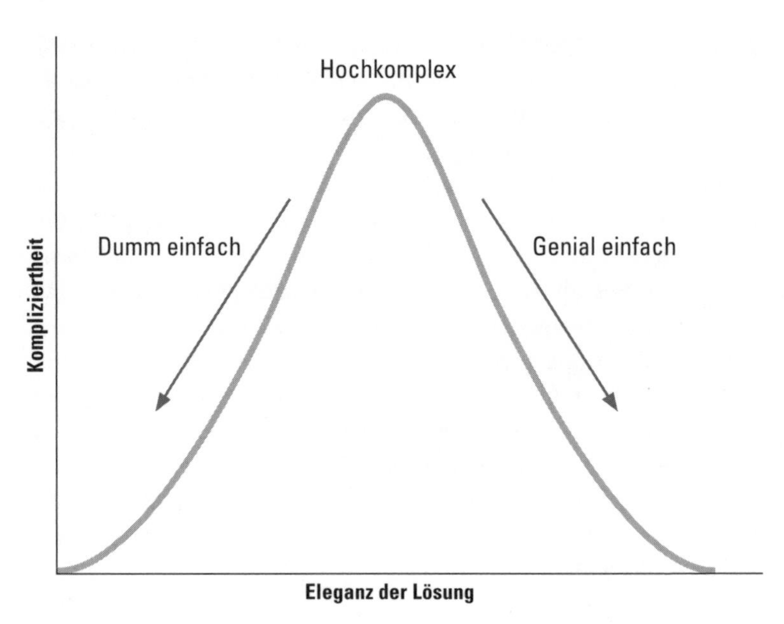

Die Einfachheitskurve, Version 1 (noch mal)

Schauen Sie bitte ein letztes Mal auf die Abbildung von Olivia Mitchell, mit der dieses Buch begann. Was wir brauchen, ist eine genial einfache Lösung.

Habe ich die? Nein. Oder, na gut, sagen wir: vielleicht. Mir fällt eine Story ein, die Sie auch auf der Web-Seite von Olivia Mitchell finden. Sie handelt davon, wie ein Anfänger reiten lernt: Zuerst setzt man den Anfänger auf das Pferd, wahrscheinlich haben jetzt beide Angst, der Anfänger sehr viel mehr, wenn das Pferd erfahren ist. Anfänger haben Angst, abgeworfen zu werden, sie beugen sich zu weit nach vorn oder klammern sich an den Hals des Pferdes. Der Reitlehrer sieht besonders an den Füßen des Reiters, wie blutig er als Anfänger ist. Wenn jemand nicht reiten kann, zeigen seine Fußspitzen nach unten, wenn er quasi auf dem Pferd »liegt«. Man sitzt erst dann gut auf dem Pferd, wenn die Hacken nach unten zeigen. Das ist der erste Schritt: auf dem Pferd sitzen lernen. Nun kann der Anfänger also schlicht den Befehl »Hacken runter« befolgen, oder man kann ihm den korrekten Sitz auf dem Pferd auch mit PowerPoint-Präsentationen erklären, dann wird es hochkomplex, weil man dann auf das ganze Muskelsystem von Pferd und Reiter eingehen muss. Was wäre genial einfach? Olivia Mitchell schlägt eine Metapher vor, die nichts mit dem Reiten und nichts mit Pferden zu tun hat:

»Wenn du auf dem Pferd sitzt, dann stell dir vor, du wärst ein stolzer deutscher Eichbaum, der sich mit zwei Wurzeln in die Erde gräbt und nach oben eine mächtige Baumkrone in den Himmel reckt.« Wenn ein Anfänger sich diese Vorstellung zu eigen macht, dann sitzt er richtig.

Die Metapher hat natürlich nichts mit dem Problem zu tun, das sie lösen soll! Und sie hat den Nachteil, dass sie zwar helfen mag, aber denjenigen, der dem Anfänger vorschlägt, sich wie eine Eiche zu fühlen, zuerst einmal ziemlich lächerlich aussehen lässt - finden Sie nicht? Etwas präziser: Ich kann diese Metapher praktisch bei der Reitausbildung nutzen und damit großen Erfolg haben. Alle meine Reitschüler können dann im Nu vernünftig ruhig auf dem Pferd sitzen. Wenn ich aber diese Methode in einem öffentlichen Vortrag lauter Nichtreitern erkläre, werde ich ausgelacht, weil das genial Einfache oft lächerlich ist.

Sei's drum. Wenn ich jetzt am Ende des Buches noch etwas vorschlage: lachen Sie eben. Ich ertrage es trotzig.

Zur Sache: Es muss uns gelingen, eine kritische Masse für eine Gegenbewegung zur Schwarmdummheit zu bilden. Wie das vor sich gehen kann, studierte Malcolm Gladwell in seinem im Jahre 2000 erschienenen Bestseller *The Tipping Point*. Die deutsche Ausgabe übersetzt den Titel nicht, in Dänisch erscheint es unter *Der magische Wendepunkt* (von mir wieder ins Deutsche übersetzt). Es geht darum, dass manchmal kleine Auslöser, die ihre Wirkung viral ausbreiten, in unserem Leben große Veränderungen bewirken. Ich denke gerade an große Sätze wie:

- »I have a dream!« (Martin Luther King)
- »Ich bin ein Berliner!« (John F. Kennedy)
- »In zehn Jahren landen wir auf dem Mond!« (sinngemäß, John F. Kennedy)

Gladwell studiert drei Regeln, wie sich große Veränderungen auf Grund relativ kleiner Ursachen ausbreiten. In meinen Worten (Social Media gab es im Jahr 2000 noch nicht):

- Es hilft enorm, wenn einzelne Prominente, Twitter-Bewegungen et cetera die Verbreitung einer Idee beschleunigen.
- Es muss gelingen, dass die Leute »dranbleiben« - so hilft eine Folge *Sesamstraße* gucken nicht weiter, die *Sesamstraße* muss die ganze Kindheit begleiten!
- Die Bewegung muss tiefen Sinn geben und aus sich heraus immer wieder motivieren.

Solch einen Tipping Point müssen wir erreichen!

Wie könnte der aussehen? Es müsste etwas sein, das Menschen zu einer Anstrengung eint, sodass der kleingeistige Opportunismus vergessen werden könnte. Stellen Sie sich vor, jemand fängt in einer Stadt mit dem Bau einer Kathedrale an! Das wird vielleicht zuerst von ein paar Reichen unterstützt, der Sinn wird von allen mitgefühlt, sie verstehen alle, dass sie jetzt vielleicht hundert Jahre zusammenarbeiten müssen. Dann gehen sie ans Werk - und die Schwarmintelligenz kann unter Umständen wiedergeboren werden und sich für eine bessere Zeit verbreiten.

»In zehn Jahren auf den Mond!«

Ganz genau sagte Kennedy vor dem Kongress: »Ich glaube, dass dieses Land sich dem Ziel widmen sollte, noch vor Ende dieses Jahrzehnts einen Menschen auf dem Mond landen zu lassen und ihn wieder sicher zur Erde zurückzubringen. Kein einziges Weltraumprojekt wird in dieser Zeitspanne die Menschheit mehr beeindrucken, keines wichtiger für die Erforschung des entfernteren Weltraums sein; und keines wird so schwierig oder kostspielig zu erreichen sein.«

So etwas würde helfen, hier in Deutschland, oder nicht? Eine wirklich konkrete Vorstellung dieser Art. Ich meine: konkret. Heute reden alle von Wischi-Waschi-Denkrichtungen wie Cloud Computing, Social Media, Big Data, Smarter Cities, Industrie 4.0,

Cyber Physical Systems, Internet der Dinge, Internet of Everything, Wissensgesellschaft - alles Worthülsen, unter denen man sich kaum etwas vorstellen kann. »In zehn Jahren auf dem Mond« ist dagegen absolut klar!

Ich versuche gerade auf Kongressen mein Bestes - ach ja, ich bin kein Kennedy. Bei mir klingt das zum Beispiel so:

»Deutschland sollte sich ein großes Ziel setzen. Ich selbst würde Deutschland zum ersten Land umbauen, in dem der Besitz von Privatautos verboten wäre. Der ganze Verkehr wird durch selbst fahrende Autos abgewickelt, die jedem als Taxi zur Verfügung stehen. Jeder Einwohner bekommt eine Flatrate von 24000 Kilometern im Jahr. Wer irgendwo hinwill, ruft per Smartphone ein Taxi. Wenn es nur noch Taxis gibt, brauchen wir sehr viel weniger Autos als heute. Heute parken die Autos fast ihre gesamte Lebenszeit. Im Durchschnitt fahren sie am Tag vielleicht 7 Prozent. Wenn wir alle Verkehrsspitzen beachten, könnten wir mit circa einem Fünftel der heutigen Autos auskommen. Wir brauchen nie mehr Parkplätze zu suchen, wir brauchen keine Parkhäuser mehr und keine Innenstadtparkplätze. Wir haben weniger Unfälle, keine Alkoholkatastrophen und wir fahren auf der Autobahn schneller, weil Selbstfahrautos keine dummen Gafferstaus erzeugen und viel besser einfädeln. Wir können uns die Tankstellen sparen, weil die Selbstfahrtaxis zentral getankt werden, wir können sie alle auf Fuel-Cell-Motoren umstellen und den dazu nötigen Wasserstoff durch die Sonne Afrikas erzeugen - damit lösen wir gleichzeitig wichtige Energie-, Klima- und Nachhaltigkeitsprobleme. Und ich selbst, der ich in dem kleinen Ortsteil Waldhilsbach von Neckargemünd wohne und hier mangels Einkaufsmöglichkeit zwingend auf ein Auto angewiesen bin, ich selbst kann hier bis zu meinem Lebensende froh leben, weil mich die Selbstfahrautos zum REWE oder ALDI bringen. Ich muss nicht vorzeitig in ein Heim oder zu Verwandten ziehen. Lassen Sie uns für diese neue Welt neue Technologien entwickeln und automatische Verkehrssysteme entwerfen. Lassen Sie uns führend vorangehen.«

Es wäre jetzt schön, wenn Jubel ausbräche, weil so viele Probleme auf einmal gelöst wären. Aber dann schimpfen Sie auf mich ein: »Ich will meinen Supersportwagen selbst fahren! Menschenrecht! Punkt!« - Ich entgegne: »Ich schlage vor, Sie bezahlen fünfmal mehr für die Taxis und ich baue eine Software ein, sodass Sie immer Vorfahrt haben - wie mit Blaulicht!« (Das akzeptieren die Selbstfahrspaßfanatiker.) Dann aber kontern Sie: »Das kostet doch irre viele Arbeitsplätze, oder? Wir haben Angst. Was geschieht mit dem Kassierer im Parkhaus? Dem Tankwart? Den Autobauern?«

Ich merke schon, mein Vorschlag erreicht den Tipping Point nicht. Wir werden dank Google dann doch alle nur noch mit Selbstfahrtaxis fahren, aber wir haben als Wirtschaftsnation nichts davon. Google bestellt die Autos aus China. Ich fahre Volvo, dieser Autobauer gehört ja schon der chinesischen Geely Holding. Google sucht gerade den Tipping Point. Man hat sich bei Uber beteiligt, ein Unternehmen mit einem Internet-System, mit dem man per App Taxis bestellen kann. Google hat einen Paketauslieferungsdienst gekauft, der bestimmt bald nur noch mit selbst fahrenden Autos ausliefern wird. Diese Autos wird Google in China bauen lassen. So fügt man eines zum anderen und verändert die Welt langsam an Stellen, wo keine Deutschen meckern. Und später, wenn ich mein Selbstfahrtaxi ordere und nur noch sagen muss »Zu meiner Tochter zu Besuch!«, dann seufze ich, dass wir in Deutschland so eine Vision »In zehn Jahren auf den Mond« verpasst haben. Und Sie sitzen dann auch gerade in solch einem Taxi und schimpfen, dass wir wieder einmal alles aus den USA diktiert bekommen haben. Und die bösen USA haben zum Untergang der heimischen Industrie geführt.

Lassen wir einmal kurz diese Fragen und Bedenken aus der deutschen Wirklichkeit weg. Stellen Sie sich vor, wir könnten uns gemeinsam für eine neue Welt der Selbstfahrtaxis begeistern. Stellen Sie es sich einfach nur einmal vor, auch wenn es Ihnen schwerfallen mag: Das wäre so etwas Gigantisches wie der Bau einer Kathedrale für die Einwohner einer Stadt. Dann könnte die Schwarmintelligenz wieder in größerem Maßstab Fuß fassen, dann könnten wir eine kritische Masse erreichen.

Tja, so einfach oder so schwer ist es. Deutschland hat schon einmal so einen Tipping Point erzeugt. Das war der Leber-Plan, erinnern Sie sich? Der damalige Verkehrsminister legte ein Programm zur Gesundung des deutschen Verkehrswesens auf. 1966 sagte er: »Kein Deutscher soll mehr als 20 Kilometer von einer Autobahnauffahrt entfernt leben.«

Diese harmlos klingende »20-Kilometer-Vision« wirkte fast so erstaunlich wie »in zehn Jahren auf dem Mond«. Deutschland erlebte eine große wirtschaftliche Blüte dank eines forcierten Straßenbaus. Wir nannten es »Wirtschaftswunder«. Und wir könnten jetzt wieder eines haben. Deutschland könnte sich genauso entschlossen zeigen, ein Glasfasernetz für das beste Netzwerk der Welt auszubauen, man könnte und könnte - ja könnte.

> Länder, Organisationen, Unternehmen oder Schwärme im Aufbruch zu neuen Ufern vergessen die Schwarmdummheit. Sie haben dafür keine Zeit.

Im Aufbruch wird man gemeinschaftlich klüger. Das sehen wir eben in kleineren Unternehmen, im immer mehr gefeierten Mittelstand und speziell im deutschen Maschinenbau, um »den uns die anderen Länder beneiden«. Dabei ist es nicht der Maschinenbau an sich, sondern die Schwarmintelligenz im Mittelstand, die dort gegenüber Meetings und Opportunismus weitgehend immun zu sein scheint. Schauet alle auf diese Schwarmtüchtigkeit!

Zum Schluss: I have a dream

Nun habe ich doch noch einen Traum. Nur ein kleiner, aber er könnte vielleicht ein Anfang sein. In meinem Traum ist ein Unternehmen so etwas wie ein Weihnachtsbasar. Nun, das muss ich jetzt erklären. Wussten Sie, dass es kaum Bücher oder Lehrwissen dazu gibt, wie man Organisationen oder Institutionen managt, die hauptsächlich von Freiwilligen getragen werden? Freiwillige kommen aus eigenen Stücken, um etwas zu bewegen oder um irgendwo zu helfen. Sie setzen sich hohe Ziele, sind aber nicht gezwungen, sie zu erreichen. Sie wollen nicht unter Druck und Hast arbeiten. Sie nehmen sich Zeit. Das Ergebnis der Arbeit soll sie befriedigen, ihre freiwillige Arbeit soll ihnen Freude bereiten. Opportunisten haben keinen Platz unter den Freiwilligen, Trickserei gibt es nicht, braucht man ja auch nicht.

Als Führungskraft dürfen Sie Freiwillige nicht so einfach anbrüllen, dann gehen sie. »Ich komme, um zu helfen, aber wenn gemeckert wird, tue ich mir das hier nicht an!« Das kann ein Problem sein, wenn man die Freiwilligen zu Höchstleistungen bringen will. Ein Chef von Freiwilligen kann nicht direkt etwas tadeln. Würde er herumschimpfen: »Wer hat diese Klopapiermütze für den katholischen Basar gehäkelt? Bei der ist nicht sauber gearbeitet worden. So etwas verkaufen wir nicht zu Weihnachten. Ah, und dieses selbst gemachte Gebäck sieht nicht lecker aus. Wer hat das gebacken? Leute, wir stellen hier nur gute Qualität aus, wie oft soll ich das sagen!?«, dann stünde er wohl schnell alleine da. Wer Freiwillige führen will, muss sie begeistern.

Ich träume von Managern, die ihre Mitarbeiter wie Freiwillige führen und zu First-Class-Leistungen bringen. Es ist eine große Kunst, Freiwillige so für ein Ziel zu erwärmen, dass sie wirklich für First-Class-Qualität brennen und dann auch nicht so schwankende Arbeitszeiten haben. Bei großen Visionen ist es leichter, alle auf wundervolle Arbeit einzuschwören. Denken Sie an Open-Source-Software-Teams, die Marktführerschaft anstreben, denken Sie an die Wikipedia, die in wenigen Jahren fast schon zu einem Denkmal des Weltkulturerbes geworden ist. Es wäre ein wichtiger Schritt raus aus der Schwarmdummheit getan, wenn Manager ihre Mitarbeiter so führen würden, als ob sie ein Freiwilligen-Team vor sich hätten. Und wenn Mitarbeiter ihrerseits so arbeiteten wie für die freiwillige Sache.

Stell dir vor, sie *wollen* arbeiten und etwas bewirken! Wäre das so utopisch? Für Kinder ist diese Vorstellung überhaupt nicht abwegig. Sie lassen sich wie Freiwillige leiten. Alles ist gut! Sie wollen alles selbst können, alles gut machen und alles lernen. Doch irgendwann beginnt die Schwarmdummheit von ihnen Besitz zu ergreifen. Diesen Moment müssten wir besser erkennen und hinausschieben, eigentlich: verhindern. Dann werden wir wieder klüger. Und wie! Doch die Schwarmdummheit muss entlarvt werden. Dass dies jetzt und in Zukunft geschieht, immer wieder und immer mehr, dafür ist dieses Buch voller Hoffnung geschrieben worden.